알기 쉬운 생산기술

알기 쉬운 생산기술

국내 유일의 생산기술 이론 자료

방대한 생산기술 사례 소개 자료

생산 관련 모든 기술자의 구독서

- ●생산기술의 기초 지식을 습득하고자 하면
- ●생산기술 실무 능력을 향상시키고자 하면
- ●모든 분야의 업무를 파악하고자 하면
- ●효율적인 현장 관리자가 되고자 하면
- ●PQCD를 향상시키고자 하면
- ●공학도가 사전 지식을 습득하고자 하면

알기 쉬운 생산기술

발행   2020년 05월 11일
저자   정대식
펴낸이 한건희
펴낸곳 주식회사 부크크
출판사등록 2014.07.15.(제2014-16호)
주소   서울특별시 금천구 가산디지털1로 119 SK트윈타워 A동 305호
전화   1670-8316
이메일 info@bookk.co.kr

ISBN   979-11-372-0590-1

www.bookk.co.kr

알기 쉬운 생산기술

정대식 지음

여는 글

HMC, TOYOTA, HONDA 등의 자동차 회사에서 현재 생산기술 업무를 담당하고 있는 비율은 사무직군 기준으로 약 12% 정도를 차지하고 있을 정도로 많은 인력 비중을 두고 있다. 그만큼 생산기술 업무는 회사의 성패를 좌우할 정도로 중요한 부분을 차지하고 있다.

현대자동차 고문이었던 아라이 세이유(荒井齊勇)는 생산기술이란 첫째는 도구를 생산하기 위한 기술(설비, 공구, 열처리, 운반기구, 치구, 금형, Pallet 등)과 둘째로 도구를 사용하여 무엇인가를 생산하는 기술이다고 한다. 즉, 어떤 제품을 생산하기 위해서 4M을 활용하여 QCD 달성을 위한 생산 활동 전반이다고 한다.

본서에서의 생산기술이란 기획, 영업, 설계, 생산, 생관, 보전, 품질, 공구, 원가 등을 총괄하는 기술로, 모든 분야의 업무를 정확히 파악하여 PQCD를 만족하는 제품을 생산하는 기술이다고 한다.

본서를 기획하고 출판하게 된 동기는 많은 중소기업에서는 정규 교육을 받은 생산기술 인원이 없거나, 또는 적어서 상당히 애로사항을 겪고 있으며, 실제로 30~40년 된 기업들이 국제경쟁력을 따지기도 전에 지적자산을 유지 관리한다거나, 고유 기술력으로 경쟁력 있는 제품을 개발한다거나, 신제품 개발 업무 등에 상당히 뒤처져 있어서 더 이상의 발전을 하지 못하고 후퇴하고 있는 상황을 보았기 때문이다.

이에 본서는 힘들지만 자신의 목표를 수행하고 받는 성취감을 느끼고자 하는 사람, 제조업에 관심을 가지고 생산을 총괄하고자 하는 사람, 생산기술 지식을 습득하고자 하는 사람, 생산기술 실무 능력을 보다 높이고자 하는 사람, 생산 현장의 관리감독자, 자동차 관련 공학도 등에게 필요한 지식을 전하고자 한다.

생산기술을 이해하고 현장에 반영함으로써 품질이 뛰어나고, 싼 가격에, 보다 빠르게 고객에게 대응함으로써 개인의 발전과 기업의 번영과 국가에 공헌하는 마음가짐을 가지기를 기원드립니다.

감사합니다.

알기 쉬운 생산기술

CONTENTS

여는 글 - 5

제1장 생산기술이란 무엇인가 - 12
1-1.물건을 만든다는 것은 - 13
1-2.기술이란 - 15
1-3.생산 방식의 변천 - 16
1-4.생산기술이란 - 18
1-5.생산기술의 특장 - 24

제2장 제품개발일정표 - 31
2-1.제품개발일정표란 - 32
2-2.OEM 제품개발일정표 - 38
2-3.자체 제품개발일정표 - 39

제3장 공법 검토 - 42
3-1.공법 검토
 3-1-1.공법 검토란 - 43

3-2.Line concept 정리
 3-2-1.Line concept 정리란 - 45
 3-2-2.도면 보는 법 - 46
 3-2-3.Jig & Fixture - 48
 3-2-4.Cycle time, UPH, Man Hour, 생산량 - 53
 3-2-5.가동률 - 55
 3-2-6.생산기종, 기종추가, 자동율, Flexibility, V/up - 60
 3-2-7.자동화 방식 - 62

CONTENTS

3-2-8.절삭조건 - 68

3-2-9.제조원가 - 77

3-3.설비 구성

3-3-1.공정 분배, 내외자 구분, 1차 투자비, Machine list - 87

3-3-2.Flow chart, Block diagram, 인원 분배 - 89

3-3-3.설비별 Cycle time 분석 - 90

3-3-4.기능분석표 - 91

3-3-5.Hole chart - 92

3-3-6.시작도면 접수(사양비교표, 양산성 검토) - 93

3-3-7.CP, CPK - 95

3-3-8.공법 검토 사례 - 97

3-4.Shop master - 116

3-5.생산준비도 - 118

3-6.기획예산

3-6-1.기획예산 - 119

3-6-2.수립 절차 - 119

3-7.설비제작사양서 - 120

제4장 공법 확정 - 121

4-1.공법 확정

4-1-1.공법 확정이란 - 122

4-1-2.1차 Machine layout - 123

4-1-3.1차 공청회 - 130

CONTENTS

4-2.품질관리

　4-2-1.품질관리란 - 137

　4-2-2.품질보증 - 138

　4-2-3.문제 해결 기법 - 139

　4-2-4.생산기술과 품질관리 - 140

　4-2-5.품질 확보 방안 - 142

4-3.소재도면

　4-3-1.소재도면이란 - 147

　4-3-2.소재 소요 계획 - 148

제5장 공정도 - 151

5-1.가공공정표 - 152

5-2.작업표준서 - 155

5-3.작업요령서 - 157

5-4.일반공차표 - 159

제6장 견적 - 162

6-1.견적

　6-1-1.견적이란 - 163

　6-1-2.견적 업무 Process - 164

　6-1-3.견적사양서 - 165

6-2.견적 대상 업체 선정

　6-2-1.견적 대상 업체 선정 - 174

　6-2-2.Local part - 176

6-3.견적 의뢰

CONTENTS

6-3-1.견적 의뢰란 - 178

6-4.견적 접수 및 평가
 6-4-1.견적 접수 및 평가 - 181
 6-4-2.품의서 - 182

6-5.계약
 6-5-1.NEGO - 185
 6-5-2.계약 - 186
 6-5-3.사무 5행 - 187

제7장 설비 제작 - 192
7-1.사양 협의
 7-1-1.사양 협의란 - 193
 7-1-2.FMEA 반영 - 194

7-2.승인도 검토
 7-2-1.승인도 검토란 - 196
 7-2-2.승인도 검토 업무 Process - 200

7-3.Test piece
 7-3-1.Test piece란 - 201
 7-3-2.Test piece 공급 계획 - 201

7-4.업체 실사
 7-4-1.업체 실사란 - 203
 7-4-2.2차 공청회 - 204
 7-4-3.유지류 List 작성, 발주 - 206

CONTENTS

7-4-4.Chute, Conveyor 발주 - 207

7-4-5.자주검사 Gage 발주 - 208

7-4-6.Hoist, Pit 발주 - 209

7-4-7.부자재 List 작성, 발주 - 210

7-5.검수

7-5-1.검수란 - 211

7-5-2.검수자의 책임과 권한 - 211

7-5-3.검수 Flow chart - 212

7-5-4.검수 요령 - 213

7-6.입고, 설치

7-6-1.입고, 설치 계획서 - 216

7-6-2.Utility list 작성, 의뢰, 공사 - 219

7-6-3.Man Machine Chart - 224

7-6-4.동작분석표 - 226

7-6-5.입고, 통관, 설치 - 228

7-6-6.Spare parts - 229

7-6-7.취급설명서 - 230

7-6-8.유지류, 부자재, 자동화 장치 - 234

7-6-9.자주검사 Gage - 236

7-7.시운전

7-7-1.시운전이란 - 237

7-7-2.품질 Check 수량, 방법 - 238

7-7-3.공정별 Tryout 일지 - 240

7-7-4.공정 Tryout, Line Tryout - 242

7-7-5.중간 Meeting, Final Meeting - 244

CONTENTS

제8장 양산 - 248

8-1.양산 선행

 8-1-1.양산 선행 계획 수립 - 249

 8-1-2.품질 향상 계획 수립 - 251

8-2.양산

 8-2-1.양산이란 - 252

 8-2-2.가동률 향상 계획 수립 - 253

 8-2-3.초기유동관리 - 255

 8-2-4.생산 인계 - 256

 8-2-5.보전 관리 - 258

제9장 신공장 건설 - 267

9-1.신공장 건설 - 268

참고 문헌 - 275

제1장 생산기술이란 무엇인가

 많은 기업들은 동종의 기업들과 경쟁에서 살아남기 위해서,
매일매일 타사보다 효율적이고 경제적인 제품을 만들기 위해서
노력하고 있다.
 생산기술은 품질이 뛰어나고, 보다 싸고, 보다 빠르게 생산하기
위해서 제품기획 단계에서 양산까지의 업무를 관련자들과 협의,
조정, 지시 등을 해 나가야 한다.
 또한 기획, 공법 검토, 공법 확정, 공정도 작성, 견적, 발주,
설비 제작, 설치, 시운전, 양산에 걸쳐 각 분야의 관련자들의
업무를 사전에 숙지하여야 하고, 이것을 바탕으로 업무 중간에
본인 스스로 진행 상황의 양부(良否)를 파악하여 조치해 나갈
수 있어야 한다.

1-1.물건을 만든다는 것은

모노츠쿠리(物作り)는 일본어로, 물건을 만든다는 것이다. 특히 뛰어난 작업자가 극도로 세밀하고 정교한 물건을 만드는 것을 말한다. 태곳적 사람은 물건을 만들기 위해서, 맨손을 사용하였고, 다음으로 사람의 능력이 발달하여 도구를 개발하여 돌, 나무, 불, 딱딱한 과일 등을 사용하기 시작했으며, 그 다음으로 기계를 개발하여 대량생산을 하였고, 최근에는 인원 절감과 생산성 향상을 위한 무인생산시스템으로 전환하고 있다.

결국 물건을 만든다는 것은 물건을 어떻게 싸고, 빠르고, 품질이 좋게 만들 것인가이다. 물건을 만들기 위해서는 공급자와 수요자가 필요하게 된다. 공급자는 물건을 만드는 사람이고 수요자는 물건을 구매하는 사람이다. 물건이 갖추어야 할 요건은 수요자의 요구사항이다.

이것을 잘 대변해 주는 제품으로 냉장고가 있다. 옛날에는 공급자가 임의로 물건을 만들면 수요자가 구매를 하게 되는 시스템이었다. 이때만 해도 공급자가 많지 않아 수요자는 하자가 있어도 어쩔 수 없이 A/S를 받아가면서 사용하였다. 하지만 최근에는 공급자는 많고 수요자는 적어서 옛날처럼 하자가 있거나 불만이 있는 제품을 구매하지 않는다.

이러한 것을 국내 전자 업체에서 마케팅에 활용하여 고객의 불만사항이나 요구사항 등을 수렴하여 다른 나라에서는 근접하기도 힘든 세계 최고의 제품을 만들었다는 것이다.

즉, 물건의 Spec은 수요자가 결정한다. 공급자는 수요자의 요구사항을 반영하여 제품 설계를 하고 시제품을 만들어 시중에 판매하고, 또 다시 요구사항을 피드백 받아 제품 개선을 하고 있다.

자동차는 약 3만 개의 크고 작은 부품(물건)으로 조립되어 있다. 물건을 만든다는 것은 크고 작은 부품 단품 그 자체를 만드는 것과 단품들이 조립되어 기능을 발휘하는 조립품으로 만들어지는 것을 말한다.

   또한 조립품은 단품과 단품을 조립하였을 때 간섭이나 치수 공차나 압력 공차 등을 고려하여 설계되어야 하고 그에 맞춰 제품이 조립되어야 한다. 조립품은 일반적으로 조립 순서도 기준으로 조립한다. 이것은 부품의 누락으로 인한 불량을 방지하기 위함이고, 또한 A/S 관계에서 자동차 수리 등에 필요하기 때문이다.

★
<물건을 만든다는 것은>

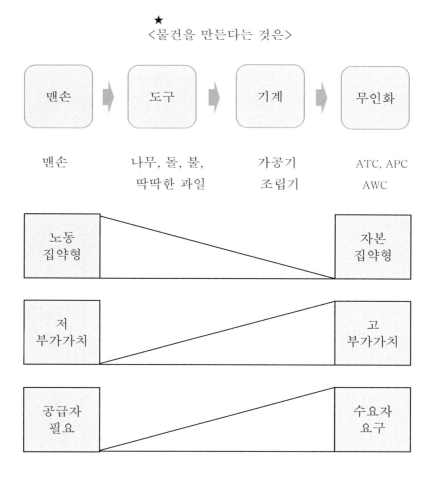

★　菅間 正二의 生産技術の実践手法がよ~くわかる 本[第2版] 인용함.

ATC(Auto Tool Changer), APC(Auto Pallet Changer), AWC(Auto Work Changer)

14

1-2.기술이란

　기술이란 소비자나 End User에 지원되는 물건을 만들어 내는 능력을 말한다. 물건을 만들어 내는 것 이외에, 자동차를 운전하는 기술이라든지, 스포츠 등에서 뛰어난 경기력을 향상시키는 기술이라든지, 프로그램을 활용한 IT 기술이라든지, 최근에 대두되는 4차 산업에 필요한 기술 등의 경우에도 사용되고 있다.
　자동차는 고객의 다양한 요구에 의해 신제품이나 Model changer품을, 보다 빠르고, 싸고, 고품질로, 안정하게 공급하기 위해서는 다양한 방법으로 기술을 개발해야 한다.

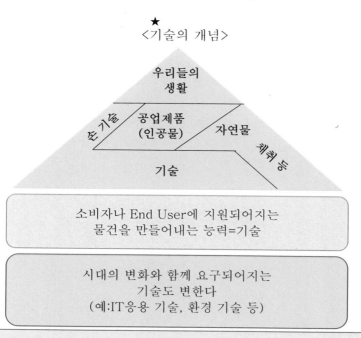

★
<기술의 개념>

우리들의
생활

초기술　공업제품
(인공물)　자연물　채취 등

기술

소비자나 End User에 지원되어지는
물건을 만들어내는 능력=기술

시대의 변화와 함께 요구되어지는
기술도 변한다
(예:IT응용 기술, 환경 기술 등)

기술이란
1.물건과 일을 정교하게 행하는 기술, 기교, 기예
2.과학을 실제로 응용해서 자연의 사물을 개조, 변경, 가공해서,
　인간 생활에 유용하게 하는 기술

★ 菅間 正二의 生産技術の実践手法がよ～くわかる 本[第2版] 인용함.

1-3.생산 방식의 변천

옛날에는 물건이 부족하여 만들기만 하면 팔리기 때문에 물건을
대량 생산해서 공급하는 소종대량생산을 하였으나, 최근에는 물건
을 만드는 사람은 많아지고 수요자는 한정되어 있고, 요구사항 또
한 다양하여, 보다 빠르게 고객이 요구하는 사양을 공급하기 위해
서 다종소량생산이나 변종변량생산, 혼류생산 등으로 변천하고 있
다.
　작업자 기준으로 보면 한 사람이 한 대의 기계를 보는 1인 1대 방
식, 한 사람이 많은 기계를 보는 다대(多台) 방식, 한 사람이 많은
공정을 보는 다공정 방식, 1개의 Module 또는 Cell을 1인이 생산하
는 방식으로 변화되어 오고 있다. 이와 같이 시대의 변화에 따라
효율적이고 경제적인 생산 형태 및 생산 방식은 변화해 오고 있다.

★
〈모노츠쿠리의 흐름〉

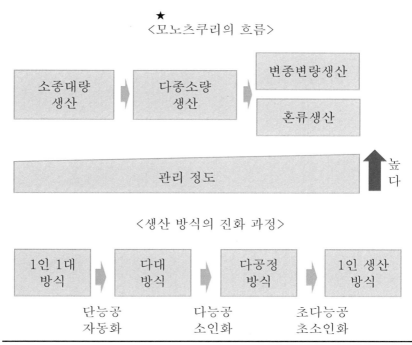

〈생산 방식의 진화 과정〉

★ 菅間 正二의 生産技術の実践手法がよ～くわかる 本[第2版] 인용함.

16

*생산 방식의 종류

1.Lot 생산

-자동차 부품 공장의 대표적인 예로 한 개의 제품이나 Family 제품
을 동시에 많은 양을 생산하는 방식이다. 생산성이 높다.
-기종 교환이 필요 없다.

2.Random 생산

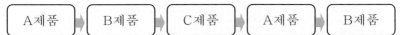

-A제품 2가지, B제품 2가지, C제품 1가지 등 여러 가지를 동시에
생산할 수 있는 생산 방식이다.
-생산량 변화와 고객의 요구에 빠르게 대응할 수 있는 방식이다.
-자동화율에 따라 투자비 차이가 많이 발생한다.
-투자비가 가장 많이 들어가고 Line 유지 관리가 힘들다.
-기종 교환이 필요하다.

3.연속 생산

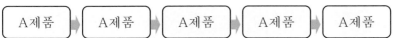

-크게 보면 Lot 생산과 차이가 없이 연속적으로 동일 제품을 생산
하는 방식으로 주로 철강이나 약품을 생산하는데 사용된다.
-기종 교환이 필요 없다.

4.개별 생산

-고객의 주문에 따라 개별적으로 생산하는 방식이다.
-선박을 생산하는데 사용된다.
-기종 교환이 필요하다.

1-4. 생산기술이란

현대자동차 고문이었던 아라이 세이유(荒井齊勇)는 생산기술이란 도구를 생산하기 위한 기술과 도구를 사용하여 무엇인가를 생산하는 기술로 설명한다. 도구라고 하는 것은 설비, 치구, 공구, 금형, 열처리, Pallet, 운반기구 등을 말한다.

도구를 생산하기 위한 기술은 ①설비 계획과 설비 선정의 생산기술, ②설비 투자액 검토, ③Material handling, ④ Layout의 기술, ⑤직렬형과 병렬형(분기점과 합류점이 생겨서 좋지 않다), ⑥Layout을 보는 방법과 고치는 방법, ⑦공장 개조, 증산 대책, ⑧전용 라인인가, 혼성 라인인가, ⑨점의 생산기술과 선의 생산기술이다.

점과 선의 생산기술에 대해서 보충 설명을 하면 "이 다섯 대 분의 일을 Transfer machine으로 바꾸면 세 사람의 인원 절감이 된다"라는 돈을 투자하여 개선하는 활동을 점의 생산기술이라고 한다. 선의 생산기술이라 함은 라인 전반을 들여다 보아 어느 면의 설비가 불충분한지? 그 불충분의 해결책은 없는가? 개개인의 작업에 3불(不)사항은 없는가 등을 검토하여 현재 10명이 하고 있는 작업을 8명으로 할 수 없을까를 검토하는 것을 말한다.

다음은 도구를 사용하여 무엇인가를 생산하는 기술이란 ①현장 관리자의 역할, ②QCD의 임무를 달성하려면 구체성 있는 확실한 지시를 수반하여 솔선수범하는 관리자의 자세, ③팀 구성과 감독의 중간 역할, ④리더십, ⑤라인 정원제 관리, ⑥예비 인원과 개선반, ⑦전원 참가와 소집단 활동, ⑧라인의 생산능력, ⑨숙련된 기술의 향상으로 불합리, 불균일, 불필요를 없애는 것이다.

"생산기술 실천수법을 잘 알 수 있는 책"의 저자 스가마는 생산기술이란 어떻게 해서 만들까를 관점으로 한 기술 전반을 다루는 기술로, 어떤 제품을 효율적이고 보다 경제적으로 생산하기 위해서 필요하게 되는 기술, 바꿔 말하면, 제품 경쟁력에 불가결한 품질, 코스트, 납기를 확보한 제품에 요구되는 사양을 만족하고 안전하고 편안하고 유연하게 생산 가능하고, 기업 이익을 창출하기 위한 합리적인 사상을 기반으로 한 생산에 관한 기술 체계라고 한다.

생산 설비, 공구 등을 개발, 설계 및 준비한다든지 하는 생산시스템을 구축해서 생산을 함께 한다든지, 생산 활동을 유지 개선시켜 나간다든지 등, 효율적이고 경제적인 모노츠쿠리를 유지하기 위해서 생산에 관한 계획 및 기술 등을 총칭해서 생산기술이다고 말한다.

"생산기술의 책"의 저자 사카쿠라 코우지(坂倉 貢司)는 생산기술이란 목표로 하는 품질을 제품에 전사(轉写)하는 기술이다고 말하고 있다. 영업, 기획, 개발, 설계에서 요구하는 목표의 품질을 우수한 품질의 제품으로 만들기 위해서 수주, 재료 구입, 가공, 조립, 검사, 출하, 운반에서 발생하는 품질 산포를 관리하여 QCD를 관리하는 각 부서가 사용하는 기초기술이다고 한다.

생산기술이 사용되는 것은 우선 생산 준비 단계에서는 ①생산기술 개발, ②공정설계, ③생산준비, ④공정정비, ⑤설비검증, ⑥공정능력검증의 기능을 담당하는 부서에서 사용된다. 양산 준비 단계에서는 ①공정정비, ②설비검증, ③공정능력검증, ④설비보전을 담당하는 부서가 생산기술을 사용하게 된다.

VA를 포함한 설계 변경이나 공정 변경이 계획된 경우, 혹은 중대한 품질보증 사항이 발생하면, 공정 설계를 담당하는 부서 혹은 제품 개발을 담당하는 부서까지 사용하는 것이 많다.

이와 같이 폭 넓게 사용되는 생산기술이지만, 기업에서 자주 보이는 오해는 생산기술이라는 이름을 가진 부서에서만 업무가 행하여지고 있다는 것이다.

즉, 생산기술이 각 부문의 전체 최적화를 수행하는 역할 중에서 사용되는 중요한 요소기술로 인식하고, 생산기술 부문만이 전체를 책임지는 것이 아니라 관련부문을 포함하여 전부가 공동체 의식을 가지고 함께 업무를 수행해야 한다.

전사(轉写):문장, 도면 등을 그대로 재현하는 것.

본서에서 설명하고자 하는 생산기술이란

기획, 영업, 설계, 생산, 생관, 보전, 품질, 공구, 원가, 경영, 물류 등의 업무를 총괄하는 기술로 모든 분야의 업무를 정확히 파악하여 PQCD를 만족하는 제품을 생산하는 기술이라고 말할 수 있다.

제품도면을 받아서, ①품질이 경쟁사보다 뛰어나고, 싸고, 보다 빠르게 대응하기 위해서 충분한 검토가 요구되는 기획 단계, ②4M(Man, Machine, Material, Method)을 준비하는 공법 검토 단계, ③4M을 충분히 검토한 후 관련부서와 임원 및 Owner와의 1차 공청회를 실시하여 피드백을 받아 계획에 반영하는 공법 확정 단계, ④가공공정표 및 작업표준서, 작업요령서 등을 작성하는 공정도 작성 단계, ⑤견적사양서를 만들어 업체에 견적을 의뢰하는 견적 단계, ⑥4M이 발주된 이후 설비 제작 사양 협의 등을 거쳐 제작된 설비의 입고, 설치, 시운전 단계인 설비 제작 단계, ⑦가동률 향상 및 품질 향상을 위한 선행 양산, ⑧생산에 인계를 위한 양산 준비 단계로 나누어서 본서에서는 다루고자 한다.

생산기술을 조직적인 면, 업무 면, 시스템 면으로 각각 구별한다.

조직적인 면에서 생산기술 구별

−선행생산기술

−양산생산기술

업무 면에서 생산기술 구별

−신규 프로젝트 수행

−기존 Line 개선 업무 수행

★시스템 면에서 생산기술 구별

−하드웨어 업무 수행

−소프트웨어 업무 수행

조직적인 면에서 생산기술을 설명하면

첫째, 선행생산기술은 기획 단계부터 설비 제작까지의 업무를 총괄하는 것이고, 양산생산기술은 설치, 시운전 및 양산 단계까지의 업무를 총괄하는 것이다. 2가지로 나누는 이유는 대부분의 기업은

★ 當間 正二의 生産技術の実践手法がよ∼くわかる 本[第2版] 인용함.

생산기술에서 양산까지의 업무를 함께 수행하고 있다.

이런 경우 문제는 생산기술에서는 설비가 입고되어 시운전을 할 때 최소 5~6개월이 소요되는데, 이때는 대부분 현장에서 밤늦게까지 일을 할 때가 많고 심지어 철야도 해야 할 때가 발생한다.

생산기술 담당자가 한 개의 프로젝트만으로 업무를 담당할 때는 거의 없고, 최소 3~4개의 프로젝트를 동시에 수행할 때가 많다.

이와 같이 기획 단계 업무와 양산 단계 업무가 동시에 걸릴 때, 사무실에서 기획하거나 공법 검토 등의 업무를 보는 동시에 현장에서 설치, 시운전을 하기 위해서 장시간 육체노동을 하다 보면 사람은 실수를 하게 되어 있다. 즉, 놓치는 업무가 발생한다든지 일정이 지연된다든지 하는 중대한 상황이 종종 발생하게 된다는 것이다.

이러한 문제를 해결하기 위해서 일부 기업에서는 인원을 분배하여 선행생산기술, 양산생산기술로 나눠서 업무를 추진하는 것이다. 장점으로는 기획 단계나 공법 검토 단계의 업무를 수행할 경우, 설치, 시운전 시 문제점을 해결해야 하는 골칫거리 대신 신선한 아이디어 창출을 도모하게 되어, 보다 경제적이고 효율적인 프로젝트를 수행할 수 있게 된다.

또한 초기 검토의 효율성을 높일 수 있고, 충분하게 FMEA를 반영하여 반복된 문제가 일어나지 않게 되고, 생산성이 높고, 품질이 뛰어나고, 코스트가 낮고, 납기가 빠른 Line 구축에 앞장설 수 있다. 단점으로는 적정인원 배분을 할 수 있을 정도 규모의 기업이 되지 않으면, 인원을 배분할 수 없기 때문에 이런 조직을 구성할 수 없다.

둘째, 업무 면에서 생산기술을 구별하여 설명하면 신규 프로젝트가 연속적으로 발생하고 기존 Line 개선 업무도 동시에 할 때도 있고, 신규 프로젝트가 없는 상황에 기존 Line 개선 업무가 있을 경우가 있다. 첫번째의 경우에는 어쩔 수 없이 한 Part에서 2개의 그룹으로 나누어서 일을 할 수 밖에 없다. 물론 이때는 적은 인원으로 많은 일을 해야 하기 때문에 고도의 집중력과 노력이 필요하게 되고, 관련부서에서의 적극적인 협조가 필요하게 된다.

기본적으로 기존 Line의 개선 업무는 생산부서 책임이다. 하지만 고질적으로 문제가 해결되지 않는다든지, 태어날 때부터 문제가 되어 생산성 저하나 품질 불량이 다발할 때에는 생산기술이 지원하지 않으면 해결이 어렵게 된다.

개선 업무를 진행할 때 중요한 것은 생산성과 품질에 대한 목표치를 명확히 설정하고, 협의해서 업무를 추진해야 한다. 기존 Line을 신규 Line과 동일한 품질 수치로 요구하게 되면 많은 시간과 비용이 필요하게 되는 것이다. 또한 가능하지 않는 경우도 발생할 수 있기 때문이다. 사전에 현재의 Line 상태를 정확히 파악하고 처음 설비가 입고되어 시운전 완료 시의 데이터와 현 시점의 데이터를 비교하여 목표치 데이터를 결정하는 것이 대단히 중요하다.

세번째, 시스템 면에서 생산기술을 구별하여 설명하면 하드웨어 업무 수행과 소프트웨어 업무 수행이 있다. 컴퓨터를 예를 들면, 하드웨어는 RAM, CPU, 외부기억장치, 드라이브장치, 냉각팬, 디스플레이장치 등이 있다. 소프트웨어는 Windows, MacOS, Application 등이 있다. 아무리 좋은 소프트웨어를 가지고 있어도 하드웨어와의 Matching 문제가 있으면 컴퓨터는 제 기능을 충분히 발휘하지 못할 것이다. 즉, 하드웨어와 소프트웨어 2가지를 동시에 뛰어난 성능을 가지게 개발하여야 한다.

하드웨어 업무 수행이란 가공기술, 소재기술, 자동화기술, 계측기술, 자동검사기술, 보전기술, 공정변경기술, 공정분석, 해석기술, 환경대응 장치, 성력화 장치 등을 수행하는 것을 말한다.

소프트웨어 업무 수행이란 시스템 개발, 시스템운용기술, FMEA, IE, VE, VA, Network기술, ERP, 안전화기술, TQC기술, 생산 변동 대응, 변화점 관리, 원가절감, 직행률 개선, 자동재고관리 시스템, 환경 대응 등을 수행하는 것을 말한다.

*생산기술 업무 프로세스

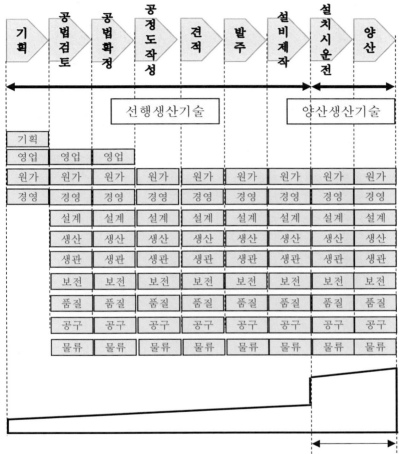

기획	공법검토	공법확정	공정도작성	견적	발주	설비제작	설치시운전	양산

선행생산기술 / 양산생산기술

기획								
영업	영업	영업						
원가	원가	원가	원가	원가	원가	원가	원가	원가
경영	경영	경영	경영	경영	경영	경영	경영	경영
	설계	설계	설계	설계	설계	설계	설계	설계
	생산	생산	생산	생산	생산	생산	생산	생산
	생관	생관	생관	생관	생관	생관	생관	생관
	보전	보전	보전	보전	보전	보전	보전	보전
	품질	품질	품질	품질	품질	품질	품질	품질
	공구	공구	공구	공구	공구	공구	공구	공구
	물류	물류	물류	물류	물류	물류	물류	물류

최대치 공수(工數) 필요

 선행생산기술에서의 주요 업무는 발주 업무이고, 양산생산기술의
주요 업무는 설치, 시운전 및 양산 준비이기 때문에 양산생산기술
의 공수가 Max치에 도달하게 된다. 즉, 많은 시간과 노력이 필요하
게 되고, 시행착오를 많이 겪게 되므로 간접부서에서 절대적인 협
조가 필요하다. 또한 선행생산기술에서도 업무를 공유하면서 적극
적으로 협조하여야 한다.

공수(工數)란 1명의 작업자가 1시간(1일) 일 했을 때의 작업량으로
man-day, man-hour로 나타낸다.

1-5.생산기술의 특장

자사 제품이 시장에서 경쟁력을 갖추기 위해서 생산기술이 행하는 구체적인 업무를 분류하면, 생산시스템을 구축하는 업무, 기존의 생산시스템을 유지 향상시키는 업무, 그 이외의 업무로 크게 나눌 수 있다.

생산시스템을 구축하는 업무라 함은 신제품 또는 Model change품의 신규 생산, 생산 대상품의 교체 등일 때, 제품도면을 해독한 후 생산 방식을 검토하고, 최적의 생산 공정을 계획, 설계하는 생산시스템을 구현화하는 업무로, 생산 설비류의 설계, 시작과 외부로부터 도입 등 생산시스템화에 관한 업무와 생산 개시 등에 관한 기술 전반의 업무를 포함한다.

기존의 생산시스템을 유지, 향상시키는 업무라 함은 현행의 생산시스템을 유연하고 보다 효율적으로 가동시켜, 해당 제품에 요구되는 QCD를 확보해 가면서, 기존 생산시스템을 개선, 보수 작업을 해 나가는 업무 전반을 말한다.

그 이외의 업무라 함은 안전, 보건, 환경 등에 관한 업무, 생산 설비와 폐기 등에 관한 업무와 기술자 교육 등을 말한다.

생산기술의 주요 특장은 아래의 여섯 가지로 설명할 수 있다.

첫째, 기획 능력이 배양된다.

고객으로부터 도면, 장기판매계획 등을 입수하여 기획 단계부터 양산 단계까지의 업무 진행 과정을 계획하고 수립하여 기획서, 품의서, 보고서 등의 다양한 자료를 스스로 작성함으로써 기획 능력이 배양되는 것이다. 이것을 잘 반영하는 것으로 자동차 업체에서는 생산기술 출신이 기획실로 발령을 많이 받고 있다는 것이다.

둘째, Leadership을 키울 수 있다.

생산기술자는 프로젝트를 수행해 나가면서 진도 Check를 위한 관련자 회의를 주관한다든지, 어떤 단계에서 문제점이 발생했을 때 관련자 회의를 주관한다든지, 4M 준비 과정에서 승인 협의 시의 회의를 주관한다든지, 설비가 제작 완료되어 국내 및 국외 출장 시 책임자로 인솔해야 한다든지, 신기술 및 신공법 개발에 대한 직관력과 도전 정신을 가진다든지, 대내외 업체들 간의 원활한 업무 진행을 위해서 업무 조율을 한다든지 등의 여러 가지의 책임을 동반한 업무를 수행함으로써 Leadership이 스스로 배양되는 것이다.

　셋째, 문제 해결 능력이 향상된다.

설비를 제작하기 위해서는 기업 자체의 설비제작사양서를 갖추고 있어야 한다. 이것은 설비견적사양서를 만드는 기본이 될 뿐 아니라 발주 설비의 표준화, 견적의 통일화, 원가절감, 보전 유지 관리 용이화, 작업자의 작업 용이화, 문제점 사전 예방 등에 기여한다.

　즉, 생산기술 담당자가 설비제작사양서를 이해하고 설비견적사양서를 제작함으로써 설비 설치, 시운전 시 발생하는 문제점 등을 해결하는 능력이 자연적으로 향상될 수 밖에 없는 것이다.

또한 도면 보는 법(별도 설명), Jig & Fixture의 이해(별도 설명), 설계 도면 승인, 가공공정표 작성, 작업표준서 작성, 공구 이론 이해 등을 습득하고 실행함으로써 더욱더 문제 해결 능력은 향상된다.

　넷째, 원가절감에 기여한다.

Man Machine Chart의 작성으로 사람 시간과 기계 시간을 측정하여 적정 인원으로 편성되었는지 검토하여 반영하고, 설비 투자비를 산정할 때 1차 검토, 2차 검토를 거쳐서 투자타당성 분석을 실시하고, 재료의 개발, Layout의 효율화, 최적의 공법 검토, 가동률 관리, 불량률 관리, 공구비 및 전력비 관리 등을 실천함으로써 원가절감에 기여하게 된다.

　다섯째, 기본과 원칙 준수로 기술 Level up이 된다.

우선 기본이라 함은 제품을 생산하기 위해서 필요한 것을 갖추는 것을 말한다. 이것을 열거하면 도면, 장비 List, 설비 Layout, 설비제작사양서, 설비견적사양서, 고정자산관리대장, Utility list, 작업표준서, 작업요령서, 유지류 List, 자주검사 Gage list, 설비점검 Check sheet, 금형관리대장, Man Machine Chart, 소모품관리대장,

FMEA 등을 말한다.

즉, 위에 열거한 자료들을 작성하고 유지 관리하여야 한다. 초기에는 상당한 시간이 소요되지만 한번 만들어 놓으면 유지 관리하기에는 큰 어려움이 없다. 하지만 실제로 이것보다도 더 중요한 것은 설비제작사양서 같은 경우에는 생산기술 독단적으로 제작하기 어렵고 시간도 많이 소요되기 때문에 관련부서와 협조하에 계획을 세워 만들어야 할 것이다.

이것은 OEM의 자료를 받아서 하면 쉽게 처리할 수 있다.

원칙이란 기본을 실제로 행하고 관리하는 것으로, 위에 열거한 기본을 작성하여 작업자에게 교육하고, 현장에 비치하여 실천하게 하고, 그것을 수시로 유지 관리하는 것을 말한다. 이것은 내용 변경이 발생하였을 때 반드시 기본 내용을 수정하고 작업자에게 재교육을 실시하고 교체 비치하여야 한다.

여섯째, 기술 축적이 된다.

수십 년 된 어떤 기업에서 실제로 나타난 사례인데 소재 불량률이 약 15%에 육박한 상태로 기업을 운영하고 있다는 것이다.

물론 해당 기업에서 계속해서 해결하고자 노력을 다했으리라 판단한다. 이러한 가장 근본적인 문제는 수십 년 된 노하우나 기술 자료 보관, 양성한 인재의 유지 관리 부족 등에 기인한다고 판단한다.

3정 5행은 누구나 알고 있듯이, 3정은 정량, 정품, 정위치이고, 5행은 정리, 정돈, 청소, 청결, 습관이다. 이것은 현장에서만 적용되는 것으로 생각하기 쉬우나 사무 자료의 5행은 기술 축적의 기본이고 반드시 지켜야 하는 업무인 것이다.

기술 자료를 보관하는 방법에 대해서 알아보자.

우선 자료를 어느 위치에 보관할 것인가, 어떤 방식으로 보관할 것인가, 자료 Backup 방법은 어떻게 할 것인가, 자료 유출 방지는 어떻게 할 것인가를 고민하고 결정하여야 한다.

보관 위치로는 쉬운 방식으로 공유 PC 하나에 부서별 자료를 넣어서 관리하는 것이다. 물론 이런 경우 용량의 문제, 속도의 문제,

자체 Backup 기능이 없어 자료 유실의 문제 등이 있으나 소기업에서 그나마 적용하기 간편한 방법이다.

좀 큰 기업에서는 그룹웨어나 ERP 등을 활용하여 별도의 자료방을 만들어 유지 관리하고 자료 유출 방지 보안 체계까지 갖춘 기업들도 많이 있다. 자료를 공유방에 유지 관리할 때 중요한 것은 자료를 신규로 만들거나 수정을 하고 나서 개인 PC에서 반드시 공유방으로 Update를 해야 한다는 것이다. 가장 지켜지지 않는 것이 이것인데 스스로 지켜야 함은 물론이고 부서 내부적으로 수시로 감시하여 유지 관리해 나가야 한다.

다음은 어떤 방식으로 보관할 것인가는 사업부>부서>과>업무 진행 내용 순으로 폴더를 만들어 자료를 넣어서 유지 관리한다. 이것은 부서별 특징이 있으므로 한 사람이 부서별 업무 진행 내용에 맞는 폴더를 만드는 것이 효율적이다.

그렇지 않을 때는 자료를 어디에 넣을 것인지 어떻게 빨리 찾을 것인지가 애매하게 되어 업무의 Loss가 발생하게 된다. 또한 담당자 출장 시 자료가 어디 있는지 알 수 없기 때문에 업무의 중단이 발생하여 원활한 업무가 진행되지 않는다.

현재 이러한 공유방을 운영하지 않는 많은 기업들의 최대의 문제점은 담당자가 부재중일 때 업무의 중단이 발생하거나, 담당자에게 전화를 걸어 자료가 어디 있는지 묻는다거나 하는 불필요한 일이 발생하는 것이다. 또한 담당자가 있는 경우에도 필요에 의해 자료를 찾아 오라고 할 때 대부분 많은 시간을 허비하고 있다.

이것은 담당자 본인 PC 내에서도 5행이 되어 있지 않고, 필요할 때 적당한 폴더를 만들어 자료를 보관했기 때문이다. 담당자 퇴사시 대부분의 사람이 자료를 가지고 가기 때문에 더욱더 자료를 공유방에 보관할 필요가 있는 것이다.

자료를 어떻게 Backup할 것인가는 아주 중요하다. 공유 PC 등은 모든 사람이 같이 사용하고 있기 때문에 경우에 따라서 자료 유실은 반드시 나타나게 되어 있다. 우선은 모든 자료는 개인 PC에서 작성

하고 완성되면 공유방으로 옮기는 작업을 한다. 반대의 경우 공유
방의 자료를 자신의 PC로 복사해서 수정 작업을 하고 완성되면
다시 공유방으로 옮기는 작업을 해야 한다는 것이다.
그리고 공유 PC 또한 한꺼번에 Backup할 수 있는 대용량 외장하드
를 구비하여야 한다.

마지막으로 자료 유출 방지인데, 도면 유출은 심각한 문제를 야기
하게 된다. 하지만 정작 중소기업은 이에 대한 대책이 없는 실정이
다. 이것은 자료 보안 시스템을 구축할 경우 많은 비용과 시간이
소요되기 때문이다.

대기업에서는 각 PC의 네트워크에 보안을 걸어서 누가 자료를 보
았는지, 누가 자료를 프린트했는지, 누가 자료를 보기 위해 암호를
해제했는지 등을 알 수 있는 보안시스템을 구축하고 있기 때문에
자료 유출은 쉽지 않다.

중소기업에서도 중요한 자료는 보안을 철저히 해야겠지만, 자료
유출보다는 가지고 있어야 할 기본적인 자료를 유지 관리만이라도
철저히 한다면 그나마 기술 축적이 될 수 있을 것이다.

다음은 PC 밖의 자료 관리에 대해 알아보자.
PC로 작성한 자료라든지, 각종 대외 문서, 도면 등을 말하는데 이
또한 5행을 철저히 해야 한다. PC로 작성한 자료나 각종 대외 문서
는 파일목록대장을 만들고 각 파일의 일련번호를 메기고 이름을
부여하여 적정 위치에 유지 관리하여야 한다. 만약 FMEA 자료가
수십 년 치가 축적되어 유지 관리되고 있었다면 과연 위에서 말한
소재 불량률이 현 시점에 15%대 가까운 수치가 되어 있을까 하는
생각이 든다. 반드시 그렇지 않을 것이라고 생각한다.

이와 같이 기술 축적이라는 것이 스스로 공부하거나, 상사로부
터의 지식을 전수받아 터득하거나, 외부 기관 교육에 참여하거나,
전시회나 세미나 등에서 기술을 축적할 수도 있지만, 생산 현장이
나 업무 과정에서 나오는 경험치나 기술력도 대단히 중요하므로
각 부서에서는 자료 유지 관리에 철저히 임해야 한다.

*생산기술의 특장 요약

1.기획 능력 배양	장기 판매 계획 수립 기획부터 양산까지 업무 진행에 따른 능력 배양 기획서, 품의서, 보고서 작성
2.리더십 고취	Project 진행, 문제점 회의, 승인 협의 주관자, 설비 검수 주관자, 대내외 업체 업무 조율자, 신기술 및 신공법 개발 도전자
3.문제 해결 능력 향상	설비제작사양서 작성 설비견적사양서 작성 도면 보는 법 Jig & fixture 이해 설계 도면 승인 능력 배양 가공공정표와 작업표준서 작성, 공구 이론 습득
4.원가절감 기여	Man Machine Chart 활용 적정 인원 산정 설비 투자타당성 분석 재료의 개발 Layout의 효율화 최적의 공법 검토 가동율, 불량율, 공구비, 전력비 관리
5.기본과 원칙 준수로 Level up	기본: 제품을 생산하기 위해서 필요한 것 (도면, 장비 list, 설비 Layout, 설비제작사양서, 설비견적사양서, 고정자산관리대장, Utility list, 작업표준서, 작업요령서, 유지류 List, 자주검사 Gage list, 설비점검 Check sheet, 금형관리 대장, Man Machine Chart, 소모품, FMEA 등) 원칙: 기본을 실제로 행하고 관리하는 것
6.기술 축적	자료 3정 5행 공유 PC 활용, Groupware로 자료 공유 관리 파일목록대장으로 자료 관리 자료 보안 관리

★
[생산기술자가 갖추어야 할 자격(일본 기준)]

 생산기술자가 경력을 쌓기 위해서 필요한 것으로 자격 취득이 거론
된다. 자격은 전문적 지식을 가진 증거가 되고, 회사에서 평가 기준으로
설정되기도 한다. 따라서 자격을 보유하고 있는 사람이 일을 할 때 유리
한 것은 당연한 일이다. 무엇보다도 전문적 지식은 자신의 성장의 밑거
름이 된다.
생산기술자로서 회사에 공헌하고, 자신의 성장 단계를 올리기 위해서라
도, 생산기술자 자격은 소홀히 할 수 없는 것이다.

생산기술자가 갖추어야 할 자격으로 다음 5가지가 거론된다.
 1.MOS(Microsoft Office Specialist)
   Excel, Outlook, PowerPoint, Access, Word
 2.TOEIC
 3.CAD
 4.생산기술자 Management 자격
   2009년 일본능력협회에 의해 시작한 자격으로, 생산기술자의 경영
   능력을 나타내는 자격이다.
   정식 명칭은 [생산기술자 Management Skill 자격 인증 시험]으로
   2가지지 종류가 있다. 첫째는 [Certified Production Engineer](CPE),
   두 번째는 [Certified Production Engineer Managing Expert](CPE-ME)
   이다.
 5.정보처리기술자
   정보처리기술자시험은 국가 자격 시험이다. 내용으로는 정보 시스템
   의 구축, 운용, 개발부터 End user까지의 IT에 관한 모든 입장의 사람
   이 IT지식을 향상시키기 위한 시험으로 실시되고 있다.
   단계는 4단계의 Level이 있다.

★ Yahoo. Japan. 生産技術者に資格は必要なのか에서 인용함.

제2장 제품개발일정표

  대부분의 자동차 회사에서는 자사 고유의 제품개발일정표를 가지고 있다. 자동차에서 제품 개발 일정은 크게 5단계로 나누어서 관리하고 있다.

설계를 구상하는 제품 기획 단계,

시제품의 설계, 제작을 검증하는 제품 설계 및 개발 단계,

4M 준비하는 공정 설계 및 개발 단계,

준비된 4M의 검증 단계로 FMEA, 신뢰성시험능력, 공정감사, MSA, 단품한계내구시험, ISIR, FPSC 등을 확인하고 검증하는 품질 확보 단계,

원가를 확보하는 양산 단계로 나누어져 있다.

  제품개발일정표 중에 가장 중요한 것은 개발 일정이다.

개발 일정을 제품의 형태로 구별하면 시제품개발 단계,

양산선행 개발 단계, 양산 단계로 나누어져 있으며,

약 30년 전만 해도 신규 차량 개발에 소요된 시간이

약 32개월이 소요되었으나, 현재는 집약된 기술력과 노력으로 18개월 만에 신차가 양산되고 있다.

2-1.제품개발일정표란

　대부분의 자동차 회사에서는 자사만의 제품개발일정표를 가지고
있다. 제품 개발 일정은 크게 5단계로 나누어서 관리하고 있다.
①설계를 구상하는 제품 기획 단계, ②시제품의 설계, 제작을 검증
하는 제품 설계 및 개발 단계, ③4M을 준비한 공정 설계 및 개발
단계, ④준비된 4M의 검증 단계로 FMEA, 신뢰성시험능력, 공정감
사, MSA, 단품한계내구시험, ISIR, FPSC 등을 확인하고 검증하는
품질 확보 단계, ⑤원가를 확보하는 양산 단계로 나누어져 있다.
　제품개발일정표 중에서 가장 중요한 것은 개발 일정이다.
개발 일정을 제품의 형태로 구별하면 시제품개발 단계, 양산선행
개발 단계, 양산 단계로 나누어져 있으며, 약 30년 전만 해도 신규
차량 개발에 소요된 시간이 약 32개월이 소요되었으나, 현재는 집
약된 기술력과 노력으로 18개월 만에 신차가 양산되고 있다.

*개발 일정별 업무 상세 내용은 다시 24단계로 나눌 수 있다.
　1.시제품 개발 단계
　　1)1단계:초기위험도평가(IRE) 구분
　　2)2단계: IRE 등급 조정 회의
　　3)3단계: 신규부품사전품질 Master schedule 수립(APQP)
　　4)4단계: Part sourcing 결정
　　5)5단계: 문제점 반영(FMEA, 과거차 문제점 Benchmarking)
　　6)6단계: 부품 개발 업체 선정(시제품)
　　7)7단계: 부품 개발 업체 선정(양산품)
　　8)8단계: 시제품 검증(1차)
　　9)9단계: 공정 FMEA
　2.양산 선행 개발 단계
　　10)10단계:양산선행관리 계획서, 4M세부 계획서
　　11)11단계:신뢰성 시험 능력

12)12단계: 치수 검사구

13)13단계: 검사 협정 체결(당사 ↔ 고객)

14)14단계: 측정시스템분석(MSA)

15)15단계: 포장 납품 용기

16)16단계: P1 제품 제작 및 검사

17)17단계: 조립 적합성

18)18단계: 단품한계내구시험

19)19단계: P2 제작 및 검사

20)20단계: 양산 투입 결정 회의(사내 가양산)

21)21단계: 공정 감사

22)22단계: 초도품검사보고서(ISIR)

23)23단계: 초도양산부품인증(FPSC)

3.양산 단계

24)24단계: 전수 검사(양산 초기 1개월)

*24단계 업무 상세 내용은 다음과 같다.

1)1단계: 초기위험도평가(IRE) 구분

-초기위험도평가(Initial Risk Evaluation)란 부품제조공정승인(PSO)
및 초도양산부품인증(FPSC) 업무 등 사전 품질 확보 수행 단계에
서 중요 부품에 대한 집중 관리를 하기 위해서 제품 기획 단계에
서 부품별 초기위험도평가를 통해 부품 중요도를 고, 중, 저로 구
분하는 것을 말한다.

-설계부서에서 주관한다.

2)2단계: IRE 등급 조정 회의

-설계부서 주관으로 고, 중, 저 조정 회의를 한다.

3)3단계: 신규부품사전품질 Master schedule 수립(APQP)

-신규부품사전품질계획(Advanced Products Quality Planning)이란
고객 요구사항을 충족하기 위하여 제품 기획 단계(1단계)부터
양산 단계(5단계)까지 각 부문에서 추진해야 할 품질 활동 계획

을 정해 놓고, 이것을 철저히 수행함으로써 양산 전 품질을
확보하기 위한 지침을 말한다.
 -PM(Project Manager)이 주관한다.
  ①1단계: 제품기획 단계
  ②2단계: 제품 설계 및 개발 단계
  ③3단계: 공정 설계 및 개발 단계
  ④4단계: 공정 유효성 확인 단계
  ⑤5단계: 양산 단계
4)4단계: Part sourcing 결정
 -Part sourcing이란 어떤 제품에 필요한 부품들을 사내에서 제작
 할 것인지 사외에서 제작할 것인지를 결정하는 것을 말한다.
 사내는 MIP(Made In Plant), 사외는 LP(Local Part)로 칭한다.
 -PM 또는 CFT(Cross Functional Team)이 주관한다.
5)5단계: 문제점 반영(DFMEA, 과거차 문제점 Benchmarking)
 ★
 -FMEA(Failure Mode and Effect Analysis,고장모드영향분석)는
 제품 및 프로세스가 가지고 있는 리스크를, 주로 제품 설계 단계
 및 프로세스 설계 단계에서 평가해서, 그 리스크를 가능한 배제
 또는 경감시키기 위한 기법이라고 한다.
 ★
 DFMEA(설계고장모드영향해석)이란 고장의 원인이 되는 제품 설
 계의 약점을 특정하고, 그것을 회피하기 위한 목적으로 한다.
 이것으로 실패의 리스크를 경감시키는 것이다. 문제점 반영이
 란, 과거의 문제점을 정리해 놓은 DFMEA나 과거차 문제점을
 Benchmarking하여 신차 설계에 반영하는 것을 말한다.
 -설계부서에서 주관한다.
6)6단계: 부품 개발 업체 선정(시제품)
 -LP 시제품의 업체를 개발하여 선정하는 것을 말한다.
 -개발팀에서 주관한다.
7)7단계: 부품 개발 업체 선정(양산품)
 -LP 양산품의 업체를 개발하여 선정하는 것을 말한다.

 ★ Yahoo. Japan. FMEAとは－ ジャパン.プレクサス에서 인용함(본서의 전체).

34

-개발팀에서 주관한다.

8)8단계: 시제품 검증(1차)

-시제품(Proto품)을 제작하여 조립 특성 및 성능 등을 검증한다.

-설계부서 주관한다.

9)9단계: 공정FMEA

-FMEA는 DFMEA(Design FMEA)와 PFMEA(Process FMEA)가 있다.
★PFMEA(프로세스고장모드영향해석)란 고장의 원인이 되는 제조
공정과 물류 프로세스 등의 약점을 특정하고, 그것을 회피하기
위한 목적으로 사용한다. 이것으로 실패의 리스크를 경감시키는
것이다.

-설계부서 주관으로 PFMEA의 결과를 반영한다.

10)10단계: 양산선행관리 계획서, 4M세부 계획서

-양산선행관리 계획서란 시제품 제작 후 양산 전에 일어나는 치
수 측정과 재료 및 기능 시험에 대한 기술이다.
양산선행관리의 목적은 초기 생산 가동 동안 또는 이전에 잠재
적인 부적합 사항을 해결하기 위한 것이다.

-4M세부 계획서란 Man, Machine, Material, Method의 4가지 항목들
의 세부 준비 사항을 기입하여 관리하는 것을 말한다.

-CFT 또는 PM이 주관한다.

11)11단계: 신뢰성 시험 능력

-항목별 적정한 정기 시험 주기 설정이나 해당 품목의 사용 계측
기에 대한 유효 기간, 주기나 품질 특성별 판단 기준으로
Gage R&R값을 설정하는 것을 말한다.

-설계부서에서 주관한다.

12)12단계: 치수 검사구

-제품의 정도 측정에 필요한 계측기를 말한다. 이 단계에서 치구
나 금형도 포함한다.

-주요 업무는 부품의 치수 및 조립 특성을 확보하는 것이다.

-생산기술에서 주관한다.

★ Yahoo. Japan. FMEAとは- ジャパン.プレクサス에서 인용함(본서의 전체).

13) 13단계: 검사 협정 체결

　-당사와 고객 간의 역할과 책임을 구별하기 위해서 문서로
　검사에 대한 규정을 정해서 협정을 맺는 것을 말한다.

　-품질에서 주관한다.

14) 14단계:측정시스템분석(MSA)

　-MSA(Measurement System Analysis)란 공정 결과에 영향을 주는
　측정 변동 요인(측정자, 측정기 등)을 분석하여 측정 Data의
　신뢰성을 확보함으로써 올바른 공정 해석 및 공정 개선을
　유도하기 위한 분석 기법이다.

　-품질에서 주관한다.

15) 15단계: 포장 납품 용기

　-제품을 생산하여 적재하기 위한 용기로 소재용-, 재공용-, 완성
　품용, 납품용 등의 용기로 나눌 수 있다.

　-주로 생산, 물류, 개발에서 제작한다.

16) 16단계: P1(Pilot1) 제품 제작 및 검사

　-금형, 지그, 치공구, 원자재, 재료 등 생산에 필요한 Tool을 양
　산에서 사용될 것과 동일한 조건인 상태, 즉, All tool 상태의
　제품을 P1이라 하고, P1 제품을 제작하여 검사하는 단계이다.

　-생산기술에서 주관한다.

17) 17단계: 조립 적합성

　-조립한 Pilot1에 대한 양산 적용 시 저해 요인 등의 적합성을
　파악하는 것을 말한다.

　-설계부서 주관한다.

18) 18단계:단품한계내구시험

　-중요 부품에 대한 신뢰성 및 취약부 개선을 위해서 단품에 대
　한 한계 내구 시험을 하는 것을 말한다.

　-설계부서 주관한다.

19) 19단계:P2(Pilot2) 제작 및 검사

　-All tool 조건에 생산 작업자, 생산 공정, 주변 환경 조건이 양산

조건과 동일한 조건인 상태, 즉, 실제 양산 라인 생산 작업자가
생산하는 Full tool 상태의 제품을 P2 라고 하고, P2 제품을
제작하여 검사하는 단계를 말한다.
- 생산기술에서 주관한다.
20)20단계: 양산 투입 결정 회의(사내 가양산)
 - Full tool 조건이 갖추어지면 양산성 확보 및 양산 공정 인계 점검
   을 위해서 사내 가양산인 양산 투입 시점 회의를 실시한다.
 - CFT 또는 PM 주관으로 한다.
21)21단계: 공정 감사
 - Full tool 조건이 갖추어진 전제하에 고객이 업체를 방문하여
   공정 능력 등 생산 준비 현황을 점검하는 것을 말한다.
 - 고객의 품질부서에서 주관한다.
22)22단계: 초도품검사보고서(ISIR)
 - ISIR(Initial Sample Inspection Report, 초도품검사보고서)란 수요자
   의 설계 사양 및 요구 조건이 부품 공급자에게 정확히 이해되었
   는가, 공급자의 공정이 제품 요건을 맞출 수 있는가를 확인하기
   위해서 실제 완성차 양산 시 고객의 요구 품질을 만족시키기 위
   해 작성되는 검사보고서이다.
   GM : PPAP(Product Part Approval Process, 양산승인절차)
 - 품질부서에서 주관한다.
23)23단계: 초도양산부품인증(FPSC)
 - 초도양산부품인증(First Production Shipment Certification)이란
   양산 납품을 전제로 양산과 동일한 조건으로 초도 생산된 부품
   을 중요 관리 항목에 대한 전수 검사 및 공정 능력 측정을 통해
   사전 품질을 확인하는 것을 말한다.
 - 품질부서에서 주관한다.
24)24단계:전수 검사(양산 초기 1개월)
 - 양산 초기 1개월 중점 관리 항목 Spec 전수 검사 관리한다.
 - 생산에서 주관한다.

2-2.OEM 제품개발일정표

유수의 OEM들은 보다 빠르고, 보다 뛰어난 제품 개발에 각고의
노력과 투자, 수많은 시행착오를 거듭한 결과, 약 30년 전보다
일정을 절반으로 줄이는 효과를 가져왔다. 대부분의 OEM의 제품
개발 일정은 같지 않고 고유의 특성과 일정을 가지고 있다. 따라서
기업은 Item을 수주할 경우 반드시 고객의 제품개발일정표를 접수
하여 단계별로 요구되는 자료나 감사 내용, Sample 대응 등에 대한
일정을 확인한다. 또한 해당 단계에서 요구되는 상세 업무 내용을
사전에 고객에게 요구하여 준비할 필요가 있다.
이와 같이 고객의 일정에 맞춰 업무를 진행해야만 고객이 요구하
는 품질 수준을 적기에 공급할 수 있다.

*OEM 제품개발일정표

구분	시제품개발		양산 선행 개발															양산		비고
	-18	-17	-16	-15	-14	-13	-12	-11	-10	-9	-8	-7	-6	-5	-4	-3	-2	-1	1	
PILOT															P1		P2			
제품기획																				
제품설계 및 개발 ▼	생산준비도																			
공정설계 및 개발			공법검토,확정		공정도,사양서	견적	계약		장비 제작				공정 TRY OUT				LINE T/O			
품질확보															1차 내구		2차 내구			
양산																	▼			

2-3.자체 제품개발일정표

기업은 고객으로부터 수주한 Item을 생산하여 납품하기 위해서 고객이 요구하는 일정에 준한 자체 제품개발일정표를 작성하여야 한다. 자체 제품개발일정표는 반드시 OEM 제품개발일정표를 근거로 제작되어야 하기 때문에 영업 부문에서는 계약과 동시에 고객의 일정표를 접수하여 생산기술 담당자에게 전달하고, 생산기술은 OEM 제품개발일정표를 근거로 자체 제품개발일정표를 작성한다.

자체 제품개발일정표를 작성 시 다음과 같은 유의사항을 체크한다. 주요 내용은 고객과의 계약일, 양산일, P1, P2 공급일, 생산준비도 접수 예정일, 공정 설계 및 개발 단계의 업무, 4M 점검 업무 등으로 상세하게 작성한다.

*자체 제품개발일정표 작성 시 유의사항

1.OEM 제품개발일정표는 최종본인가 확인한다.
2.OEM의 일정을 맨 먼저 작성한다.
3.End User는 어디인가 확인하고 작성한다.
  1)당사가 1~2차에 따라 공급 시점을 1~ 2개월 앞선 계획을 수립. 물류 이동시간, 불량 재송부, 고객의 조립, Test 시간 고려함.
  2)만약 2차일 경우 최 상단에 OEM 일정, 다음에 1차 업체 일정을 기입해 놓고, 자체 일정을 최 하단에 기입하여야 한다.
4.관련부서 업무도 함께 작성하고 담당자를 확인한다.
5.고객의 공정 감사 일정이나 내사 예정 일정도 기입한다.
6.업무 내용은 상세하게 작성하고 가능하면 관리가 용이하도록 주간 단위로 작성한다.
7.Pilot 제품에 대해서는 정확한 일정 및 수량도 기입한다.
8.Pilot 제품은 어디서 제작할 것인지(사내, 사외) 검토하여 기입.
9.Item은 몇 종류인가 확인한다.
  1)Item에 따라 개별 Line 구축 또는 혼용 Line 구축 검토가 필요함.
  2)향후 추가되는 Item의 고려는 필요한가 확인한다.

10.작업 조건은 어떻게 할 것인가.

　　　연간 작업시간(월 , 일 근무시간), 가동률을 사전에 결정한다.

11.생산 수량은 얼마인가.

　1)고객의 요구 수량에 맞춰 당사는 얼마를 생산할 것인가를 결정.

　2)적용한 작업 조건을 근거로 자체 생산 수량을 결정한다.

12.4M 준비에 필요한 시간을 정확히 파악하여 일정 배분한다.

13.당사 일정에 준한 외주 업체 개발 일정도 고려하여 작성한다.

14.설치 위치는 사전에 준비되어 있는지 파악한다.

15.Utility(전기, Air, 용수 등) 공급 방법에 대해 사전에 준비한다.

16.Tryout 시 측정 방법 및 수량은 어떻게 할 것인지 결정한다.

17.Test piece 공급 계획도 표시한다.

　1)공급 수량을 표시한다.

　2)공급 방법은 사내 제작, 사외 제작으로 구분한다.

*자체 제품개발일정표

구분		담당	2020년												2021년								비고
			1	2	3	4	5	6	7	8	9	10	11	12	1	2	3	4	5	6	7	8	
고객 일정																P1		P2			SOP		
자체 일정(1차 업체)																P1		P2		SOP			수량 확인
도면	생산준비도	설계																					
공정설계 및 개발	Line concept 정리	생기																					
	투자비 산출	생기																					
	공정회	생기																					
	견적사양서 작성	생기																					
	견적의뢰 및 사양 확정	생기																					
	품의 및 발주	생기																					
	제작	생기																					
	설비 검수	생기																					
	입고 및 설치 시운전	생기																					
	양산	생기																					
4M 점검	관리계획서 /FMEA	생기																					
	작업표준서	생기																					
	자체 공정감사	품질																					
	공정 유효성 평가	품질																					
	고객 공정 감사	고객																					

[이미지 메이킹(Image making)]

　직장인은 매일매일 누군가와의 만남이 있다. 직장 동료와의 간단한
잡담이나 업무 내용 공유, 팀원 간의 회의, 타 부서 직원간의 회의, 상사
와의 면담, 고객과의 미팅 등이 있다. 이러한 모든 만남에는 결과물이
존재하고, 좋은 결과물로 나타나게 하기 위해서는 자신의 이미지나
첫 인상이 아주 중요한 것이다.
언젠가 이미지 메이킹에 대해서 강사가 강의를 한 적이 있었다.
이미지(Image)란 자기 자신의 가치를 나타내는 브랜드이고,
이미지 메이킹(Image making)이란 자신을 청확히 파악하고 자신의 직업
이나 신분, 맡은 역할에 나를 만드는 것이다고 했다.
　자신이 출근하는 모습을 상상해 보라. 어떤 복장으로 출근하고 있는지,
혹 청바지에 티를 입고 운동화를 신고 있지는 않는지, 티는 바지 밖으로
내어 놓고 있지는 않는지, 이렇게 할 때 작업복 밖으로 티가 삐져 나오고
있지 않는지, 머리는 단정하게 정리되어 있는지, 이런 상태로 고객과의
면담을 하게 되면 과연 성공적인 업무 수행이 될 수 있을까.
　어디선가 한 실험이었는데 양복을 입은 사람과 허름한 옷을 입은 사람
의 2가지 옷차림으로 호텔 회전문을 들어갈 때 다른 사람의 양보하는
정도를 조사하였다. 놀랍게도 양복을 입은 사람에게는 약 94%가 양보를
하였고, 허름한 옷을 입은 사람에게는 약 13%만 양보를 하였고 심지어
약 5% 정도는 욕설도 하였다고 한다.
　사람을 처음 만나 그 사람이 좋고 아니고 판단하는 데는 5초 밖에 걸리
지 않는다고 한다. 자신은 아무렇지 않게 생각할 지 모르지만 상대방은
그렇게 보지 않기 때문에 반드시 이미지 메이킹이 필요하다.

제3장 공법 검토

   공법 검토 단계는 Line을 구축하기 위한 시작 단계이자 가장 중요한 단계로 무엇보다도 많은 자료와 노하우를 바탕으로 QCD를 최고로 높게 달성할 수 있도록 신중히 검토해서 작성되어야 한다.

   공법 검토의 각 업무로는 Line concept 정리 업무, 설비 구성 업무, Shop master 검토 업무, 생산준비도 검토 업무, 기획예산 수립 업무, 설비제작사양서 작성 업무로 구성되어 있다.

3-1. 공법 검토
3-1-1. 공법 검토란

어떤 Line을 구축함에 있어서 QCD를 만족하는 4M을 준비하기 위해서 4M의 세부 사항을 검토하고 사양을 지정하여 결정하는 것을 말한다. 세부적으로 공법 검토의 주요 내용으로,

첫째, Line 제반사항을 정리한 Line concept 정리 업무로, 도면 보는 법의 이해, Jig & Fixture의 이해, Time의 종류, Cycle time, UPH, Man Hour, 생산량 검토, 가동률에 대한 이해와 계산 방법, 자동화율, 생산기종, 기종추가, Flexibility, Volume up, 자동화 방식, 절삭조건, 제조원가 등이 있다.

둘째, 설비 구성 검토로, 공정 배분, 내외자 구분, 1차 투자비, 인원 분배, Machine layout, Flow chart, Block diagram, 설비별 C/T 분석, 기능 분석표, Hole chart, 시작도면 접수, CP, CPk, 공법 사례 검토가 있다. 셋째, Shop master 검토, 넷째, 생산준비도 검토, 다섯째, 기획예산, 여섯째, 설비제작사양서 작성이 있다.

생산기술 업무는 스스로 터득하기에는 아주 어려운 업무 중의 하나이다. 제품 개발 프로세스를 이해하고 전체의 내용 요약을 어떻게 할 것인가, 항목 하나하나는 어떻게 표현하여 설득력 있게 만들 것인가가 중요하다.

하지만 아쉽게도 기업에서는 이러한 업무를 사내나 사외에서 교육을 받을 기회가 아주 적어, 대부분 기업에서 내려오는 습관에 따라 그대로 답습하는 경우가 많이 있다.

그것은 결국 직원 개개인의 역량이 뒤쳐지게 되어 기업의 성장에도 영향을 미치게 된다. 회사의 성장에 맞춰 사람의 역량 또한 함께 성장 해야 하는 것이다. 본인이 교육을 받고자 하는 의지만 있으면 기업의 상황에 따라 얼마든지 받을 수 있다고 생각하므로 보다 긍정적인 사고를 가질 필요가 있다.

Man	1.생산 기술 업무 이해 2.도면 보는 법 이해 3.Jig & fixture의 이해 4.OEM 일정을 감안한 자체 일정 수립 5.인원 배분 6.설비제작사양서 7.기획 예산
Machine	1.OEM 요구 수량 확인 2.작업 조건 결정(일작업, 월작업) 3.Line Cycle time 결정(자체 생산 Cape 결정) 4.UPH(시간당 생산 능력) 5.Man Hour 6.가동률(작업 효율) 7.공정 배분 8.국내외 설비 구분 9.예상 투자비(Machine list 포함) 10.CP, CPk
Method	1.기종 교환 방법 2.자동화율 3.Flexibility(타 기종 혼용 생산 여부) 4.향후 Volume up 5.Flow chart(공정 흐름 파악) 6.Block diagram(공정 개략 설명에 사용) 7.기능분석표(제품의 각 부위 기능 설명) 8.Hole chart(가공 누락을 방지하기 위함) 9.Shop master(공정 내용이 한눈에 보이도록 작성)
Material	1.시작 도면 2.생산준비 도면 3.재질 분석(기존 생산 Item과 공용화 검토)

3-2.Line concept 정리
3-2-1. Line concept 정리란

Line concept 정리란 공법 검토 단계에서 가장 중요한 업무로 4M의 제반사항을 결정하기 전에 금번 Line은 기존 Line 대비 어떻게 향상시킬 것인가에 대한 계획을 정리하는 것으로, 설비의 사양 현황, 예상 소요 인원 현황, 제품의 재질 특성, 작업 방법 등을 파악하고, 고객의 요구사양에 맞춰 설비 사양, 인원, 재질, 작업 방법, Project 일정, C/T, UPH, Man Hour, 연간 생산량, 작업 조건 및 가동률, 자동화율, 기종 교환, 향후 증설 방안 등을 정리하는 것을 말한다.

Line concept 정리의 장점은 전체 일정을 본인 스스로 작성하여 관리함으로써 일정 지연을 사전에 막을 수 있고, 4M의 효율적인 사전 검토로 투자 효율을 극대화할 수 있을 뿐 아니라, 잘못된 판단으로 공법 검토를 처음부터 다시 해야 하는 실수를 범하지 않게 된다.

*Line concept 정리의 주요 항목
 1)설비 사양, Maker(국내외 구분)
 2)예상 소요 인원
 3)재질 분석
 4)작업 방법
 5)Project 일정(OEM 일정 대비 자사 일정)
 6)Cycle time
 7)UPH, Man Hour
 8)연간 생산량(OEM 대비 자사 계획 수량)
 9)작업 조건(일 작업시간, 월 작업시간)
 10)가동률
 11)자동화율
 12)기종 교환
 13)향후 증설 계획 등

3-2-2.도면 보는 법

 생산기술 담당자가 도면을 이해하지 않으면 가공공정표를 작성할 수 없기 때문에 업무를 진행할 수 없는 것은 당연하므로 반드시 도면 보는 법을 배워야 한다.
도면 보는 법은 다음과 같이 한다.

*도면 보는 법
 1.도면은 X축(1,2,…)과 Y축(A,B,…)에 NO를 부여하고 있다.
 -이것은 의사 소통을 원활히 하고, 임의의 치수를 찾기 위함.
 2.부품명, 도면 번호 파악한다.
 -도면 번호 앞에 어떤 기호가 표기되어 있을 때는 아직 양산도면이 아니라는 것을 알 수 있다. (예 X12345-67890)
 3.가공도면, 소재도면인지 파악한다.
 4.재질을 파악한다.
 -재질에 따라 설비의 사양 및 공구 사양이 결정되므로 반드시 확인한다. 만약 기존 재질과 차이가 있을 때 재질 변경 요청한다.
 5.가공 중량, 소재 중량을 파악한다.
 -중량 표기가 누락되었을 때 설계에 요청하든지, 아니면 직접 중량을 측정하여 소재 상태 및 가공 후 중량을 측정하여 파악한다. 이것은 제품을 송부할 때나 납품을 할 때 필요한 치수이다.
 6.주기란에 특이 사항 등을 파악한다.
 -주기란에서 고객이 요구하는 사항에 대한 유첨 자료를 요청.
 7.EO 변경란의 날짜를 확인한다.
 -이것은 최종도면 여부를 파악하는데 아주 중요하다.
     또한 EO관리대장을 작성하여 EO 변경 내용을 적고 도면 번호를 적어 최종도면을 관리한다
 8.가공도면에 가공 기준면을 기입해 놓았는지 확인한다.
 -가공도면에는 가공 기준면(X1, X2, Y1, Y2, Y3, Z1, Z2)을 명확히

표시해 놓고 있다. 또한 소재도면에도 동일 위치에 소재 기준면이 설정되어 있을 것이다. 이것은 소재 기준면을 기준으로 가공을 해야 불량을 미연에 방지할 수 있기 때문이다.

-만약, 가공도면에 가공 기준면이 없을 때는 우선 소재도면을 가지고 소재 제작업체 혹은 내부 담당자를 불러서 소재 기준점(X1, X2, Y1, Y2, Y3, Z1, Z2) 결정 회의를 실시한다. 소재기준점을 최종적으로 결정하는 것은 누적 공차 문제나 Jig & Fixture의 구상과 해당 설비 형태 등을 고려해서 결정해야 한다. 즉, 소재도면과 가공도면에 동일하게 소재 및 가공 기준점을 표시해야 한다.

9.Clamp 부위는 있는가 확인한다.

-가공 기준면 및 소재 기준면에 정반대의 위치에 각각의 소재면을 만들어 Clamp할 수 있도록 해야 한다.

10.가공 치수를 검토한다.(양산성 검토)

1)가공 치수에 따라 설비 사양을 내외자로 구분한다.

-내자 설비 기준으로 단가를 결정해서 수주를 하였는데(이것은 보통 영업에서 도면을 확인하지 않고 수주하는 경우) 외자 설비밖에 할 수 없는 경우가 발생하면 단가 상승 및 개발 일정 지연 등을 초래할 수도 있기 때문에 도면 검토를 명확히 한다.

2)치수 완화 요청할 것은 없는가.

3)누락된 치수는 없는가.

4)가공 시 간섭되는 부위는 없는가.

5)Clamp 시 제품의 변형 우려는 없는가.

6)Sub품 도면은 전부 접수되었는가.

11.Sub품 개발은 누가 하는가.

12.도면을 보고 공정 배분을 어떻게 할 것인가를 이해해야 한다.

13.공정 배분 시 누적 공차에 의한 문제가 일어나지 않도록 한다.

14.상기 내용을 전부 요약하여 정리하는 것을 양산성 검토라 한다.

-양산성 검토 Sheet를 작성하여 필요한 부분은 고객에게 도면 변경 요청을 해서 양산 시 발생할 수 있는 문제를 사전에 제거함.

3-2-3.Jig & Fixture

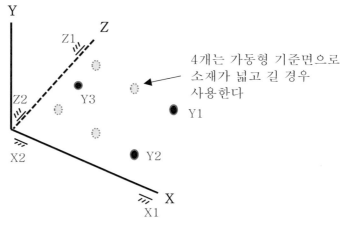

4개는 가동형 기준면으로 소재가 넓고 길 경우 사용한다

도형. Jig & Fixture

Jig란 소재를 3축 기준으로 제어를 해서 움직이지 않게 하는 구조물을 말한다. 위에 표시한 X축(X1, X2), Y축(Y1, Y2, Y3), Z축(Z1, Z2)를 제어할 수 있는 평면을 가진 구조물을 말한다.

기준면으로 사용되는 면은 5mm × 5mm 정도이면 충분하다.

기준면을 너무 크게 하면 기준면에 Chip이나 이물질이 쌓여 정도 불량이나 소재 위치가 틀어져서 가공 중 공구 파손의 원인이 될 수 있으므로 반드시 주의해서 설계하여야 한다. 또한 승인도 검토 시나 설비 검수 시 현장에서 직접 확인하여야 한다.

Fixture란 Jig에 놓인 제품을 고정시켜 주는 장치를 말한다.

위 도면에 표시된 가공 기준면 7개소 정반대의 위치에 소재를 고정해 주는 Clamp 장치를 말한다. 정반대의 위치에 Clamp 위치를 설정하지 않을 때는 소재의 변형에 의해 정도 불량을 야기할 수 있다.

Jig의 구조물을 설계할 때는 가공 중에 Chip이나 이물질이 쌓이지 않게 경사지게 하거나, 하부에 Hole 작업을 하여 Chip이 바로 낙하할 수 있도록 한다.

제품의 정도에 영향을 주는 요소로 설비, 공구, Jig & Fixture로 크게 3가지로 나눌 수 있다. 이 중에서도 Jig & Fixture는 정도에 지대한 영향을 주므로 Jig & Fixture의 승인도면을 설비 제작업체에게 요구 하여 문제 유무를 반드시 사전에 Check해서 반영하여야 한다.

<Jig & Fixture 설계 시 고려 사항>

1. 착좌 확인 장치는 필요한가.
  - 공정에 맞춰 설치 여부를 결정한다.
2. Work(소재)와 간섭되는 부분은 없는가.
3. 공구와 간섭되는 부분은 없는가.
4. 기준 Pin은 적정한가.
5. 기준 Pad는 적정한가.
6. Work 착,탈은 용이한가.
7. 기준면은 5mm × 5mm 내외로 적절한 Size인가(자동차 제품 기준).
8. 기준면은 Work와 완전히 밀착되는 구조인가.
9. 기준면이 반대로 설정되어 있지 않는가.
10. Work loading용 Guide나 Stopper는 제위치에 설계되었는가.
11. Clamp의 압력은 적당한가.
12. Clamp 방향은 반대로 된 것은 없는가.
13. Clamp에 의해 Work의 변형은 없는가.
14. Chip 배출이 용이한 구조인가.
15. 필요한 Work support 장치는 설치하였는가.
16. 기종 교환에 대비하여 취부 Hole은 기준 Pin type으로 하였는가.
17. 기종 교환 시 Jig & Fixture는 어느 부위까지 교체하는가.
18. 교체 시 소요시간은 얼마인가.
    - 비용과 관련되므로 반드시 발주업체와 협의하여 결정한다.
    - 또는 발주업체에서 수동 기종 교환 시 소요되는 시간을 20분/회 (부품에 따라 판단 필요) 정도로 규정하여 제시할 필요가 있다.

1.Time의 종류

-Time의 종류는 다음과 같이 4가지로 분류할 수 있다.

1)Tact time

-제품 하나를 생산하는데 필요한 시간(고객의 요구 시간)

고객의 요청: 300,000/년 납품

2)Cycle time(C/T)

-제품 하나를 생산하는데 필요한 시간(생산자의 필요 시간)

고객의 요청: 300,000/년 납품

Cycle time= (연간 작업시간×효율) /연간 생산 수량

작업시간은 일 작업시간과 월 작업일수를 결정하여야 한다.

또한 작업시간은 OEM의 작업시간을 반드시 고려하여야 한다.

효율(가동률)은 일반적으로 85%를 사용하고 있으나 실제 기업

의 상황에 맞게 설정한다.

3)Neck time

하나의 제품을 생산하는데 필요한 공정이 10개 있으면 각 공정

별 Cycle time은 각각 다르다. 이때 가장 늦은 C/T을 Neck time

이라 하고 이 Neck time이 Line Cycle time이 된다.

즉, Line의 CAPA를 산정할 때 Neck time으로 계산한다.

4)Lead time

하나의 제품을 생산하는데 필요한 공정이 10개 있으면 1에서

10공정까지 흘러가는데 걸린 총 시간을 말한다.

이것은 아주 중요한 요소인데 자동차 한 대가 소재부터 완성품

까지 나오는데 걸리는 시간이 얼마인지 즉, 3일이 걸리는지

일주일이 걸리는지 하는 것을 말한다.

즉, 제품이 소재부터 완성품까지 제품화되는데 걸리는 총 시간

으로, Lead time을 줄이는 것은 생산성 향상 및 매출 향상과 직

결되므로, 공정을 설계할 때 필요 없는 공정이나 항목이 나오

지 않게 한다.

*Time의 계산 예

1.Project 명: 00 Project

2.연간 생산 수량: 200,000/년

3.작업 조건: 일 20Hr/일, 22일/월

4.가동률: 85%

5.Cycle time: 80SEC/EA

5.설비 대수: 4대, 수작업 공정 2개는 제외

6.인원: 2명/SHT

7.실제 설비의 Cycle time 현황

OP00	OP10	OP20	OP30	OP40	OP50
소재	가공	가공	가공	측정	포장
내자	내자	내자	내자	내자	내자
60SEC	80SEC	76SEC	73SEC	60SEC	60SEC

    5SEC   5SEC   5SEC   5SEC   5SEC

1)Tact time: 200,000/년(고객의 요구 시간)

2)Cycle time = (연간 작업시간×효율)/연간 생산수량
= (20×22×12×3,600×0.85)/200,000 = 80SEC/EA

3)Neck time = 80SEC/EA
-OP10공정이 Neck 공정으로 OP20, OP30공정을 재분배해서
Neck time을 줄이거나, Neck 공정 OP10공정 Cycle time을 줄여서
생산성을 향상시킨다.

4)Lead time
-가공 시간과 이동 시간 전체를 합한다.
60+ 5+ 80+ 5+ 76+ 5+ 73+ 5+ 60+ 5+ 60=434SEC

*Lead time

소비자의 욕구 변화에 따라 소품종대량 생산에서 다품종소량 생산 체제로 바뀌어 가고, 이에 따라 제품의 Life cycle은 점점 짧아지고 있다. 이러한 변화에 신속히 대응하기 위해서는 제품을 단기간에 개발하여 생산하고 고객에게 제공하는 것이 중요하게 되었다. 이러한 수주부터 판매까지 걸리는 시간을 Lead time이라 하고, 이것을 단축하는 활동이 무엇보다도 중요하다. Lead time은 구간별로 구별해 보면 수주~설계까지를 설계 Lead time, 제품 생산에 필요한 생산 설비류 등을 구매하는 구매 Lead time, 제품을 생산하는 생산 Lead time이다.

*Lead time 구분

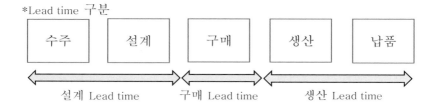

1)설계 Lead time 단축
 -설계에서 DFMEA, Design review 등의 활동을 통해 Lead time 단축
  활동을 적극적으로 실시한다.
 -설계 Lead time을 단축하기 위해서는 설계에서 현장의 소리를 적
  극적으로 들어야 하므로, 공장에 방문하여 생산기술이나 생산부
  가 현재 어떤 애로사항이나 문제가 있는지 협의하는 것이 좋다.
2)구매 Lead time 단축
 -생산에 필요한 설비는 생산기술에서 설비제작사양서, 견적사양
  서, 견적 협의 등을 통해 결정을 빨리하고, 외주품 등의 자재 구
  매는 구매부서에서 계획 일정을 단축할 수 있는 방안을 추진함.
3)생산 Lead time 단축
 -C/T 개선 활동, 잠깐 정지 개선, 공정 간 이송 시간 단축 활동 등.

3-2-4.Cycle time, UPH, Man Hour, 생산량

Project 명: OO Project
작업시간: 20Hr/일, 22일/월
가동률(%): 85%
연간 생산량: 200,000EA/년
투입 인원: 2명(1교대)

1)실제 Cycle time(SEC/EA) = (연간 작업시간×가동률)/연간 생산량
= 80.8
이론 Cycle time은 가동률을 100%로 놓고 계산한다.

2)실제 UPH(EA/HR) = 연간 생산량/연간 작업시간
= 37.9
UPH란 시간당 생산 능력으로 Line의 CAPA를 분석하는 중요 수치.
실제 UPH를 C/T식과 병행해서 보면 다음과 같은 식이 된다.
실제 UPH(EA/HR) = (3,600/Cycle time) ×가동률
= 37.9

3)Man Hour
Man Hour란 한사람이 일을 하는데 사용되는 시간이다.
노무비를 계산하기 위한 중요 수치로서 생산 담당자는 Man Hour
를 관리하고 이 수치를 줄이는 활동을 하여야 한다.

실제 Man Hour = (투입 인원 × 연간 작업시간)/ 연간 생산량
= (2×20×22×12)/200,000 = 0.053

실제 Man Hour를 UPH에 대입하면 다음과 같은 식이 된다.
실제 Man Hour = 투입 인원/ UPH
= 0.053

4)작업시간(작업 조건)

작업시간이란 휴무일, 법정공휴일, 회사규정휴일, 계획정지시간을 빼고 결정한 근로 가능한 시간을 말한다. 계획정지시간은 휴식, 식사, 결품, 인원부족, 청소, 정전, 교육, 계획보전, 조회 등이 있다. 여기서 중요한 것은 OEM의 작업시간과 자사의 작업시간이 어떻게 다르다는 것을 알고 있느냐 하는 것이고, 이에 맞춰서 자사의 작업시간을 설정했느냐 하는 것이다.

→실제 C/T(SEC/EA) = (연간 작업시간×가동률)/연간 생산량

*다음 Chart로 OEM과 자사(自社)의 작업시간을 비교해 보면

구분	생산대수 (EA/년)	시간 (HR/일)	일수 (일/월)	월수 (월/년)	연간 작업시간 (HR/년)	가동률 (%)	CYCLE TIME (SEC/EA)	차이
OEM	300,000	18	20	12	4,320	0.85	52	
自社	300,000	20	22	12	5,280	0.85	63	-21%

일반적으로 기업에서는 OEM의 작업시간을 알고 있는 경우도 있고, 알지 못하는 경우도 있다. 하지만 알지 못하거나 파악도 하지 못하는 경우가 더 많은 것 같다. 알고 있거나 모르거나 관계없이 각 기업에서 자사가 OEM과 같은 작업시간을 사용하지 않고 있다는 것이다. 위의 예를 보면

OEM과의 작업시간 차이로 인해 C/T이 21%나 늦게 되는 것을 알 수 있다. 그 만큼 투자비를 줄일 수 있다는 것이다. 하지만 여기서 중요한 것은 OEM에서 차량 판매 호조로 잔업 및 특근으로 생산량을 늘릴 경우 자사도 잔업 및 특근으로 대응해야 하지만, 절대시간이 부족하여 고객의 요구 수량을 공급하기 어렵다는 것이다.

한 때 자동차 경기가 호황일 때 중소기업에서는 거의 365일 근무한 적도 있었던 것이 이러한 사유 때문이다. 100% 동일 조건은 아니더라도 투자비를 고려한 자사만의 작업시간을 어떻게 설정할 것인가를 고민하여 신중히 결정하여야 한다.

3-2-5.가동률

가동률(설비종합효율)이란 시간가동률, 성능가동률, 양품률의 3개의 곱으로 생산실적 대비 생산 능력의 비율을 말한다. 가동률은 생산 Line의 CAPA를 결정하고 투자비와 직결되는 중요한 수치인데 실제로 기업들은 가동률을 잘 관리하지 못하고 있다.

그 이유는 첫째, 기업들의 교육 방식의 문제로 선배로부터 지식을 그대로 답습하는 경우, 둘째, 외부나 내부 프로그램에 참여하여 교육을 받을 기회가 부족한 경우, 셋째, 개인 스스로 학습하지 않는 경우, 넷째로 Owner의 경영 방침이다.

첫째, 둘째, 셋째, 모두 교육, Benchmarking, 학술세미나 등의 참여 기회가 주어지지 않는 기업들의 애로사항이라고 볼 수 있다. 비용, 시간, 인원의 문제로 쉽게 결정하기 어려운 상황이라고 할 수 있지만 기업이 성장하기 위해서는 매출 성장과 동반한 인원의 Manpower도 함께 성장하지 않으면 결국 기업은 인원에 의해 도태할 수 밖에 없는 것이다. 결국 기업은 사람이 이끌어 가기 때문이다.

외부 교육은 비용, 시간, 인원의 문제가 있으므로 외부 강사를 초청하여 많은 직원을 한꺼번에 교육시키는 프로그램을 적극적으로 활용하여 인재육성에 앞장서야 한다. 그것보다 더 중요한 것은 본인 스스로 학습 의지를 가지고 있느냐 하는 것이다.

넷째로 Owner의 경영 방침이다.
신규 프로젝트가 발생하였을 경우 대부분의 기업들은 수주가 우선 목표가 되기 때문에 경쟁사 대비 무리한 단가로 수주를 하는 경우가 많다. 이때 생산기술 담당자나 Owner가 놓치는 것이 투자비와 가동률과의 상관 관계이다. 투자비가 낮고 가동률이 높으면 말할 것도 없이 최고의 투자라고 말할 수 있다. 하지만 투자비도 낮고 가동률도 낮게 되는 것이 문제인데, 이렇게 되는 가장 큰 이유는 자체 설비제작사양서나 견적사양서도 없이 견적을 의뢰하고 그 견적가 기준으로 최고 낮은 업체를 선정하기 때문이다.

가공기는 범용기를 사용하기 때문에 큰 애로사항은 없으나, 후 공정 설비(Washing M/C, Leak tester, 조립기, 측정기 등)들은 기준을 제시하지 않으면 견적가가 약 2배의 차이가 발생할 수도 있다.

실제로 있었던 예로, 한 기업에서 중요 Line의 가동률이 65% 수준에, 사내외 불량률 다발, 납기 지연으로 인한 클레임 비용 발생, OEM Worst TOP 5 등재 등으로 OEM 담당자가 자사에 매일 방문하여 Line의 재고 상황 및 불량률 현황 등을 점검하는 일이 있었다.

매일 고장률과 불량률이 높아 생산량을 맞추기 어려운 실정이었기 때문이다. 해당 기업에서는 생산기술 인원이 있었으나 생산 기술 관련 교육을 받은 적도 없었고, 자체 설비제작사양서나 견적 사양서도 없었기 때문에 개략적으로 작성한 견적사양서 기준으로 견적을 의뢰하여 구매부서로 계약 요청을 하고 있었다.

계약 요청을 받은 구매부서에서는 업체의 특성과 상관없이 가격 기준으로 업체를 선정하게 되고, 이로 인해서 가동률이 낮고 고장률과 불량률이 높은 Line이 탄생하게 된 것이었다.

또한 현장의 3정 5행은 관리가 전혀 되지 않고 있었다. Line의 배치는 O자형, N자형 등으로 작업자의 작업 상태를 통로에서 볼 수 없는 상황이었고, 바닥에 Chip, Coolant는 비산되어 널려 있었고, 이로 인해 양품을 만들어 낸다는 것이 어려운 상황이었다.

이런 것을 개선하기 위해서 Project 고려 사항으로 첫째, 작업 환경 개선(공장 Remodeling 등), 둘째, 표준화(작업 조건, 자체 설비제작사양서, 자주검사 관리, 작업표준서, 부대시설 제작 방법, Utility, 공구, 유지류, 사무 5S 관리), 셋째, 프로세스 정립 (신제품개발프로세스, 생산기술 업무 Level up 계획, 생산성 향상 계획)의 업무를 실시하였다(상세는 3-3-8을 참조할 것).

생산성 향상 부문의 주요 업무로는 가공 설비는 Overhaul 여부를 판단하기 위해서 분해 검사를 실시하였고, 비가공기는 가동률이 낮고 고장률이나 불량률이 높은 설비는 폐기하고 신규로 교체하고 사용 가능한 설비는 개조 활용하였다.

아래 표는 금번 신규로 투자한 Line과 기존 Line(투자비 30% 절감
안)의 투자타당성을 비교한 자료이다.

*투자타당성 비교표

항목	신규 Line(a)	기존 Line(b)	차이(a-b)
투자비	30%	0	30%
가동율	85%	65%	-20%
불량율	0%	1%	-1%
Claim 비용	0	4%	-4%
대외 신용도		α%	-α%
계	30%	25%+α%	

{분석}

1)투자비는 신규 Line이 30% 더 발생하였다.

2)가동률 차이는 기존 Line이 20% 적게 나타났다.

3)불량률은 기존 Line이 1% 더 발생하였다.

4)Claim 비용(불량과 미납입 포함)은 기존 Line에 들어간 비용이
  약 4% 발생하였다.

5)대외신용도는 비용으로 바로 환산할 수 없지만 기업측면에서
  보면 향후 신규 Project에 대한 제재를 받기 때문에 비용 이상의
  문제가 있다고 볼 수 있다.

{결론}

  가격적인 면만 보아도 큰 차이가 없고 감가상각비는 어느 시점에
는 떨어지고 인건비는 계속 오르기 때문에 어느 시점에서는 오히
려 플러스가 발생한다는 것이다.

따라서 초기 투자 시 여러 가지 안을 비교하여 보고서로 Owner의
승인을 득해 추진하는 것이 좋을 것이다.

*설비종합효율(가동률)은 다음과 같이 표현할 수 있다.

조업시간(Work Calendar 시간)				
부하시간				계획정지
가동시간			돌발고장	조회, 교육
정미가동시간		순간정지	작업준비	정전, 청소
가치가동시간	불량	공전속도 저하	조정 설비고장 공구교환 기종교환 자주검사 SPEC조정	분임조 POP처리 결품 계획보전
	초기수율			

1)조업률 $= \dfrac{\text{부하시간}}{\text{조업시간}} \times 100$

2)시간가동률 $= \dfrac{\text{가동시간}}{\text{부하시간}} \times 100$

3)속도가동률 $= \dfrac{\text{이론C/T}}{\text{실제C/T}} \times 100$

4)정미가동률 $= \dfrac{\text{생산수} \times \text{실제C/T}}{\text{가동시간}}$

5)성능가동률 = 속도가동률 × 정미가동률　　　　목표치 95% 이상

6)양품가동률 $= \dfrac{\text{양품수}}{\text{생산수}} \times 100$　　　　목표치 94% 이상

7)설비종합효율(가동률) = 시간가동률×성능가동률×양품가동률

$= \dfrac{\text{이론C/T} \times \text{양품수}}{\text{부하시간}} \times 100$　　　　목표치 85% 이상

조업시간(Work Calendar 시간)은 각 기업에서 휴무일, 법정공휴일, 회사규정 휴일 등을 빼고 결정한 근로 가능한 시간을 말한다.

가동률을 결정하는 중요한 요소인 부하시간은 계획정지시간을 뺀 시간을 말한다. 따라서 계획정지 항목을 어디까지 넣을 것인가는 각 기업이 결정하여야 하고, 이것을 결정하기 위해서는 생산기술과 관련부서와 협의하여야 한다.

성능가동률은 속도가동률과 가치가동률의 곱이라고 설명했다. 이 식을 풀어서 보면 성능가동률=실제생산대수/이론생산대수×100 이 나온다. 일부 기업에서 생산 계획 대비 실적을 가동률로 알고 있는 경우가 종종 있다. 이것은 기 언급한 바와 같이 성능가동률이고 이 치수는 목표치가 95% 이상임을 알 수 있다.

다음은 가동률을 실적치 기준으로 집계하는 방법을 알아보자. 대부분의 기업은 작업일지를 작업자가 스스로 작성하게 하고, 관리자가 최종 확인을 해서 사무실로 보내 집계하게 된다. 이 작업일지에 작성되는 것은 생산 수량, 품질불량 내용 및 수량, 비가동 요인 및 시간 등을 기록한다. 여기에 기록된 비가동 요인 및 시간을 근거 근거로 1년 치 평균해서 자사의 Item별 가동률로 나타낸다.

*설비종합효율(가동률) 실적치 Data 작성

설비종합효율(%) 1-(c)	비가동 시간(%)								불량율 (b) (%)	(c)= (a)+(b)
	작업준비 조정	설비 고장	공구 교환	기종 교환	자주 검사	SPEC 조정	순간 정지	계(a)		
85%	2%	5%	2%	1%	1%	2%	1%	14%	1%	15%

설비종합효율 실적치 Data와 앞에서 언급한 작업시간으로 계산하는 이론치 Data를 비교해서 차이가 나면 어느 부분에 문제가 있는 것을 말한다. 즉, 작업일보에 기입한 실적 Data 오류라든지, 현장의 Cycle time의 변화가 발생했다든지 하는 문제가 있으므로 반드시 Check해서 수정해야 한다.

3-2-6.생산기종, 기종추가, 자동율, Flexibility, Volume up

한 개 Line을 예로 설명하고자 한다.

1.Project명: X 전기차 부품 Project

2.양산일: 2021.7월~

3.품명 : X 전기차 부품

4.재질 및 중량: ADC12, 3.5kg(가공 완성품 기준)

5.생산 대수 및 기종

기종	PART NO	제품 SIZE (L×W×H)	연간 판매 수량				비고
			2021	2022	2023	2024	
a	a1234-10001	200×200×150	30,000	50,000	50,000	70,000	a,b는 Family
b	b1234-20001	200×200×150	20,000	50,000	50,000	80,000	
c	c2345-10001	220×180×160		10,000	50,000	50,000	c는 일부만 같음
계			50,000	110,000	150,000	200,000	

*Line 검토는 아래와 같은 순서로 한다.

1)생산 기종 및 기종 추가

　-3가지 기종별 사양 차이 내역을 사양비교표로 작성한다.

　-기존 유사 Item과 비교하여 작성한다.

　-생산기종이 많을 때 추가로 기종이 발생할 수 있으므로 공법을 결정하기 전에 고객과 협의하여 확인한다.

　-1대의 설비 내에 Jig를 몇 개 취부할 것이고, 기종에 따라 어떻게 공용 Jig로 할 것인가를 검토한다.

　-소재에 기종 검지 Boss 혹은 가공 Hole로 자동으로 기종 검지를 할 수 있도록 한다.

2)자동화율

　-자동화율을 몇 %로 할 것인가는 투자비 및 인원과 직결되므로 신중히 검토하여 Owner의 승인을 득한다.

　-자동화 검토 대상은 Jig & Fixture, 소재 반출입 장치, 기계 내의 이송 장치, 주요 부위 자동측정장치, Marking 시스템 등이 있다.

-인건비와 자동화에 투자되는 비용을 비교하여 자동율을 고려.

-Man Machine Chart를 활용하여 최적의 인원을 검토한다.

3)Flexibility

(1)Flexibility 검토 대상

자동화 검토 대상이 대부분 해당된다.

-Jig & Fixture

-소재 반출입 장치

-기계 내의 이송 장치

-주요 부위 자동 측정 장치

-Marking 시스템

(2)Flexibility 검토

-첫째 가능한가.

-둘째 기간은 얼마나 소요되는가.

-셋째 투자비는 얼마인가.

-네째 투자타당성은 있는가.

상기 "a", "b" 기종은 Family 계열로 자동화 및 공용화가 가능
하나, "c" 기종은 공용 Clamp 가능 여부, Loading & unloading
공용 point 존재 여부를 확인하여 실시한다.

4)Volume up

-연간 판매 수량을 고려하여 1차년도 투자는 2022년 11만대 기
준으로 하고, 단계적으로 추가 설비를 증설하는 것으로 한다.

-만약 비가공기(Washing machine, Leak tester, 조립 및 압입기,
자동측정기 등)가 있을 경우는 설비를 단계별로 증설하기는
상당히 어렵다.

따라서 단계별 증설안과 한번에 20만 증설했을 때의 자료를 만
들어 Owner의 승인을 득하는 것이 좋다. 실제로 2가지 경우의
투자비로 작성하여 분석해 보면 한번에 20만으로 증설하는 것
이 더욱 투자타당성이 있다는 것을 알 수 있다.

-증설을 대비하여 Layout은 여유 공간을 사전에 준비한다.

3-2-7.자동화 방식

설비 부문의 자동화란 제품을 정렬하여 자동으로 설비로 필요한 수량만큼 공급하는 것으로, 설비와 설비 간의 제품을 자동으로 이송하는 것, 설비 안팎으로 제품을 자동으로 이송하는 것, 설비 입구에서 설비로 제품을 자동으로 이송하는 것, 설비에서 설비 출구로 제품을 자동으로 이송하는 것 등을 말한다.

또한 설비 내에서 공구를 ATC(Auto Tool Changer)를 이용하여 자동으로 교체하거나, 공구의 길이를 자동으로 측정하는 공구길이 자동측정장치나, 공구의 파손 상태를 자동으로 측정하는 공구파손 검출장치나, 공구 마모 상태를 자동으로 측정하여 보상하는 Touch sensor 등도 있다.

여기서는 설비 부분의 자동화에 대해서 거론하고자 한다. 자동화를 Full 자동화, 반자동화, 수동기로 선정하는 조건으로 제품의 양이나 기종의 종류, 제품의 품질 특성, 품질 코스트, 국내외 구분, Lead time의 길고 짧음, 허용 제조원가에 따라 다를 수 있다.

★
*자동화 선정 조건

구분	선정 조건						
	수주형태	품질특성	품질 코스트	고객	Lead time	인원	허용 제조원가
자동화	소품종 대량생산	중요보안 부품	높음	해외	짧을 때	많을 때 (인건비와 투자비를 비교하여 적용)	낮을 때
반자동화	중품종 중량생산 생산변동이 큼	중요보안 부품에 따를 때	중간	해외 국내	중간	중간	중간
수동	다품종 소로트 생산	상기 이외	낮음	국내	길 때	적을 때	높을 때

최근에는 품질 특성이나 품질 코스트가 중요 시 되기 때문에, 자동기를 다품종소로트 생산에 대해서도 적용하는 등, 생산 기술력이 일반적인 개념을 타파하는 것이 경쟁력의 원천이 되고 있다.

★ 坂倉 貢司(사카쿠라 코우지)의 생산기술의 책에서 인용.

Touch sensor: 제품의 X, Y, Z축의 위치를 자동으로 측정하고 제어하는 기능을 가진 것.

*자동화 종류

1.반자동화(비가공기만 자동화, 소품종대량 생산)

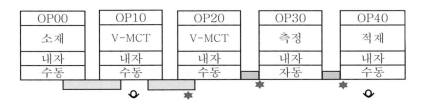

1)설비 구성

-소재 적재 수동.

-OP00~OP10, OP10~OP20 공정으로 소재 이송은 Chute로 수동.

-OP10, OP20 Vertical MCT 공정 설비는 수동 .

-OP30 측정기는 입구 Conveyor, 출구 Conveyor, 소재입출자동
장치로 Full 자동, 자동 측정 후 NG품 자동배출 장치설치.

-OP40 검사 및 적재는 수동.

-자주검사 수동.

2)적용 사례

-소품종대량 생산.

-Vertical type으로 자동화가 어려워 가장 많이 적용되고 있다.

-가공 항목이 많고 투자비를 줄일 경우에 적용한다.

3)장단점

(1)장점

-MCT의 특성상 자동화 설비 대비 가동률이 높다.

-투자비가 낮다.

(2)단점

-자동화 시 투자비가 많이 소요된다.

-인원이 많다.

-가동률이 높지만 작업자의 능력에 따라 변경된다.

2.Gantry loader(Gantry robot)를 이용한 자동화(소품종대량 생산)

✿ 자주검사 위치   ↓↓ Gantry loader   ☐ Conveyor

OP00	OP10	OP20	OP30	OP40
소재	V-MCT	V-MCT	측정	적재
내자	내자	내자	내자	내자
자동	자동	자동	자동	수동

1)설비 구성
-소재 자동 공급 장치.
-OP00~OP20 공정까지 Gantry loader를 이용한 자동화.
-OP20~OP30 투입까지는 Gantry loader로 자동 이송.
-OP30 측정기는 입구 Conveyor, 출구 Conveyor, 소재입출자동
 장치로 Full 자동, 자동 측정 후 NG품 자동배출장치 설치.
-OP40 검사 및 적재는 수동.
-자주검사 수동.
2)적용 사례
 -소품종대량 생산.
 -가공 항목이 많고 투자비를 줄일 경우에 적용한다.
 -설비가 많아 인원을 줄이는 것이 투자타당성이 좋을 때 적용.
3)장단점
 (1)장점
 -인원을 줄여 인건비를 낮춘다.
 -MCT 자동화가 용이하다.
 (2)단점
 -자동화 시 투자비가 많이 소요된다.
 →연도별 총 투자비와 인건비를 비교해서 판단한다.
 -가동률이 수동 대비 상대적으로 낮아질 수 있다.

3.Robot를 이용한 자동화(소품종대량 생산)

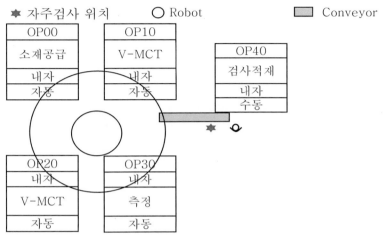

★ 자주검사 위치　　○ Robot　　■ Conveyor

OP00	OP10	OP40
소재공급	V-MCT	검사적재
내자	내자	내자
자동	자동	수동

OP20	OP30
내자	내자
V-MCT	측정
자동	자동

1)설비 구성

　-소재 공급은 Robot에 Vision camera 설치하여 자동 공급.

　-OP00~OP40 Input conveyor까지 Robot를 이용한 자동화.

　-OP30 측정기는 자동 측정 후 NG품 자동배출장치 설치.

　-OP40 검사 및 적재는 수동.

　-자주검사 수동.

2)적용 사례

　　-소품종대량 생산.

　　-설비 대수가 작고 투자비를 줄일 경우에 적용한다.

3)장단점

　(1)장점

　　-낮은 투자비와 인원을 절감할 수 있다.

　(2)단점

　　-Robot 고장 시 설비 전체가 Down되어 전체 가동률이 낮다.

　　-설비 점검 시 Robot를 세워야 하는 Loss가 발생한다.

　　-Robot 구간에 청소를 할 수 없어 Chip이나 Coolant의 오염 심함.

4.Pallet changer를 이용한 자동화(다품종소량 생산)

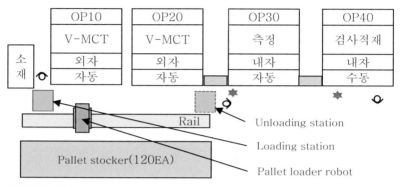

1)설비 구성
 -Loading station에서 소재를 수동으로 Loading & Clamp하면
  자동으로 Pallet stocker로 공급된다.
 -OP10, OP20 설비는 고정도 5축 설비로 2 Pallet type,
  Touch sensor, 자동공구길이측정장치, 공구파손검지장치,
  Coolant 온도관리, 고압 Coolant 장치 등 기능 부착.
 -OP30 측정기는 입구 Conveyor, 출구 Conveyor, 소재입출자동
  장치로 Full 자동, 자동 측정 후 NG품 자동배출장치 설치.
 -OP40 검사 및 적재는 수동.

2)적용 사례
 -다품종소량 생산에 고정도를 요하는 제품에 적용한다.
 -가공 Line 인원이 20명 → 4명으로 인원 절감 사례가 있음.

3)장단점
 (1)장점
  -다품종소량 생산에 고정도의 제품을 생산할 수 있다.
  -Stocker 적재 수량에 따라 2~3일 정도 무인화 생산이 가능함.
  -Touch sensor로 주요 공정 자동 자주검사 가능함.
 (2)단점
  -고가이며, 기종별 생산 수량에 한정이 있다.

5.Pallet changer를 이용한 자동화(중품종대량 생산, 자동차 부품)

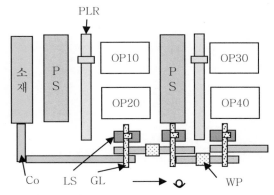

PS: Pallet stocker
소재: 소재 Stocker
PLR: Pallet Loader Robot
LS: Loading Station
WP: Work 자세 변환장치
GL: Gantry Loader
Co: Conveyor

1)설비 구성
  -소재 자동공급장치, Pallet 자동공급장치, Pallet loader robot 설치.
  -OP10~OP40 가공 설비는 고정도의 외자 설비로 2 Pallet type,
   Touch sensor, 자동공구길이측정장치, 공구파손검지장치,
   Coolant 온도관리, 고압 Coolant 장치 등 기능 부착.
2)적용 사례
  -중품종대량 생산으로 자동차 부품 3~4개를 한 개의 라인에서
   자동화할 경우에 적용.
  -고정도의 제품 생산.
  -최소의 인원으로 무인화 공장.
  -IoT(사물인터넷) 적용.
3)장단점
 (1)장점
  -중품종대량 생산에 고정도의 제품을 생산할 수 있다.
  -Stocker 적재 수량에 따라 2~3일 정도 무인화 생산이 가능함.
  -Touch sensor로 주요 공정 자동 자주검사 가능함.
  -IoT 적용으로 생산성 향상 기여.
 (2)단점
  -투자비가 많다(투자타당성을 충분히 검토하여 적용-).

3-2-8.절삭조건

★
절삭이란 절삭 공구와 공작물을 상대 운동시켜 깎는 것을 말한다. 금속의 절삭가공은 연속한 전단 작용에 의해 행해진다. 회전하는 공작물은 공구에 의해 전단력을 받고, 전단 구부림에 의해 크게 변형하고, 전단면에 의한 미끄러짐을 일으켜, 가공 Chip이 된다.

도형 2에 의해, 평행사변형 ABCD가 절삭의 진행에 의해, 전단 변형하고 A' B' C' D'로 되어 이동한다. 이것이 연속적으로 단시간에 생성되고 있다고 생각할 수 있다. 가공 Chip의 두께는 전단각에 따라 결정되고, 절입량 t1과 가공 Chip 두께 t2의 비율을 절삭비(Ch)라고 부르며, 전단각(Φ)는 다음의 식으로 표현된다.

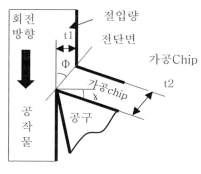

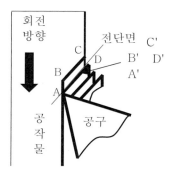

도형 1. 전단작용   도형 2. 연속한 전단작용

절삭비(Ch) = t1 / t2

$$\tan\Phi = Ch \times \cos\chi / (1 - Ch \times \sin\chi)$$

절삭가공은 다음과 같이 2가지로 분류된다.

1. 선삭(旋削) 가공

   선반으로 가공하는 것이 주이며, 회전하고 있는 재료에 공구를 닿게 움직여서 필요한 형상, 정도에 맞춰 가공하는 방법이다.

2. Milling 가공

   평면 가공이 주이며, 회전하고 있는 공구를 고정한 공작물에 닿게 움직여서 필요한 형상, 정도에 맞춰 가공하는 방법이다.

★ Yahoo. Japan. 旋削加工の基礎知識에서 인용함.

절삭조건이란 공구와 공작물 간의 절삭속도, 이송속도, 절입량 3가지의 상대적 운동이 관계하는 것을 말한다. 공작물의 치수 정도, 사상면, 공구수명 등에 큰 영향을 주므로 적절한 조건을 선택할 필요가 있다.

*절삭속도

절삭속도(m/min)는 공구가 분당 공작물을 몇 m 깎을까를 나타낸다. 절삭속도의 중요한 인자는 공작물이나 공구의 회전수이다. 회전수가 증가하면 절삭속도가 올라가고, 이에 따라 절삭 시 부하가 상승하여 공구 수명이 짧아지게 된다.

선반의 절삭속도는 이하의 식으로 구한다(도형 3).

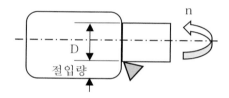

도형 3. 절삭속도

−선반의 절삭속도

$$절삭속도(V) = \frac{\pi \times D \times n}{1,000}$$

V: 절삭속도(m/min)
D: 직경(mm)
n: rpm

−Milling의 절삭속도

$$절삭속도(V) = \frac{\pi \times D \times n}{1,000}$$

V: 절삭속도(m/min)
D: Cutter dia(mm)
n: 주축 회전수(rpm)

−Drill의 절삭속도

$$절삭속도(V) = \frac{\pi \times D \times n}{1,000}$$

V: 절삭속도(m/min)
D: Drill dia(mm)
n: 주축 회전수(rpm)

*이송속도

　이송이란 통상 바이트의 경우 피삭재가 1 회전할 때 바이트의
진행량을 말하고, Cutter일 때는 Cutter가 1 회전할 때 기계 Table의
진행량을 날 수로 나눈 것을 말한다. 즉, 1 날당 이송량을 말한다.
이송은 사상면과 큰 관계가 있기 때문에 요구되는 사상면의 조도
에 따라 결정되는 경우가 대부분이다.
　이송을 작게 하면 상면 마모가 크게 되어 공구 수명이 극단적으
로 짧게 된다. 이송을 크게 하면 절삭 온도가 상승하여 상면 마모
가 크게 되지만, 공구 수명에 대한 영향은 절삭속도에 비교하면
작게 된다. 이송을 크게 하면 가공능률은 향상한다.
이송속도(mm/min)는 공구가 1 회전당 이송한 거리를 나타낸다.

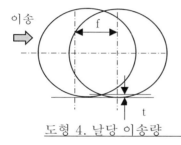

도형 4. 날당 이송량　　　　a:6날의 Cutter, b:1날당 이송
　　　　　　　　　　　　　　도형 5. 회전당 이송량

-선반, Milling 이송속도

　이송속도(S)　= N × Z × Sz
　　　　　　　= N × Sn

S: 이송속도(mm/min)
N: 회전수(rpm)
Z: 날 수
Sz: 날 당 이송(mm/날)
Sn: 회전당 이송(mm/rev)

-Drill 이송속도

　이송속도(S) = $\dfrac{\ell}{t}$

　　　　f=S / N

S: 이송속도(mm/min)
ℓ: 가공거리(mm)
t: 가공시간(min)
f: 회전당 이송(mm/rev)

★　Yahoo. Japan. 三稜マテリアル, 旋削加工の切削条件による影響에서 인용함.

70

*절입량

절입량(mm)은 공작물의 중심 방향으로 깎아 들어가는 거리를
말한다. 힘이 걸리는 방향에 따라, 주분력, 이송분력, 배분력으로
나누고, 이것의 합력을 절삭저항이라고 한다. 절삭저항의 크기는
피삭물의 재질, 절삭속도, 절입량, 인서트의 인선각도의 크기 등의
조건에 따라 변한다.

절입량을 크게 하면 절삭능률은 좋게 되나, 절삭저항은 증가한
다. 인선의 코너 반경에 따라 변화하지만, 절입량이 작으면 배분력
이 크게 되어 Chattering의 원인이 된다. 원통 절삭에서 절입량을
증가시키면 주분력, 이송분력이 증가하고, 단면 절삭에서 절입량
을 증가시키면 주분력과 배분력이 증가하게 된다.

절삭저항에 영향을 주는 주된 인선각도는 전절인각과 횡절인각
이다. 전절인각이 증가하면 인선이 날까롭게 되며, 전단각이 크게
되어 절삭저항이 감소한다. 횡절인각이 증가하면 인선의 근원에
서 절삭을 하여 근원까지 마치기 때문에, 인선의 수명이 연장된다.
단, 배분력의 증가로 이어지므로, 가늘거나 얇은 물건의 절삭 시에
는 횡절인각을 작게 한다.

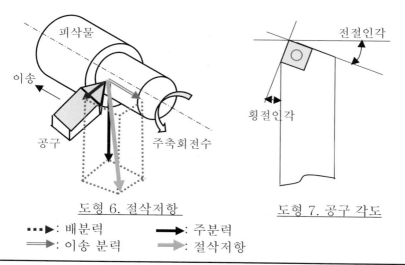

도형 6. 절삭저항   도형 7. 공구 각도

▶ : 배분력   **➡** : 주분력
➡ : 이송 분력   **➡** : 절삭저항

★ Yahoo. Japan. Toolnavi, what is 切削抵抗에서 인용함.

71

*절삭조건의 결정 방법

1.재료 기호와 비절삭저항
도형 8의 원통 부품 형태의 가공도면을 가지고 절삭조건을 결정
하여 가공 시간을 황삭과 정삭으로 구분하여 계산해 보자.
본 제품은 원통 부품이므로 선반을 사용한다.
재질: S45C(C 0.45%, 경강, 기계구조용탄소강)
재료: 열간단조
가공여유량: Max 2.5mm(완성품 형태의 소재라고 가정한다)
재료기호: ▽▽▽

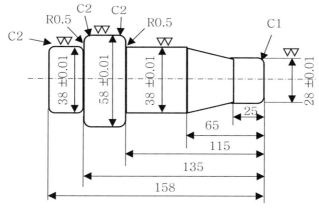

도형 8. 가공도면 예

★ 이 재료로 바이트를 사용하고, 소정의 절입량과 이송으로 절삭
하면, 절삭단면적=절입량×이송으로 된다. 절삭단면적에 공작물
의 파괴강도를 걸어서, 절삭력을 계산할 수 있다. 절삭가공은
치수효과(치수가 크면 클수록, 강도가 저하하는 현상)가 있기 때
문에, 파괴강도를 대신해서 비절삭저항을 사용한다.
절삭력=비절삭저항 × 절삭단면적으로 된다.
따라서 공작물의 재질과 절입량, 이송을 알게 되면 비절삭저항을
알 수 있게 되고, 개략의 절삭력을 예측할 수 있다.

★ Yahoo. Japan. 海野 邦昭, 切削加工の基礎知識에서 인용함.

2.공구 재료와 공구 수명

일량은 절삭력에 거리를 곱하여 나타낸다(도형 9).

일량 L(N.m)=절삭력 F(N)×거리 S(m), (거리=절삭속도×시간)

절삭시간에는 단위시간 1을 사용하기 때문에,

일량=비절삭저항×절입량×이송×절삭속도로 나타낼 수 있다.

따라서 절삭에 필요한 소요절삭동력 P(W)은,

일량을 60×1,000×기계효율로 나눈 값이 된다.

$$★ \quad 소요절삭동력(W) = \frac{비절삭저항×절입량×이송×절삭속도}{60×1,000×기계효율}$$

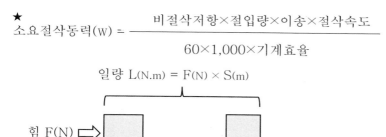

일량 L(N.m) = F(N) × S(m)

힘 F(N) ⇨

이송거리S(m)

요구시간 t(sec)

도형 9. 일량

가공도면을 보면, 공작물의 재질을 알 수 있으므로, 비절삭저항
도 알 수 있다. 다음에, 사용할 바이트의 종류와 절삭조건을 검토
한다. 바이트의 재질은 초경합금, 고속도공구강 등 어떤 것을 선
정한다. 또, 바이트의 코너 반경, Chip brake 등의 공구 정보를 설정
한다(비절삭저항 P76 참조).

3.절삭속도의 결정(이송과 절입량)

1)소재가 열간단조인지 냉각단조인지 먼저 확인한다.

-가공 시간과 절삭조건에 따라 차이가 나므로 도면을 확인한다.

2)소재의 형상을 결정한다.

-열간단조품일 경우 소재의 형상에 따라 덧살을 어떻게 붙일 것인
가에 따라 절입량이 차이가 나서 가공 시간에 영향을 준다.

★ Yahoo. Japan. 海野 邦昭, 切削加工の基礎知識에서 인용함.

3)절입량을 계산하여 황삭 가공과 정삭 가공으로 배분한다.

-일반적으로 열간단조의 최대 절삭량이 2.5mm이라고 가정하면

황삭은 2mm, 정삭은 0.5mm로 나누어서 가공한다.

이것은 제품의 형상에 따라 차이가 있을 수 있다.

4)Chuck의 형상을 설계한다.

-Chuck의 구조에 따라 1차 가공과 2차 가공으로 공정 배분한다.

-정삭 가공 시 Chattering 등에 의한 정도 불량이 예상될 경우

Tail stock을 사용하나, 본 제품은 Tail stock은 설치하지 않는다.

5)절삭속도를 결정한다.

-공구 관련 자료 기준으로, 외경 황삭 가공일 때 150m/min 정도

를 사용하고, 외경 정삭 가공일 때 200m/min 내외를 사용한다.

6)회전당 이송속도를 결정한다.

-공구 관련 자료 기준으로, 외경 황삭일 경우 0.3m/rev,

외경 정삭일 경우 0.2m/rev 내외를 사용한다.

7)회전수 N(rpm)을 계산한다.

-도형 8의 Φ28경을 기준으로, 가공 길이 25mm일 때 회전수는

외경 황삭 N=(1,000×150)/(3.14×28)=1,700 rpm

외경 황삭 N=(1,000×200)/(3.14×28)=2,270 rpm

8)이송속도를 계산한다.

-외경 황삭의 S=N×Sn = 1,700×0.3=510 mm/min

-외경 정삭의 S=N×Sn = 2,270×0.2=454 mm/min

9)가공길이를 계산한다.

-공구 충돌을 방지하기 위한 Air cutting 구간으로 약 5mm를 산정.

-가공 후 공구가 빠지는 구간으로 약 2.5mm 산정한다.

-외경 황삭일 때 가공길이는 5+ 25=30 mm가 된다(정삭 동일).

-빠지는 구간 거리는 최종 가공 시 산정한다.

10)가공 시간을 계산한다(공구 교환 시간은 별도로 산정한다).

-외경 황삭시간 = 가공길이/이송속도 = 30/510=0.059 min

-외경 정삭시간 = 가공길이/이송속도 = 30/454=0.066 min

*조도 계산식

조도는 다음과 같이 계산할 수 있다.

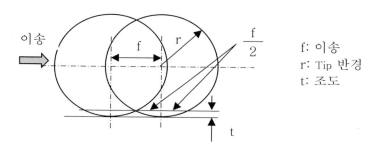

f: 이송
r: Tip 반경
t: 조도

조도를 계산하기 위해서는 다음과 같은 식을 알아야 한다.

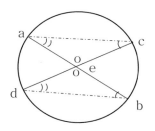

o: 2개의 각은 같다
⟨: 2개의 각은 같다
⟨⟨: 2개의 각은 같다

$$\frac{ae}{de} = \frac{ce}{be}$$

상기 공식을 이용하면
$(2r-t) \times t = f/2 \times f/2$
$2rt - t^2 = f^2/4$
여기서 t^2 생략한다.
$2rt = f^2/4$

$$t = \frac{f^2}{8r}$$

즉, 조도는 이송의 제곱에 비례하고, Tip의 반경에 반비례한다.

*절삭저항 구하는 법

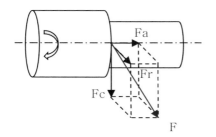

Fa: 이송분력
Fr: 배분력
Fc: 주분력
F : 절삭저항

절삭 저항 F = a×d×f

d×f = Ao로 가공되는 Chip의 넓이

a: 비절삭저항(kg/mm²)
d: depth(mm)
f: 이송(mm/rev)

★ 비절삭저항계수의 값

피삭재	인장강도 (Mpa)	비절삭저항계수				
		0.1 (mm/tooth)	0.2 (mm/tooth)	0.3 (mm/tooth)	0.4 (mm/tooth)	0.6 (mm/tooth)
연강	520	2,200	1,950	1,820	1,700	1,580
중강	620	1,980	1,800	1,730	1,600	1,570
경강	720	2,520	2,200	2,040	1,850	1,740
공구강	670	1,980	1,800	1,730	1,700	1,600
공구강	770	2,030	1,800	1,750	1,700	1,580
크롬망간강	770	2,300	2,000	1,880	1,750	1,660
크롬몰리브덴강	730	2,540	2,250	2,140	2,000	1,800
니케크롬몰리브덴강	940	2,000	1,800	1,680	1,600	1,500
주강	520	2,800	2,500	2,320	2,200	2,040
경질주철	46HRc	3,000	2,700	2,500	2,400	2,200
미하나이트주철	360	2,180	2,000	1,750	1,600	1,470
회주철	200HB	1,750	1,400	1,240	1,050	970
황동	500	1,150	950	800	700	630
경합금(Al-Mg)	160	580	480	400	350	320
경합금(Al-Si)	200	700	600	490	450	390

★ DAUM Internet 자료에서 인용함.

3-2-9.제조원가

원가란 제품의 생산, 판매에 필요한 비용을 단위당 계산한 액수이고, 제조원가란 제조에 소요된 공장 원가로 재료비, 노무비, 경비의 합이다. 원가 계산의 목적은 재무제표 작성, 원가 관리, 예산 관리, 가격 정책의 수립, 경영의 기본 계획 수립이다.

일본에서 생산기술자에게 필요한 자격으로 MOS, TOIEC, CAD, 생산기술자매니저먼트자격, 정보처리기술자 5가지를 거론하였으나, 원가에 대한 개념 이해는 무엇보다도 중요하다. 우선 제조원가의 계정별 항목을 이해하고, 계정별로 나열하여 어느 부분이 문제가 있는지 분석하여 원가를 줄이는 활동을 할 수 있어야 한다. 따라서 생산기술자는 별도로 원가 교재를 구입하여 스스로 원가 개념을 습득하여야 한다.

1.제조원가
 1)재료비
 (1)원재료비
 (2)부재료비
 2)노무비
 (1)직접노무비
 (2)간접노무비
 3)경비
 (1)전기비
 (2)가스비
 (3)수도비
 (4)감가상각비
 (5)복리후생비
 (6)소모수선비
 (6)여비교통비
 (7)운반비 외 기타 경비

2.손익계산서

손익계산서란 일정 기간 내에 발생한 수익과 손실을 대비하여 작성한 것으로, 손익계산서를 통해서 수익과 손실에 대한 원인과 과정을 파악하고 대책을 수립하는데 사용한다.

*손익계산서 Sample

항목			2019년 실적		2020년 계획	
			금액(백만원)	%	금액(백만원)	%
매출액	a		144,000	100.0	157,000	100.0
제품	b		135,000	93.8	148,000	102.8
상품	c	a-b	9,000	6.3	9,000	6.3
매출원가	d	e+o	120,100	83.4	127,000	88.2
제품원가	e	f+g+h-n	113,100	83.8	120,000	88.9
원재료비	f		48,000	35.6	53,000	39.3
노무비	g		22,000	16.3	24,000	17.8
경비	h	J+k+l+m	44,000	32.6	42,700	31.6
외주가공비	j		9,000	6.7	8,800	6.5
감가상각비	k		17,000	12.6	18,900	14.0
수선비	l		6,000	4.4	3,000	2.2
기타	m		12,000	8.9	12,000	8.9
재고증감	n		900	0.6	-300	-0.2
상품원가	o		7,000	77.8	7,000	77.8
매출총이익	p	a-d	23,900	16.6	30,000	20.8
판매관리비	q	r+s+t	15,500	10.8	15,700	10.9
인건비	r		8,000	5.6	8,100	5.6
판매보증비	s		1,700	1.2	1,500	1.0
기타	t		5,800	4.0	6,100	4.2
영업이익	u	p-q	8,400	5.8	14,300	9.9
영업외수익	v	w+x	2,500	1.7	2,300	1.6
수입이자	w		100	0.1	500	0.3
기타	x		2,400	1.7	2,000	1.4
영업외비용	y	z+a'	1,900	1.3	2,600	1.8
이자비용	z		900	0.6	2,200	1.5
기타	a'		1,000	0.7	400	0.3
세전손익	b'	u+v-y	9,000	6.3	14,000	9.7

3.손익계산 사례

기업이 성장하기 위해서는 일정한 매출 성장과 부가가치 있는 제품을 생산하여야 한다. 고객의 요청에 의해서, 혹은 영업에서 신규 고객을 창출하여 견적을 제출해야 할 때, 무엇보다 중요한 것은 이 견적의 손익이 어떻게 되는지 빠르게 판단할 수 있는 예상원가를 계산해 보는 것이다. 다음은 손익계산 예이다.

1)Project명: Motor cover 10 만대 신설

2)재질: AC4B-T7

3)소재 중량: 5.31Kg

4)작업 조건: 20Hr/일, 22일/월, 85%

5)Cycle time: 162SEC/EA

6)계약 원가: 8,395원/EA

7)직접 인원: 4명/Total, 간접 인원: 2명/Total

8)현장 평균 연봉: 50,000,000원/명

9)전체 설비 전력량: 225Kw

10)소요 면적: 230M^2

11)총 투자비: 1,625,000,000원

12)설비 감가상각년: 8년

13)Line 개요

  -전체 수동 설비로 신규 제작한다.

  -각 MCT에는 소재를 1EA Loading한다.

  -OP10 : Index 없는 고정 Type, OP30: 2축 Index

14)Machine 현황

OP00	OP10	OP20	OP30	OP40	OP50	OP60
소재	V-MCT	V-CNC	V-MCT	WASH	LEAK	적재
	내자	내자	내자	내자	내자	내자
수동	수동	수동	수동	수동	수동	수동

*Motor cover 손익계산

항목			단위	단가	년간 금액	비고
수입		년간매출액	원/년	8,395	839,500,000	
지출	인건비	직접인건비	원/년	2,000	200,000,000	
		간접인건비	원/년	1,000	100,000,000	
		계	원/년	3,000	300,000,000	
	경비	전력비	원/년	468	46,777,151	
		감가상각비	원/년	2,031	203,125,000	
		건물상각비	원/년	97	9,732,684	
		수선비	원/년	255	25,492,143	
		계	원/년	2,851	285,126,978	
	공구비		원/년	0	0	재질:AL
	일반관리비	(인건비+경비)×15%	원/년	878	87,769,047	
	이윤	(인건비+경비+일관)×10%	원/년	673	67,289,602	
	포장비		원/년	0	0	
	운송비		원/년	203	20,312,500	
	소계		원/년	7,605	760,498,127	
손익	수입-지출		원/년	790	79,001,873	

{검토 결론}

신규 설비를 기준으로 직접 인원과 간접 인원을 포함하여 손익을
계산한 결과 단가에서 약 9%의 이익을 창출하고 있다. 추가 단가
인하가 없다는 전제하에 투자 가능하다고 판단한다.

[내역 분석]

1.운송비: 5ton Truck 기준, 이송 거리: 100Km 이내로, 13만원/대

2.전력비

 -전력비: 225Kw, 부하율 25%, 계약 전력(고압A, 선택 I) 300Kw

3.건물상각비

 -건물 내용연수: 40년, 건물비:290,000원/M², 설치 면적:230M²

4.수선비

 (설비감가상각비+ 건물상각비)×수선비율(12%)/100

4.원가 분석 사례

자동차 1차 기업에서 기존에 생산 중인 Item과 유사한 제품을 수주하여 금후 신규 Line은 개선된 Line을 설치하기 위해서 국외 설비를 검토한 사례가 있어서 기존 Line과 원가 분석을 해 보고자 한다.

1)견적 사양
(1)Project 명: Y Shaft 20만대 신설
(2)재질: FCD600
(3)작업 조건: 19.5Hr/일, 23일/월, 효율 85%
(4)Cycle time(SEC/EA): 82
(5)단가(원/EA): 3,000
2)현상 조사
(1)설비 현황
　①선삭: 국내 선반.
　②Hole: 국내 TCT.
(2)문제점
　①선삭 공정 정도 불량 다발.
　②공구 파손 다발로 공구비 과다 발생.
　③가동률 저하: 70% 이하.
　④불량 다발과 가동률 저하로 주말 특근 과다 발생.
　⑤적자 발생.
(3)원인
　①설비의 강성이 부족하다.
　　-Belt 구동에 의해 슬립(Slip) 현상으로 Chattering 발생.
　②정도 보증치 없음.
　③외부 온도에 의해 치수 산포 발생.
　④LM Guide에 의한 반복 정도, 고속성, 내구성 약함.
　⑤Tool eye 기능 없음.
　⑥설비 보수 감시 기능 없음.

(4)설비 비교

①선반

사양	국내 선반	국외 선반	비고
Type	8 Inch	8 Inch	
공구수	10	8	
RPM/KW	4,000/11	5,000/15	
구동 방식	Belt type	Built in motor 직결	Tool life, 정도, C/T 향상
정도	-	진원도 0.25㎛, 면조도 0.46㎛	고정도 보장
열변위제어 기능	없음	외부 온도에 의해 치수 6㎛ 변화 시 자동 보상	정도 향상
Guide	LM Guide	X축, Z축 Roller guide	고속성, 고정도, 내구성 보장
Tool eye	없음	적용	1.공구 교체 시간 단축 2.짧은 Tool life 공구에 유용
보수감시기능	없음	적용	각종 소모품 교환 시기 알림
감가상각기간	10 년	20 년	원가 절감
대당 가격(원)	63,000,000	130,000,000	본기 Option 포함

②Hole 가공 공정

사양	국내 TCT	국외 소형 V-MCT	비고
Type	Tapping CTR	소형 MCT	MCT로 고강성
Table size	650×400	1000×400	
X,Y,Z	520/360/350	500/400/350	
X,Y,Z 이송	Head/Bed/Bed	Head/Head/Head	
급이송속도	50/50/56	60	C/T 단축에 기여
공구	BT30	BT30	BT40급의 Power 보유
공구수	20	19	
공구교환방식	Turret	Armless	Gripper 수명 연장
RPM/KW	12,000/10	12,000/9	
구동방식	Belt type	Built in motor 직결	Tool life, 정도, C/T 향상
HEAD 처짐	~0.05	0.006	
열변위제어 기능	없음	외부 온도에 의해 치수 6㎛ 변화 시 자동 보상	정도 향상
설치 면적	1,720×3,130	1,280×2,665	설치 면적 축소
감가상각기간	10 년	20 년	원가 절감
대당 가격(원)	88,000,000	148,000,000	본기 Option 포함

(5)투자비 비교(20만대 기준)　　　　　　　　단위:천원

공정 NO	설비명	국내 설비 기준			국외 설비 기준			비고
		대수	단가	총 비용	대수	단가	총 비용	
OP10	선반	4	63,000	252,000	3	130,000	390,000	
OP20	TCT(MCT)	3	88,000	264,000	2	148,000	296,000	
OP30	선반	5	63,000	315,000	4	130,000	520,000	
계		12		831,000	9		1,206,000	

(6)원가 분석(10년 감가상각 기준)　　　　　　단위:천원

항목		구분	단가	대수	국내 설비 기준(a)	국외 설비 (b)기준	차이 (b-a)	비고
설비가					831,000	1,206,000	375,000	31%
5년 후 Overhaul 비용		선반	15,000	9	135,000		-135,000	
		TCT	28,000	3	84,000		-84,000	
10년 후 Overhaul 비용		선반	15,000	9	135,000		-135,000	
		TCT	28,000	3	84,000		-84,000	
가동율	%				70%	85%		
	원				135,000	0	-135,000	
불량율	%				1%	0.01%		
	원				60,000	600	-59,400	
10년간 총 비용					1,464,000	1,206,600	-257,400	

{검토 전제}

①국외 설비는 Cycle time을 고려하여 설비 대수 산정함.

②Overhaul 내용은 실제 국내 기업에서 5년 후의 설비를 개조하기 위해 분해하였는데, 국외 설비는 개조하지 않아도 사용 가능 하다고 판단하였다(국내 설비 Spindle, Ball screw, Feed unit, 전장 부품, 슬라이드 커버류 등 전량 신작 교체).

③가동률에 의한 매출 손실 발생

3,000원/EA(단가)×200,000EA/년×10년

= 60억원×15%(가동률)×15%(영업이익손실분) = 1.35억원

④불량률에 의한 영업 이익 손실액

10년간 매출액 × 불량률

{검토 결과}

1.유형 효과 측면에서

1)국외 설비가 국내 설비 대비 초기 투자비가 31% 정도 많지만, 5년 이후 0.6억원, 10년 이후 2.6억원의 투자 효과가 나타난다. 즉, 4년 이후부터 투자 효과가 플러스로 나타난다.

2)설비 감가상각을 동일 10년 기준으로 비교하였지만, 국외의 경우는 20년 정도로 보다 높은 유형 효과를 볼 수 있다.

3)본 제품의 특성상(FCD600) 국내 설비의 강성을 고려한다면 한 단계 높은 설비나 국외 설비를 선정하는 것이 타당하다.

2.무형 효과 측면에서

1)불량에 의한 고객 클레임 대응 비용 절감.

2)대외 신용도 상승.

-불량 다발이나 납기 지연 시 향후 신규 Project 업무 제외 대상.

3)인건비 절감.

-불량과 가동률 저하로 인한 주말 특근비 발생.

4)생산 관리 용이.

-생산량이 일정하게 나오기 때문에 생산 관리 용이.

3.국내 기업의 실정

1)초기 투자비 문제로 기존 방식인 국내 설비로 진행하게 됨.

-국내 설비업체에게 개선을 요청하여 발주를 하지만 설비의 강성, 반복 정도 및 외부 온도에 따른 치수 자동 보상 기능 등의 문제로 해결하기는 어려움.

-설비의 강성과 정도 등을 고려하면 한 단계 위의 설비를 선정하여야 하는데, 이렇게 되면 결국 투자비와 설비가 너무 크게 되어 설치 면적을 많이 차지하는 문제가 발생한다.

2)제품의 수주 단가가 낮음.

-기본적으로 해결하기 어려운 과제이다.

5.손익분기점(BEP)

손익분기점(Break Even Point)이란 손해와 이익이 바뀌는 시점으로, 손익분기점 이전은 비용이 많아서 손해가 발생하고, 손익분기점 이후는 이익이 증가한다. 즉, 아래 그래프의 총수익과 총비용이 같게 되어 영업이익이 "0"이 되는 것을 말한다.

손익분기점은 고정비와 변동비로 구성된다. 고정비란 생산에 관계없이 고정적으로 발생하는 비용이고, 변동비란 생산의 변화에 비례하여 발생하는 비용이다. 고정비는 감가상각비, 광열비, 소모품비, 수선비, 시작비, 노무비, 판촉비, 관리비, 이익이 있으며, 변동비는 재료비, 구입부품비, 외주가공비, 동력비, 운반비가 있다. 손익분기점 계산 공식은 다음과 같다.

$$손익분기점 = \frac{고정비}{1 - \dfrac{변동비}{매출액}}$$

매출이익율=1-(변동비/매출액)

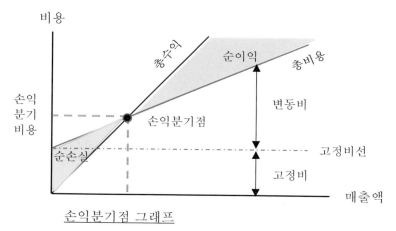

손익분기점 그래프

상기 공식에서 알 수 있듯이 손익분기점을 낮게 하기 위해서는 고정비를 낮추거나 매출이익율을 증가시켜야 한다. 또한 매출이익율을 증가시킨다는 것은 매출액을 높인다는 것을 의미한다.

*생산기술에서 손익분기점에 관여하는 항목

1.매출 향상

 1)생산성 향상 활동

 2)판매 단가 유지 또는 향상

 3)불량률 저감 활동

 4)인원 절감 활동

2.제조원가 저감

 1)고정비 저감

 (1)감가상각비: 가동률 향상, 불용 및 잉여 설비 활용 방안 강구.

 (2)수도광열비: 가동률 향상, 수도, 전기, 가스, 연료비 절감 활동.

 (3)수선비: 설비 수리 및 유지 비용으로 설비일상점검표 관리,
    발주 단계에서부터 고장이 나지 않는 설비 구축.

 (4)시작비(시험연구비): 신제품 및 신기술 적용에 사용된 비용으
    로, Benchmarking 활용, 경험이 있는 업체와의 협력 실시.

 (5)노무비: MMC 정기적 관리, 생산성 및 가동률 향상, 불량 개선.

 2)변동비 저감

 (1)재료비: 수율 관리, 표준화, 공통화.

 (2)구입부품비: 수율 관리, Global 조달 검토.

 (3)외주가공비: 단가 유지 개선, 생산성 및 가동률 향상 지원.

 (4)동력비(전력비): 설비 절전 기능, 생산성 및 가동률 향상.

3.일반관리비 저감

 1)고정비 저감

 (1)노무비: MMC 정기적 관리, 생산성 및 가동률 향상, 불량 개선.

 (2)감가상각비: 가동률 향상, 불용 및 잉여 설비 활용 방안 강구.

 (3)광고선전비: 기업의 광고선전에 필요한 지원 활동.

 (4)관리비: 교통비, 통신비 등 유지 관리.

 (5)이자: 생산성 및 가동률 향상, 불량 개선.

 2)변동비 저감

 (1)물류비: 적재 방법 효율화 검토, 배송 효율 향상.

3-3.설비 구성
3-3-1.공정 배분, 내외자 구분, 1차 투자비, Machine list

상기 3-2-6.장 "X 전기차 부품 Project" 기준으로 설명하고자 한다.
1.가공기 검토
 1)기 작성한 사양비교표를 보면 "a"와 "b" 기종은 동일 Jig로 구성
  하고, "c" 기종은 별도 Jig로 구성한다. 단, 설비는 제품 Size,
  재질, 정도, 투자비를 고려해 볼 때, 국내 Tapping Center한다.
 2)Jig를 구성해 본다.

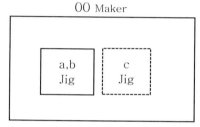

OO Maker

Table size: 650×400
재질: ADC12

a,b Jig

c Jig

3)공구를 구성해 본다.
 -제품에 필요한 공구를 선정하고 Jig & Fixture의 간섭 여부를 파악.
4)Cycle time(C/T)을 계산한다.
 -선정한 공구를 기준으로 C/T chart를 작성하여 C/T을 계산한다.
5)공정을 배분한다.
 -공정 배분이라 함은 "X 전기차 부품"을 생산하기 위해서 최소
  몇 개의 공정으로 나눌 것인가를 말한다. 이것은 최소 공정의
  C/T과 연간 생산량과의 관계를 고려하여 결정하여야 한다.
 -예를 들어 3개 공정으로 되었다고 가정할 때, 각 1개 공정당
  C/T을 계산하여 공정당 몇 대의 기계가 소요되는지 검토한다.
2.비가공기 검토
 1)Washing machine
 -도면에 표시된 청정도 관리에 적합한 압력(20bar, 고압 등)을

가진 설비로 결정한다.

-설비 형태(Transfer type, 터널 방식, Index type 등)를 결정한다.

2)Leak tester

-도면에 표시된 Leak량을 준수하기 위해서 Air 방식 설비를 결정.

-고객이 SPC를 요청할 때 Data 저장 장치 및 소재에 Data를 자동으로 타각하는 "DOT 타각기"나 "QR CODE 타각"을 설치한다.

-또한 LOT 추적을 위한 생산년월일시도 함께 타각한다.

-NG품 자동배출장치도 함께 검토한다.

3)조립 및 압입기

-Sub품이 있을 경우에 사양에 준한 압력, 깊이, Torque를 고려한 설비를 결정한다.

-SPC 및 NG품 자동배출장치도 함께 검토한다.

4)자동 측정기

-고객이 요구하는 특별특성항목이나 중요 치수에 대해서 전수 검사를 할 필요가 있다.

-측정 Point가 많고 정도를 요하기 때문에 자동으로 검토하고, SPC, NG품 자동배출장치도 함께 검토한다.

3.1차 투자비와 Machine list

위에서 검토한 자료를 바탕으로 아래의 양식 Machine list를 작성. 투자비를 포함하여 공정별 Loading work수, C/T, CAPA, 인원을 작성한다.

*X 전기차 부품 Project Machine list

NO	공정 NO	대수	설비명	Maker	공정명	자동 /수동	Loading Work수	C/T (SEC/EA)	투자비	CAPA (EA/년)	인원 (명/SHT)	비고
1												
2												
3												
4												

3-3-2.Flow chart, Block diagram, 인원 분배

1.Flow chart

　　각 공정을 Block diagram으로 작성하여 공정NO, 공정명, 설비 구입 방법, 설비 형태, 자동 여부, 인원 분배, C/T, CAPA 등으로 표현 하여 개략적으로 Line 전체를 파악하는데 사용된다.

2.Block diagram

　　각 공정을 사각형 형태로 그려서 설비 상태를 한눈에 표현할 때 사용된다.

*00 Project Flow chart, Block diagram 예

　1.Line명: 00 Project

　2.생산량: 2024년 MAX 200,000EA/년

　3.작업 조건: 20일 × 22일, 85%

　4.C/T(SEC/EA): 가공(　 SEC/EA), 비가공(　 SEC/EA)

　5.인원: 2명/SHT

　6.설비 현황: 가공기 3대, 비가공기 4대, 장치류 2대

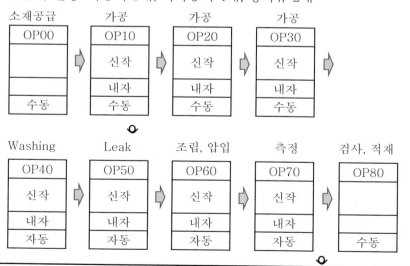

3-3-3.설비별 Cycle time 분석

생산기술 업무 중에 중요한 것이 설비를 선정하고, 공정을 분배하고, Jig & Fixture를 구상하고, 공구를 선정해서, C/T을 계산하는 것이다. C/T을 계산하기 위해서는 적절한 설비 선정의 이해, Jig & Fixture의 이해, 공구 절삭조건의 이해가 전제되어야 한다.

공정을 분배해서 C/T을 계산할 때 가공 설비는 전용기로 할 것인지, 범용기(MCT, TCT 등)로 할 것인지, 비가공 설비는 자동으로 할 것인지, 수동으로 할 것인지를 먼저 결정하고, 공구 사양에 따른 절삭조건 선정, 공구와 Jig & Fixture와의 간섭 여부 파악, 공정 간의 C/T 편차(편성효율)가 적도록 한다.

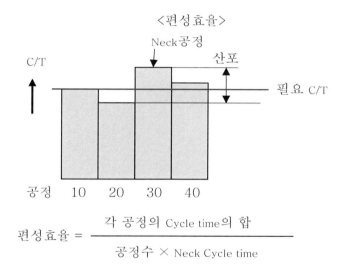

$$편성효율 = \frac{각\ 공정의\ Cycle\ time의\ 합}{공정수 \times Neck\ Cycle\ time}$$

상기 Graph를 보면 편성효율이 좋지 못함을 알 수 있다. 이런 경우 Jig & Fixture의 간섭이나 공구의 간섭이 있는 경우를 제외하고 각 공정 배분을 재설계하여 C/T 편차가 최소가 되도록 한다.

즉, 편성효율이 가능하면 100%에 가까운 수치가 되도록 한다.

90

3-3-4.기능분석표

한 개의 제품도면을 펼쳐 놓고 전체의 기능을 분석한 후 각 부위
별 기능과 치수를 기입하여 관리하는 것을 기능분석표라고 한다.
자동차는 약 3만 개의 부품으로 구성된다. 각 부품은 각각의 기능
을 가지고 있으며, 단품별로 부위별 기능이 있다. 부위별 기능을
파악하는 목적은 상대 부품이 어떤 부품과 조립되는지를 알 수 있
으면 이 부위의 치수가 Over spec인지 아닌지, 소재 부위는 어떻게
설계되었는지를 알 수 있기 때문이다.

간혹 나타나는 문제로 시운전 시 도저히 CPk를 만족할 수 없을 때
가 발생한다. 이때 과연 이 부위의 Spec이 타당한지 여부를 파악하
기 위해서, 우선 상대 부품과 조립된 도면을 접수한 후 상대 부품의
기능을 파악한다. 기능적으로 치수 공차를 완화할 수는 없는지 확
인한다. 다음으로 상대 부품과의 누적 공차를 확인해 본다.
이 두 가지를 검토하여 충분히 설득력이 있다고 판단할 때에 설계
변경을 요청할 수 있다.

*기능분석표

품번	2112(3)-42000-2	부품의 기능			결재	작 성	검 토	승 인
품명	Bearing cap	재질 : FCD50 경도 : HB 170~241 Crank shaft 의 회전 지지						
관리항목	기능	예상문제점				특성 (보안,중요)	비고	
		정상상태	영향	원인				
Bearing size	Crank shaft journal부와 결합 하여 Crank shaft 를 지지		·Bearing 고착 ·회전이 부드럽지 못함 ·마찰열로 인한 변형	·Bore size 작다 ·Bearing과 맞지 않다				
			·소음 ·Bearing 이탈 ·출력의 저하	·Bore size 크다				
Cap 길이 & Chamfer	Crank shaft 지지		·소음 ·마찰열로 인한 변형 ·실린더블럭 체결 불량	·Cap 길이가 길다				
			·결합되지 않는다 (Journal부와의 간섭)	·Chamfer 길이가 짧다				

3-3-5.Hole chart

　엔진의 주요 부품 중의 하나인 Cylinder block은 많은 가공 Hole을 가지고 있다. 이와 같은 경우에 모든 Hole의 위치, Hole no, 치수를 기록하여 관리하는 것을 Hole chart라고 한다. 이것은 아주 중요한 업무 중의 하나로 Hole이 많기 때문에 가공공정표 작성 시 누락 Hole이 발생할 수 있고, 기계를 제작하는 업체에서도 도면과 가공공정표가 제공되었지만 역시 누락할 수도 있기 때문이다.

　설비 제작 시 공정 누락이 발생하여 후에 공정을 추가하는 것은 대단히 어려운 일이다. 전용기일 경우는 대체 설비를 신규로 구비하여야 하고, 시간도 많이 소요된다. 다행히 최근 설비들이 MCT나 TCT를 많이 사용하여 Tool magazine에 여유가 있으면 누락 공정을 추가하기 쉽다. 하지만 Tool magazine의 여유가 없으면 마찬가지로 신규 설비를 구비해야 하는 일이 벌어지게 되는 것이다.

*00 부품 Hole chart 일부

명칭/ NO.		TOP	BOTTOM
상면		황삭(10-3A), 정삭(φ.355)(40-9A)	
하면			황삭(10-2B), 정삭(φ.355)(40-8B)
FRONT 면		황삭(φ 100)(40-5A)	
REAR 면		황삭(φ 100)(40-5A)	
REAR OIL SEAL 면			MILLING(φ 106)(40-6B)
12.5mm 단차면		HOLE별 자리면 ENDMILL로 가공됨	
HOLE	319		DR(φ8)(40-4B)
	531		STPDR(φ 13.5)+REAM(φ 14)(10-4B)
	532		STPDR(φ 13.5)+REAM(φ 14)(10-4B)
	533		DR(φ 5.6)+REAM(φ 6)(20-6B)
	534		DR(φ 5.6)+REAM(φ 6)(20-6B)
	551	DR(φ 12)(20-2A)	ENDMILL(φ 25)(20-3B), CHAMF(φ 16)(20-5B)
	552	DR(φ 12)(20-2A)	ENDMILL(φ 25)(20-3B), CHAMF(φ 16)(20-5B)
	553	DR(φ 12)(20-2A)	ENDMILL(φ 25)(20-3B), CHAMF(φ 16)(20-5B)
	554	DR(φ 12)(20-2A)	ENDMILL(φ 25)(20-3B), CHAMF(φ 16)(20-5B)
	555	DR(φ 12)(20-2A)	ENDMILL(φ 25)(20-3B), CHAMF(φ 16)(20-5B)
	556	DR(φ 12)(20-2A)	ENDMILL(φ 25)(20-3B), CHAMF(φ 16)(20-5B)

3-3-6.시작도면 접수(사양비교표, 양산성 검토 작성)

1.시작도면

시작도면이란 제품 설계 및 개발 단계에서 차량의 단품에 대한 성능과 내구성, 완성품의 성능과 내구성, 조립성 등을 파악하기 위해 배포하는 도면을 말한다. 시작도면 기준으로 해당 부서에서는 시작품을 만들어 설계로 송부하고 설계에서 조립하여 시작품 검증 작업을 한다. 시작품 요청은 단계별로 수 회에 걸쳐 요청되어지며, 이것으로 인한 도면 변경이 수시로 이루어진다.

2.사양비교표

기업에서 생산하는 Item은 대부분 유사한 것이 많이 있다. 이때 유사 Item별 설비 사양, 공구 사양, Jig & Fixture를 동일하게 가져가는 것이 생산이나 보전 측면에서 유지 관리가 용이하다.
따라서 OEM으로부터 도면을 접수하면 유사 Item과 각 부위별 명칭을 나열하고 공차를 기입하여 공차가 변경되거나 누락된 것은 없는지, 형상이 변경된 것은 없는지, 새로운 기술이 반영된 것은 있는지 등을 파악하기 위해 작성하는 것을 사양비교표라고 한다.

3.양산성 검토

시작도면을 접수하면 우선 기능분석표를 작성하여 각 부위별 기능을 파악하고, 다음으로 기존 Item과 사양비교표를 작성하여 기능상 형상 변경을 요청하거나, Spec 완화가 필요하거나 혹은 누락된 것 등을 정리한 것을 양산성 검토라고 한다.
양산성 검토 자료는 내부 결재 후 설계에 송부하여 반영 여부를 결정한다. 중대 사항이 있을 경우는 대부분 설계부서에서 공장에 방문하여 협의한다. 1차, 2차 기업일 경우는 OEM 혹은 1차 기업에 제출한다. 이때는 많은 시간이 소비될 경우가 있기 때문에 긴급 여부에 따라 직접 OEM이나 1차 기업에 방문하여 협의한다.

〈양상성검토 주요 항목〉

1. 가공도면은 있는가.
2. 소재도면은 있는가.
3. 조립도면은 있는가.
4. 재질은 기존 생산 중인 Item과 동일한가.
   - 유사 Item의 재질이 다를 때 왜 다른지, 변경 가능한지 확인한다.
   - 새로운 재질 변경일 경우는 기존 재질의 변경 예정일을 확인
     하고, 공구 사양 등을 검토하여 Cycle time을 계산한다.
5. 가공품과 소재품의 중량은 표기되어 있는가.
   - 중량이 없을 때 자체에서 측정하거나 설계에 요청하여 받는다.
6. Sub품의 도면은 있는가.
7. Part no는 정확한가.
8. 품명은 정확한가.
9. 주기란에 누락된 것은 없는가.
   - 청정도 Spec은 있는가.
   - 조립 압력은 있는가.
   - Leak test의 압력이나 양은 있는가.
10. 가공 공차는 적절한가.
    - 공차 하나에 설비를 국내로 할 것인지 국외로 할 것인지가 결정
      되므로 철저히 검토해야 한다. 1차, 2차 기업이라고 하더라도 반
      드시 자사의 경험이나 타사의 Data 등을 비교 검토해서 작성한다.
11. 치수 누락은 없는가.
12. 가공 시 공구와 간섭되는 부위는 없는가.
13. Clamp 시 제품의 변형 우려는 없는가.
14. 가공 기준면은 설정되어 있는가.
15. 소재 기준면은 설정되어 있는가.
16. 가공 기준면과 소재 기준면이 동일한 위치에 설정되어 있는가.
17. 제품의 일부가 Jig & Fixture와 간섭되는 것은 없는가.

3-3-7.CP, CPk

자동차 기술은 고객의 다양한 요구사항에 따라 디자인, 성능, 내구성, 편의성, 안정성, 연비, 가격 측면에서 나날이 발전을 거듭하고 있다. 이에 맞춰 공작기계 또한 속도, 성능, 내구성이 좋아지고 있다. 제품의 공정능력(CPk)은 설비의 공정능력(CP)에 좌지우지하므로 공정을 설계할 때 설비, 공구, Jig & Fixture 검토를 정확히 하여야 한다. 우선 공정능력에 대한 개념을 이해하고, 다음으로 국내외 설비별로 최대 공정능력을 이해하여, 만약 고객이 무리한 공정능력을 요구할 때에 스스로 대응할 수 있는 능력을 배양해야 한다 .

*CP : Process Capability로 설비의 공정 능력
*CPk: 제품의 공정 능력

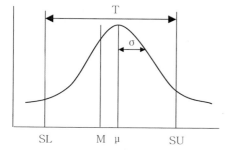

SL: Spec Low
SU: Spec Up
M: 규격 중심
T: 규격 공차
μ(X bar): 제품 중심

SL   M μ   SU

1-1.CP, CPk 계산(양측 규격)

1) 평균$(\bar{X})$ = $\dfrac{(X1 + X2 + \cdots + Xn)}{n}$

2) 표준편차(σn) = $\sqrt{\dfrac{\sum\limits_{i=1}^{n}(X_i - \bar{X})^2}{n}}$ 샘플링한 데이터에 대한 표준편차

3) 표준편차(σ)= σn × k1   (k1 : DATA에 따른 상수)
   :모집단에 대한 표준편차

$$4) CP = \frac{SU - SL}{6\sigma}$$

$$5) CPk = (1 - K) \times CP$$

$$K = \frac{|M - \overline{X})|}{T / 2}$$

M: 규격 중심
$\overline{X}$: 제품 중심
T: 규격 공차

1-2.CP, CPk 계산(편측 규격)

$$1) 평균(\overline{X}) = \frac{(X1 + X2 + \cdots + Xn)}{n}$$

2)표준편차(σn) = 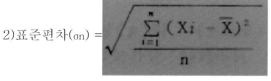 :샘플링한 데이터에
대한 표준편차

3)표준편차(σ)= $\sigma n \times k1$:모집단에 대한 표준편차
k1: Data에 따른 상수

$$4) CP = \frac{|SU(SL) - \overline{X})|}{3\sigma}$$

5)CPk = (1 - K) × CP
CPk를 계산하고 나서 할증표를 이용하여 할증하여 사용한다.
→편측 규격의 할증 CPk 값은 별도 자료를 Internet을 활용하여
찾을 수 있다.
6)편측 규격 : 동심도, 직각도, 평행도

3-3-8.공법 검토 사례

공법 검토는 본서의 핵심으로, 정확하고 빠르게 검토하기 위해서 다음과 같이 공법 검토 사례를 들어 보고자 한다.

1.Project 명(2가지 동시 진행)
 1)공장 Remodeling Project
 2)알파(가명) 부품 Line 개선 Project(재질 : 알루미늄)

2.Project 고려 사항
 1)환경
 (1)작업 환경 개선 필요
   -Chip, Coolant가 바닥에 비산되어 청소하기 곤란한 정도로 많음.
   -Layout은 N자, O자 등으로 작업자가 보이지 않거나 관리자가
    들어갈 수 없는 상태로 배치되어 있어 관리 난이함.
   -작업자 간의 소통이 어렵게 가공과 가공, 가공과 조립이 단절
    되거나 막혀 있는 상황.
 (2)공장 노후화 개선 필요
   -공장 바닥 파임 많고 페인트 벗김 많음.
   -공장 내 바닥에 Coolant 공급 Pit가 설치되어 있어 비가 올 때
    우수가 투입되어 Coolant가 밖으로 넘치는 현상 발생.
   -기둥 및 천장 등 녹 다발 및 누수.
   -공장 전체가 어두움.

 2)표준화
 (1)작업 조건 표준화
   -OEM과 비교 분석하여 작업 조건 표준화(작업시간, 가동률 등).
 (2)설비제작사양서 및 검수 표준화
   -OEM 설비제작사양서 기준하여 자체 설비제작사양서 제작.

-도면 승인, 검수, 시운전 프로세스 정립.

　　-생산 및 보전 교육 검수 및 시운전 각각 실시.

　　-Spare parts 설비 구매 시 본체가의 3%로 사전 구매한다.

(3)자주검사 관리 표준화

　　-자주검사 주기 설정(시간 단위 → 수량 단위).

　　-가공 공정별 자주검사 위치 설정.

(4)작업표준서 표준화

　　-양식 개선 및 작성 방법 표준화.

(5)작업을 위한 부대 시설 제작 표준화

　　-작업표준서, 자주검사 Check sheet, 설비점검일상표 등의 걸이.

　　-자주검사 Gage 꽂이, 자주검사 Die, Chute, 발판 등.

(6)Utility 설치 표준화

　　-전기, Air, 용수 설치 표준화 실시.

(7)공구 관리 표준화

　　-공구 업체 공용화.

　　-공구 관리 대장 작성 및 유지 관리.

(8)유지류 관리 표준화

　　-Coolant, 유압유, 윤활유 등.

　　-Coolant 공급 방법 개선.

(9)사무5S 관리 표준화

　　-취급설명서, 자료 등이 별도의 자료실이 없이 산재해 있음.

　　-파일관리대장이 없음.

　　-업무 공유화가 안됨(공유 PC 사용 등).

3)프로세스

(1)신제품개발업무 프로세스 정립

　　-신제품개발업무 프로세스 수정한다.

　　-설비 발주 방법 정립.

　　-업무 분장표 작성.

(2)생산기술 업무 Level up 계획

(3)생산성 향상 계획

 ①알파(가명) 부품 Line(재질 : 알루미늄)

  ⓐ가공 Line 수: 8개 Line(가공기 4~5대로 구성)

  ⓑ조립 Line 수: 2개

   -가동률: 65%.

   -불량률: 유출 불량 다발로 OEM 상주 감시 중, Worst Top 5.

   -납기: 가동률과 유출 불량률 다발로 잔업 및 특근 대응.

 ②프로세스 정립, 교육 실시, 생산성 향상 계획 수립 등의 사무
   업무를 볼 수 있는 여력이 전혀 없음.

   -설비 개별 발주화로 인해 설치, 시운전으로 특근 및 철야 다발.

   -시운전한 설비 CPk 나오지 않음.

   -Project 일정 미준수로 납기 지연.

3.목표

 1)일정: 20**. 3. 1~ 9.30(7개월)한 모든 업무 완료한다.

 2)환경 개선: 공장 Remodeling

 (1)1개 동(가공동)만 실시한다(4,000평)

 3)표준화 개선

 (1)작업 조건 표준화 외 8가지 실시

 4)프로세스 개선

 (1)신제품개발업무 프로세스 정립

   -설비 발주 방법 정립 외(개별 발주 → Turnkey 발주 변경).

 (2)생산기술 업무 Level up 계획

   -생기, 보전, 생산 등 생산기술 업무 교육 실시.

 (3)생산성 향상: 알파 부품 Line 개선 Project

  ①가동률: 85%

  ②유출 불량률: Zero

  ③납기 지연: Zero

4.공장 Remodeling 계획
 1)일정: 20**. 3. 1~ 9.30
 2)공장: 1개 동(4,000평)
 3)설비 대수: 425대
 4)공사 내역
 (1)바닥 칼라에폭시 공사(Coolant 내산성으로 바닥 벗겨짐 방지)
 (2)기둥, 천장, 벽체 등 전체 청소 및 도색 작업
 (3)전체 Layout 재편성
   ①물류 고려.
   ②작업자, 보전 관리자, 감독자 관리 용이 일자형 변경.
   ③Coolant, Chip 비산 방지 개선 작업.
   ④형광등 교체 작업.
   ⑤알파 부품 Line 설치 고려.
 (4)공사 방법
   ①일단위 Remodeling 계획을 수립한다.
   ②Line 이설 및 재설치를 위한 재고 확보(7일 분).
   ③공장을 4개 구역으로 구분하여 작업한다.
    -1개 구역 설비 전체를 다른 구역으로 이설한다.
    -바닥, 기둥, 천장, 벽체 등 청소 및 도색 공사, 전등 공사 실시.
   ④관련자 업무 분장을 명확히 한다.
    -생산: Coolant 비움 및 채움, 비품 관리, 설비 청소, 정도 작업.
    -보전: 2차 배선 해체 및 연결 작업.
    -품질: 완성품 기준으로 정도 확인 작업.
    -배선 업체: 1차 배선 해체 및 연결 작업.
    -배관 업체: 2차 배관 해체 및 연결 작업.
    -설비 설치 업체 : 설비 해체 및 이동 설치 작업.
    -바닥 도색 업체 : 바닥 청소, Cutting 작업, 바닥 도색 작업.
   ⑤Line별 이설 및 생산까지 일정: 3일 이내.
   ⑥Line별 재 이설 및 생산까지 일정: 3일 이내.

5)Master schedule

구분	위치	업무	담당 팀	업무상세	생산	보전	설비	배관1	배관2	도색	대수	일정	3주 D-3주	4주 D-2주	5주 D-1주
공통		보고회	생기									1,2차			
		LAYOUT 확정	생기									3/19			
		UTILITY LIST 확정	생기									3/20			
		T/PIECE 계획 수립	생기									3/21			
		후공정 품의	생기									3/21			
		개조 품의	생기									3/21			
		공사 품의	생기									3/29			
		REMODELING 품의	생기									3/29			
		계측기 품의	품관									완료			
이설	A/S 비우기	1.알파 J,K 가공 이설	생기		○	○	○		○		12	3일			
		2.알파 H,I 가공 이설	생기		○	○	○	○			10	3일			
		3.알파 E,G 가공 이설	생기		○	○	○	○			10	3일			
		4.알파 F~I 후공정 이설	생기		○	○	○	○			4	3일			
		5.A/S 공장 청소,도색	생기			○				○		28일			
	A/S 채우기	6.A/S 설비 이설	생기		○	○	○		○		14	4일			
	구 A/S 비우기	7.#1 Line 이설	생기		○	○	○		○		5	↑			
		8.구 A/S설비 철거	생기		○	○	○		○		14	3일			
	2구역 비우기	9.#2 Line 철거	생기		○	○	○		○		5	↑			
		10.#3 Line 철거	생기		○	○	○		○		4	↑			
	1구역 비우기	11.#4 Line 이설	생기		○	○	○		○		26	4일			
		12.#5 Line 이설	생기		○	○	○		○		9	3일			
		13.#6 Line 이설	생기		○	○	○		○		7	↑			
		14.#7 Line 철거	생기		○	○	○		○		7	3일			
		15.#8 Line 철거	생기		○	○	○		○		6	↑			
		16.#9 Line 이설	생기		○	○	○		○		5	3일			
		17.#10 Line 이설	생기		○	○	○		○		15	3일			
		18.1구역 청소,도색	생기			○				○		28일			
	1구역 채우기 (2구역 비우기)	19.#11 Line 철거	생기		○	○	○		○		27	3일			
		20.#12 Line 이설	생기		○	○	○		○		9	4일			
		21.#4 Line 재이설	생기		○	○	○		○		25	3일			
		22.#10 Line 재이설	생기		○	○	○		○		11	3일			
		23.#5 Line 재이설	생기		○	○	○		○		8	3일			
		24.#13 Line 이설	생기		○	○	○		○		10	↑			
		25.#14 Line 이설	생기		○	○	○		○		12	3일			
		26.#15 Line 이설	생기		○	○	○		○		4	↑			
		27.2구역 청소,도색	생기			○				○		28일			

6)세부 관련팀 일정

관련자	업무	1일 오전	1일 오후	2일 오전	2일 오후	3일 오전	3일 오후
배선업체	1차 배선 해체 및 연결	해체	연결				
보전	2차 배선 해체 및 연결	해체		연결		I/O	
배관업체	2차 배관 해체 및 연결	해체		연결			
설비업체	설비 해체 및 이동설치	해체	이동설치				
생산	Coolant비움, 채움 계측기 등 이동 관리 설비 청소 정도 확인	Coolant비움 비품관리		설비청소		Coolant채움 비품관리 정도 확인	

7)Layout 설명

－다음 Layout과 같이 4개 구역으로 나누어서 공사를 실시한다.

1구역	*1구역~2구역 칸막이 공사/1구역 비우기(설비 이설)/ 이설 설비 설치 시운전/바닥 도색 공사/기둥, 천장, 벽체 청소 및 도색/1구역 채우기(2구역 비우기 동시)
2구역	*2구역~3구역 칸막이 공사/2구역 비우기(설비 이설)/ 이설 설비 설치 시운전/바닥 도색 공사/기둥, 천장, 벽체 청소 및 도색/2구역 채우기(3구역 비우기 동시)
3구역	*3구역~4구역 칸막이 공사/3구역 비우기(설비 이설)/ 이설 설비 설치 시운전/바닥 도색 공사/기둥, 천장, 벽체 청소 및 도색/3구역 채우기(4구역 비우기 동시)
4구역	*4구역~벽체와의 칸막이 공사/4구역 비우기(설비 이설)/ 이설 설비 설치 시운전/바닥 도색 공사/기둥, 천장, 벽체 청소 및 도색/4구역 채우기

8)주의사항

(1)각 공사의 해당 관련자는 반드시 일정을 준수한다.

(2)구역 칸막이 공사 후 청소 작업 및 도색 작업을 할 때 타 구역으로 액이나 Paint가 분사되어 들어가는지 확인한다.

(3)많은 인력이 투입되어 동시 작업을 하기 때문에 안전이 무엇보다 중요하다. 생산기술에서는 안전일지를 준비하고 매일 투입 전 안전교육을 하고 사인을 받는다.

(4)일 작업이 끝난 후 청소 작업을 철저히 한다.

5.알파(가명) 부품 Line 개선 Project

1)일정: 20**. 3. 1~ 9.30

-공장 Remodeling 계획과 연계하여 실시한다.

2)Line 구성 현황

(1)1번 Line(#1~5 Line)

-Cycle time: 44SEC/EA, 인원(5명/SHT)

-요청 수량: 350,000EA/년(18.67Hr/일, 22.5일/월, 85%).

-실제 CAPA: 268,000EA/년(가동률 65% 수준)

-개선 후 CAPA: 265,000EA/년

-가공기 25대, 비가공기 6대, Robot 2대, 기타 부대 장치.

(2)2번 Line(#6~11 Line)

-Cycle time: 51SEC/EA, 인원(7명/SHT)

-요청 수량: 300,000EA/년(18.67Hr/일, 22.5일/월, 85%).

-실제 CAPA: 230,000EA/년(가동률 65% 수준)

-개선 후 CAPA: 385,000EA/년

-가공기 20대, 비가공기 4대, 기타 부대 장치.

3)Project 개요

(1)국내 가공기 16대 Overhaul한다.

(2)재고 사전에 확보한다(약 1개월 분량).

(3)비가공기: #2번 Line은 신설, #1번 Line은 보완 및 신설 추가.

(4)설비 발주 방법

①설비 제작 사양: OEM 설비제작사양서 기준서로
자체 설비제작사양서 및 견적사양서 준비한다.

②설비 견적 대상 업체: OEM 거래 업체 수준.

③도면 승인: 자체 설비제작사양서 기준으로 승인도 제출한다.

④입고 전 Maker 검수: 당사 직원 입회하에 시운전 및 정도 확인
을 득하고 입고한다.

⑤입고 후 Tryout: 당사 기준으로 Tryout 실시하고 OK를 득한다.

⑥Spare parts: 본체가의 3%

4)Project 현황　　　　요청수량:650,000EA/년, 18,67×22.5, 85%

Line	설비	내용	대수		CAPA(EA/년)		C/T(SEC/EA)		인원(명/SHT)		투자비 (억원)
			현재	개선후	현재	개선후	현재	개선후	현재	개선후	
#1~5	가공기	Overhaul(16대), 타 Line 전용(5대)	25	20	268,000	265,000	44	58	5	5	3
	비가공기	기존+일부 신설	8	6							2
#6~11	가공기	기존	24	24	230,000	385,000	51	40	7	6	
	비가공기	신작 교체 (Full 자동)	4	6							12
계					498,000	650,000			12	11	17

5)Master schedule

LINE	업무	일정						비고
		2월	3월	4월	5월	6월	7월	
전체	계획 수립	➡ 2/23						
	신작 품의	➡ 2/23						
	재고 확보	➡ 2/23						
	Test piece 사전 준비	➡ 3/1						
	사전 배관,배선 작업	➡ 3/1						
#9,10 Line	8대 이설	➡ 3/2~4						
#1,2 Line	4대 Overhaul	➡ 3/5~20						
	10대 이설 및 Tryout	➡ 3/21~27						
#8,9 Line	8대 이설	➡ 3/28~4/1						
#3,4 Line	8대 Overhaul		➡ 4/2~5/2				
	10대 이설 및 Tryout			➡ 5/3~15			
#6,7 Line	8대 이설			➡ 5/17~20			
#5 Line	4대 Overhaul			➡ 5/21~6/5			
	5대 이설 및 Tryout				➡ 6/6~12		
#1~4 후공정	기존 설비 보완(11대)				➡ 6/1~12		
#6~11 후공정	신설(15대)				➡ 6/12~30		
기존 후공정	철거 작업					➡ 7/1~4	
#1~5 Line	가공기(5대) 타 Line 전용						

6)투자 검토 내역

(1)#1~5 Line

- 가공 Line은 5개에서 4개만 사용하고 1개 Line은 전용한다.
- Robot 자동화 Line 방식을 흐름생산 방식으로 변경한다.

*투자 검토 내역(#1~5 Line)   인원: 명/SHT

공정 NO	설비명	대수	검토 내역	C/T (SEC/EA)	투자비 (백만원)	인원	비고
1-10A~50A 2-10B~50B 3-10C~50C 4-10D~50D 5-10E~50E	가공기	25	1.16대 Overhaul, 　4대 그대로 사용 　-국내 설비 16대 사용 연수 　　약 5년이 되었는데 　　Spindle, Ball screw, 　　Feed unit, 전장 부품 　　교체 필요 　-외자 설비 사용 연수 　　동일한 수준이나 분해 　　검사 결과 문제없는 　　것으로 판단하여 수리 　　하지 않음 　-Cycle time 단축 작업 2.#5번 Line은 사용하지 　않고 5대는 타 Line 전용 3.설비 내 Air blow 추가 　-가공 후 소재를 집어낼 　　때 Chip 및 Coolant가 　　바닥에 떨어짐 4.자주 검사 추가 　-50공정에서만 하던 것을 　　필요 공정에도 추가함 　-자주검사 주기 변경 　　(시간 →수량)	58	300	2	
60	Air blow M/C	2	기존 사용	54			
70	Conveyor	1	1.개조 활용 　-Layout 개선에 따른 　　길이 연장 　-Loader 1식 추가 2.Burr 제거 작업 위치 선정	54	55	1	
80	Washing M/C	1	1.기존 설비 폐기 2.#6~11 Line용 설비 전용	54	0		

*투자 검토 내역(#1~5 Line)   인원: 명/SHT

공정 NO	설비명	대수	검토 내역	C/T (SEC/EA)	투자비 (백만원)	인원	비고

90	Buffer conveyor	1	1.신작 추가
			2.Fan 및 Cover 설치하여
			  소재 온도 조절한다
			  -Washing 이후 소재 온도
			  상승으로 Leak test를
			  바로 할 경우 NG품을
			  OK품으로 판별 한다
			  -일상 온도로 떨어지는
			  약 30분의 적재 공간 설치
				54	40	1	

100	Leak tester	1	기존 사용·(일부 개선)	54			
110	조립기	1	기존 사용·(일부 개선)	54			
120	검사기	1	1.신작 추가 -Fool proof 장치 추가 2.SPC 추가	54	90		

60~80	Robot#1	1	1.철거한다
			  -가동율 저해 요인
			  -작업자 및 보전 작업
			  어려움
			2.흐름 생산 방식으로
			  변경한다
						1	

90~110	Robot#2	1	1.철거한다
			  -가동율 저해 요인
			  -작업자 및 보전 작업
			  어려움
			2.흐름 생산 방식으로
			  변경한다				

130	완성품 검사		목시	50			
계					485	5	

(2)#6~11 Line

-가공 Line은 6개 그대로 사용한다.

-비가공기는 전량 신규 교체하고 흐름생산 방식의 Full 자동화함.

-SPC, Fool proof 장치 설치한다.

-가공 후 간이 Air blow M/C을 설치하여 Conveyor가 Chip이나
  Coolant에 의해 오염 및 손상 예방, 또한 Washing M/C의 부하를
  절감한다.

-Leak tester 전에 Buffer conveyor를 설치하여 소재 온도를 일상
  온도로 떨어지게 하여 Leak test 정도를 확보한다.

-Washing M/C은 Lift & carry 방식을 채용하여 정도를 확보한다.

*투자 검토 내역(#6~11 Line)　　　　인원: 명/SHT

공정 NO	설비명	대수	검토 내역	C/T (SEC/EA)	투자비 (백만원)	인원	비고
6-10F~40F 7-10G~40G 8-10H~40H 9-10i~40i 10-10J~40J 11-10K~40K	가공기	24	1.가공기 기존 사용 2.설비내 Air blow 추가 3.자주 검사 추가 -40공정에서만 하던 것을 필요 공정에도 추가함 -자주검사 주기 변경 (시간→수량)	38	20	3	
60	Air blow M/C	3	1.신작 추가 -Conveyor Chip 방지 및 -Washing M/C 부하 감소	40	130		
60~70	Conveyor	1	1.신작 추가 -6개 Line 공급 대안으로 Pallet 자동 공급 방식 2.Burr 제거 작업 위치 선정	40	170		
70	Washing M/C	1	1.신작 추가 -현 Chain 방식을 철거하고 Lift & Carry 방식으로 변경하여 정도 향상	40	250	2	
70~80	Buffer conveyor	1	1.신작 추가 -현재 공정이 없음 -약 30분 적재 수량 2.Fan 및 Cover 설치하여 소재 온도 조절한다	40	80		

*투자 검토 내역(#6~11 Line)　　　인원: 명/SHT

공정 NO	설비명	대수	검토 내역	C/T (SEC/EA)	투자비 (백만원)	인원	비고
80	Leak tester	1	1.신작 교체 -Trouble 많아 신작 교체 -전체 + 유로 + 타각 + 　NG Conv' 2식 일체형 2.Loading & Unloading 　포함 3.Leak test 신뢰성 확보 -Master를 설비 외부로 　설치하여 소재와 근접 　고려 -실제 소재로 Master 제작 　(더미 최대화로 정도 　확보) -배관 길이 동일 구성 　(Air 온도 동일 포함) -기타 Knowhow 고려 4.SPC 추가	40	250		
90	조립 및 검사기	1	1.신작 교체 -Trouble 많아 신작 교체 -조립 + 검사 　+ NG Conv' 1식 　+ OK Conv' 일체형 2.Loading & Unloading 　포함 3.SPC 추가	40	350		
100	완성품 검사		목시	38		2	
계					1,250	7	
합계					1,735	12	

108

7)견적 대상 업체 및 계약 현황
-본 양식의 용도는 품명별로 견적을 접수하여 예산 대비 얼마나
 차이가 나는지 확인하여 예산을 추가하거나 공법을 재검토하여
 예산을 축소하여 적절한 기획예산을 수립하기 위해서 작성한다.
(1)견적 대상 업체는 3개 이상의 동급 업체로 정한다.
 -3개 이상의 견적은 아주 중요한 사항으로 견적가가 상중하,
  중중하, 상상중 등으로 비교 가능하다. 즉, 터무니없이 수주 목
  적으로 낮게 낸 업체는 없는지, 과잉 사양이나 불필요 사양 등
  으로 견적이 높게 책정된 업체는 없는지를 구별하기가 용이함.
  만약 2개 사만 견적을 받으면 상중인지, 중하인지 구별하기 어
  려워 견적가의 타당성 여부를 판단하기 어렵다는 것이다.
 -동급 업체 견적의 의미는 만약 A급과 C급을 함께 경쟁시키면
  C급이 이길 것이 분명하고, 이것으로 품질이나 납기에 어떤 지
  장을 초래할지 모르기 때문이다.
(2)신규 업체 추가나 기존 업체 결정 여부를 결정하기 위해서는
  생산기술은 구매팀과 함께 업체 실사 후 가능 여부를 결정한다.
(3)견적 협의 후 최종 견적가 및 Nego가를 작성한다.
(4)예산 대비 최종 Nego가를 분석한다.
(5)예산 Over 사항이 발생하면 공정 검토를 재확인한다.
(6)계약 가능 업체를 선정한다.
(7)요구 납기 대비 업체의 입고일을 기입한다.
*견적 대상 업체 및 계약 현황

| LINE | 품명 | 구분 | 대수 | 예산 | 견적대상업체 | | | 요구납기 | | 비고 |
					A	B	C	입고	시운전	

8)Maker별 견적가 분석 및 예상 구입가

-본 양식의 용도는 자사가 제공한 견적사양서 기준으로 각 업체
의 사양이 누락되었거나 과잉 사양이 발생한 내용을 파악하여
업체에게 수정 견적을 요청하여 모든 업체의 사양이 통일된 가
운데 공정한 경쟁을 유도하기 위함이다.

-각 업체에게 Nego율을 적용하였을 때 가장 최적의 업체 견적가
기준으로 예상 구입가를 산정하여 기획예산을 수립한다.

-기 납입 실적을 활용하여 생산기술에서 요청하는 업체가 있을
경우에 특기사항에 사유를 적어서 구매에게 요청한다.

-항목은 구체적이고 세부화시켜 작성하여 사전에 각 업체에게
배포하여 견적을 접수한다.

-기 납입 실적이 없는 신규 설비일 경우에는 업체에서 제시한
Nego가를 적용하여 예상 구입가를 산정한다.

*Maker별 견적가 분석 및 예상 구입가

| 구분 | 항목 | 자사 사양 | | A | | | B~C | 예상 | 비고 |
		SPEC	수량	SPEC	수량	금액		구입가	
1.본체	1.본체								
	2.Loader								
	3.Tooling								
	4.Air/Hyd								
	5.전기장치								
2.설계비	1.설계비								
3.조립 및 도색	1.조립 및 도색								
4.운송비	1.운송비								
5.시운전비	1.시운전비								
6.일반관리비	1.일반관리비								
7.이윤	1.이윤								
8.Spare parts									
9.안전관리비									
계									
기납입실적									
1.공정NO:				5.견적가:					
2.장비명:				6.계약가:					
3.계약일:				7.NEGO율:					
4.MAKER :				8.특기사항:					

9)Layout

(1)#1~5 Line 현재 Layout

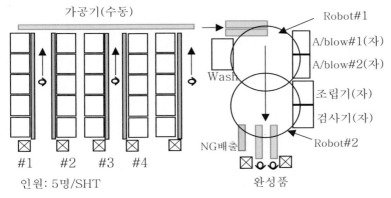

#1~5 Line layout

<문제점>

A.가공기 노후화로 정도 불안정 및 Cycle time 구입 대비 지연

  a)국내 설비 16대: Overhaul 필요.

  (Spindle, Ball screw, Feed unit, 전장 부품 신작 교체)

  b)외자 장비 4대: 동일 연수(年數)이나 개조없이 사용 가능 판단.

  c)Air blow 위치 불합리.

    -비가공기 측에 위치하고 있어 Air blow없이 바로 소재를

     Conveyor에 올림으로써 Conv' 오염 및 Chip에 의한 수명 단축.

    -바닥에 Chip 및 Coolant 비산.

B.비가공 Line

  a)자체 설비제작사양서 및 견적사양서 없음.

  b)가동률 65% 수준.

  c)Robot 고장 다발로 가동률 저하.

  d)Washing M/C: 정도 저하.

  e)검사기: 정도 저하.

C.유출 불량 다발: OEM Worst Top 5 포함됨

D.생산량 부족

(2)#1~4 Line 개선 Layout

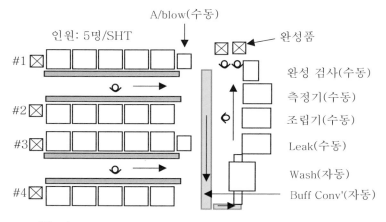

#1~4 Line Layout

<개선 후>

A.흐름생산 방식의 Layout 변경

a)Robot 철거.

b)Line 전체 관리 용이.

c)작업자 작업 용이 및 보전 Maintenance 용이.

B.가공 Line

a)가공 Line 5개에서 4개 Line으로 변경(1개 Line은 전용).

b)가공기 16대 Overhaul하여 Cycle time 단축 및 정도 향상.

c)가공 Line 마다 Air blow 공정을 추가하여 환경 개선,

　Conv' 개선, Washing M/C 부하 절감하여 Washing M/C 정도 향상.

C.비가공 Line

a)자체 설비제작사양서 및 견적사양서 제작.

b)Buff Conveyor: 개선 사용, 약 30분용 적재(Leak 정도 향상).

c)Leak tester: 개선 사용, SPC 구축.

d)조립기: 개선 사용, SPC 구축.

e)검사기 신작 교체: 최종 유출 불량 감시, SPC 구축.

D.가동률 향상으로 생산량 대응

(3)#6~11 Line 현재 Layout

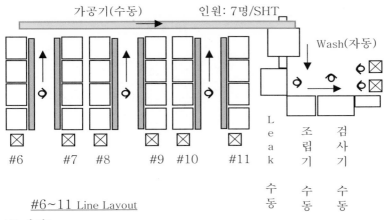

#6~11 Line Layout

<문제점>

A.가공 Line

a)Cycle time 구입 대비 지연.

b)Air blow M/C 없음.

　-가공 후 사람이 Air blow 작업 후 Conveyor에 올림.

　-Conveyor 오염 및 Chip에 의한 수명 단축.

　-바닥에 Chip 및 Coolant 비산.

B.비가공 Line

a)자체 설비제작사양서 및 견적사양서 없음.

b)가동률 65% 수준.

c)Washing M/C: 정도 저하.

d)Leak tester: 정도 저하.

e)조립기: 정도 저하.

f)검사기: 정도 저하.

g)SPC 없음.

C.유출 불량 다발: OEM Worst Top 5 포함됨

D.생산량 부족으로 토, 일 특근 근무로 대응

(4)#5~10 Line(구 #6~11) 개선 Layout

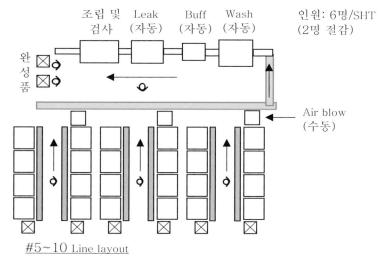

#5~10 Line layout

<개선 후>

A.가공 Line

a)설비 보수 및 도색(#1~4 Line 설비 동일).

b)Cycle time 단축 및 정도 향상.

c)가공 Line 마다 Air blow 공정을 추가하여 환경 개선,
    Conv' 개선, Washing M/C 부하 절감하여 Washing M/C 정도 향상.

B.비가공 Line

a)자체 설비제작사양서 및 견적사양서 제작.

b)Conveyor: Pallet 자동 공급 방식 및 Handling 때의 불량 제거.

c)Washing M/C: Lift & Carry 방식 사용하여 정도 향상, 신작 교체.

d)Buffer conveyor: 신작 추가, 약 30분용 적재(Leak 정도 향상).

e)Leak tester: 신작 교체, Lot 추적용 Marking, SPC 구축.

f)조립 및 검사기: 일체형으로 신작 교체, SPC 구축.

C.유출 불량 Zero

D.가동률 향상으로 생산량 대응

E.안전 장치 구축: #1~4 포함

10)결과물 요약

구분	상세 업무	결과물
환경	1.공장 Remodeling 　-바닥 도색 　-기동, 천장, 벽체 도색 　-형광등 교체 　-Chip, Coolant 비산 개선 2.전체 Layout 재배치	1.깨끗하고 밝은 환경 구축 　-생산성 향상 　-불량 저감 　-바닥 도색 수명 연장 2.물류 개선 　-생산성 향상 　-불량 저감 　-관리 용이
표준화	1.작업 조건 표준화 2.설비제작사양서 및 　견적사양서 제작 3.검수 표준화 4.자주검사 관리 표준화 5.부대시설 제작 표준화 6.Utility 설치 표준화 7.공구, Coolant관리 표준화 8.사무 5S 관리 표준화	1.고객 요구 수량 대응 2.설비 정도 향상 및 　업무 시간 단축 3.설비 정도 향상 4.자주검사 방법 변경으로 　대량 불량 방지 　시간 → 수량(20EA당) 5.비용 절감 및 환경 개선 6.환경 개선 및 업무 시간 　단축 7.비용 절감 8.환경 개선 및 기술 축적
프로세스	1.신제품개발프로세스 정립 　-업무프로세스 정립 　-업무 분장 명확화 2.생산기술 업무 Level up 3.생산성 향상 4.인원 절감	1.업무 효율화 및 책임 　소재 명확화 2.생산기술 Level up 3.생산성 향상 　1)불량 Worst top 5 제외 　2)유출 불량 Zero 　3)가동율(65% → 95%) 　#5~10 Line 식사시간 　무인 가동 가능함 4.인원 절감 　12명/Sht → 11명/Sht 　Total 2명 절감 5.대외 신용도 상승

3-4.Shop master

Shop master는 공법이 확정되어 견적사양서가 나오기 전에 공법 검토를 명확히 하고, 보다 빨리 Rough 견적을 의뢰하여 기획예산을 수립하기 위한 수단이다. 설비의 대수 여부와 Project 일정 여부에 맞춰 Shop master 작성 여부는 생산기술자가 판단하면 된다.

공정 배분한 결과를 근거로 각 공정별로 한 장씩 공정NO, 공정명, 설비명, Rough Machine layout, 가공 공정 상세, CAPA, 필요 C/T, 예상 C/T, Work flow, 설비 형태, 설비 구매선, 설비 예상가, 공구, 투입 인원, 자주검사 Gage, 절삭유 사양, Utility 사양(전력, Air, 용수 등), Line 면적 등의 4M 준비 사항 전부를 작성하여 최적의 공법 검토 상태를 파악하기 위한 자료이다.

본 Shop master는 설비 Rough 견적 의뢰에 활용되어 기획예산을 수립할 때 사용된다.

*Rough Machine layout

Shop master에서 작성한 공정별 Layout을 CAD화하여 Line 전체 예상 Layout을 작성하는 것을 말한다. Rough Machine layout은 기존 공장의 부지 활용, 신규 공장 건설 등을 결정하기 위한 중요한 자료이며, 초기 투자비에도 직접적인 영향을 주므로 가능한 한 빠른 시간에 소요 면적을 결정해야 한다. 또한 공장 전체 물류 흐름, 재공 및 재고 적재 공간, 인원 배치 방법, 자주검사대 위치, Work 자세 등을 Layout에 표시하여 최적의 공법 검토가 되도록 한다.

*Utility list

Utility로는 전력, Air, 용수를 말하며 각 설비별 사용되는 전력량과 Air량, Air 설치 수량 , Air 배관 Size, 용수량, 용수 설치 수량, 용수 배관 Size 등을 기록하여 유지 관리함을 말한다.

전력량은 변압기 용량과 공장 내 분전반 사양 결정 등에 사용.

Air량은 Compressor 용량을 결정한다.

용수는 설비에 공급되는 물을 말한다.

*Shop master

항목	OP10	OP20	OP30
설비명			
공정명			
M/C Layout			
Work flow			
Work 자세			
가공 내역			
기종			
Loading Height			
Cylce Time			
Work 수			
설비대수			
설비 투자비(천 원)			
자동/수동			
신작/개조			
인원(명/SHI)			
본체 사양			
공구			
Jig & Fixture			
Chip conveyor			
자동화			
품질			
기타			

1)초기에는 A3 용지로 공정별 한 장씩으로 작성하여 Rough 견적
  의뢰 시 Maker에게 복사본을 제공하여 사용하였다.
2)최근에는 양식과 같이 전 공정 내용을 한 장으로 표현함으로써
  한 눈에 전체를 관리하기 용이하게 하였다.

3-5.생산준비도

생산기술에서는 설계에서 배포한 시작도면을 근거로 공법 검토시 생산, 보전, 품질 등 관련부서에서 요구한 사항이나 PFEAM 반영 사항을 고려하여 양산성 검토 Sheet를 작성하여 설계에 의뢰하고, 설계에서는 반영 여부를 검토하고 그 내용을 생산기술과 협의하여 결정한 후 최종적으로 양산에 적용한 도면을 생산준비도라고 한다.
생산준비도에 수정 사항이 발생하여 생산기술이나 사용부서에서 설계 변경인 ECR(Engineering Change Request)을 의뢰하면, 설계에서 변경이 가능한 항목에 대해서는 ECO(Engineering Change Order)을 발행하고 ECO NO를 부여하여 도면 주기란에 기입하게 되어 있다.

*생산준비도(2D, 3D) 주요 용도
 1.제품의 기능 파악
 2.3D로 2중각 가공 상태 확인
 3.3D로 가공 유무 확인
 4.3D로 공구와 간섭 여부 확인
 5.3D로 Jig & Fixture와의 간섭 여부 확인
 6.3D로 조립성 확인
 7.Sample work(샘플 소재) 제작
 8.가공공정표 작성
 9.설비 제작
 10.Jig & Fixture 제작
 11.공구 제작
 12.금형 제작
 13.작업표준서 작성
 14.자주검사 Gage 제작 도면
 15.생산 관리
 16.품질 관리

3-6.기획예산
3-6-1.기획예산이란

Project에 소요되는 예산은 기획예산, 품의예산으로 나눌 수 있다. 기획예산이란 APQP 5단계 중 제품 설계 및 개발 단계에서, Shop master로 견적 의뢰한 견적가 기준으로 Project에 사용될 투자비를 개략적으로 산정하여 투자타당성을 파악하기 위한 예산을 말한다.

기획예산은 말 그대로 결정된 금액이 아니므로 품의예산을 확정하기 전까지 충분히 4M을 검토하여 최소의 예산이 되도록 해야 한다. 또한 기획예산은 Project의 타당성을 판단하는 기준으로 활용하여 프로젝트의 진행 여부를 결정하는데 사용할 수 있으므로 생산기술에서는 빠른 시간에 예산이 나올 수 있도록 해야 한다.

3-6-2.수립 절차

1)Shop master 작성
2)견적 대상 업체 선정
3)Rough 견적 사양 협의
4)견적 의뢰
5)견적 접수 ---------Maker별 Idea 수렴
                       적정 Cycle time 분석
                       최적의 공정 배분 검토
                       내외자 적정 배분
                       Machine Layout 검토
6)수정 견적 의뢰 -----Shop master 수정하여 사용
7)수정 견적 접수 -----견적 사양 최종 확인
8)Rough 견적가 결정
9)기획예산 수립

3-7.설비 제작사양서

공작기계는 제작하는 업체의 특성에 따라 자사만의 고유 사양과 특징을 가지고 있다. 일본이나 유럽 업체들은 공작기계의 주요 부품인 본체, Controller, Spindle Head, Ball screw, Feed unit 등 전부를 자체에서 제작하는가 하면, 일부만 자체에서 제작하는 업체도 있다. 국내 업체들은 자체 제작 능력이 부족해서 일부를 수입해서 조립하는 경우도 있다.

이와 같이 공작기계의 사양은 제각각이라고 보면 된다. 따라서 만약 자체 설비제작사양서도 없이 설비를 발주하면 다양한 업체의 다양한 사양이 들어오게 되고, 또한 작업자가 조작하기 어렵게 될 뿐 아니라, 보전에서 보수가 어렵게 되어, 생산성 저하의 원인이 될 것이다.

따라서 이러한 문제를 해결하기 위해서는 자체 설비제작사양서를 구비하여야 한다. 자체 설비제작사양서는 OEM 설비제작사양서를 참조하여 자사에 맞게 제작하면 된다.

*설비 제작사양서의 주요 내용

1.기계 부문
 -제출 서류
  사양서, 일정표, 승인도면, 입회검사/납입 시 제출 서류 등.
 -취급설명서
 -기계도면
 - 설비별 기본 사양
 -설비 구성 요소별 사양

2.전기/전자 부문
 -제출 서류
 -회로도
 -각 기능에 대한 사양

3.안전 부문

제4장 공법 확정

  4M의 준비가 QCD를 만족하는 최적의 상태가 되게 결정하는
것을 말하며, 설비의 편성효율을 감안한 적절한 분배, 설비의
내외자 적정 분배, 설비 발주 방법, PFMEA 반영, 자동화율
고려, 효율적인 인원 검토, 작업 동선과 자동화를 고려한 Layout,
재공, 재고의 효율적인 관리 방안 등을 결정하는 것을 말한다.
  공법이 확정되면 자료화하여 Owner와 관련자를 참석시켜 1차
공청회를 실시하고 수정 및 반영 사항이 발생하면 견적 단계에
반영하여 2차 공청회 실시 때 보고한다.

4-1.공법 확정
4-1-1.공법 확정이란

4M의 준비가 QCD를 만족하는 최적의 상태가 되게 결정하는 것을 말하며, 설비의 편성효율을 감안한 적절한 분배, 설비의 내외자 적정 분배, 설비 발주 방법, PFMEA 반영, 자동화율 고려, 효율적인 인원 검토, 작업 동선과 자동화를 고려한 Layout, 재공, 재고의 효율적인 관리 방안 등을 결정하는 것을 말한다.

*공법 확정 시 고려 사항
1.설비의 내외자 구분은 명확히 하였는가.
 -외자로 선정한 사유는 명확하며 Owner의 승인을 득했나.
2.Cycle time은 편성효율이 좋게 분배 되었나.
3.설비 발주 방법은 결정하고 Owner의 승인을 득했는가.
 -자체 설비제작사양서는 작성하였나.
 -Cycle time을 결정하는 작업시간은 결정하였는가.
4.PFMEA는 반영하였는가.
5.자동율은 어느 정도 할 것인가 결정하였는가.
6.작업자 인원은 적절히 선정하였는가.
7.흐름생산 방식의 Machine layout을 고려하였는가.
8.재공, 재고 관리 계획은 수립하였는가.
9.자주검사는 어느 위치에서 할 것인가.
10.자주검사 방법은 Gage로 할 것인지, Checking jig로 할 것인지, 3차원측정기로 할 것인지 결정하였는가.
11.환경을 고려한 설비에서 Chip이나 Coolant가 비산되지 않도록 고려했는가.
12.Utility는 적절하게 사용되고 있는가.
13.적절한 투자비를 고려한 공법 검토를 하였는가.

4-1-2.1차 Machine layout

★
Layout의 사전적 의미는 Design, 건축 설계, 인테리어, 서적, 잡지, 신문 등의 편집에 있어, 무엇을 어디에 어떤 형태로 배치할 것인가를 말한다. 또한 그와 같은 배치를 하는 행위를 의미한다.

Layout에는 공장 전체를 표현할 때는 공장 Layout이라 하고, 설비만을 표현할 때는 Machine layout이라고 한다. 본서에서는 공장 Layout과 Machine layout을 함께 설명하고자 한다.

공장 Layout에는 Machine layout을 포함하고 있으므로 생산에 필요한 설비나 그 설비의 부대 장치, 1차 전기 시설, 2차 전기 시설, Air 배관, 용수 배관 등을 어디에 어떻게 배치할 것인가이다. Layout의 목표는 Material handling이 최소가 되도록 설비 배열을 하는 것이다. 따라서 생산 작업자나 보전 작업자 우선으로 배치하는 것이 중요하다.

*Layout 대상물
 1.생산 설비
 2.자동화 장치
 3.Chip conveyor, Chip box
 4.Utility(전기, Air, 용수 등)
 5.물류
 6.소재 적재 Box, 재공 적재 Box, 완성품 적재 Box
 7.자주검사대
 8.완성품검사대
 9.공구 Setting gage
 10.발판, Chute
 11.분전반
 12.통로 폭
 13.기둥 배치
 14.건물 내 수납 공간

★ Wikipedia에서 인용함.

*Layout을 만들 때 고려 사항

1.입구와 출구의 검토
 -소재의 반입은 어디로 하고 완성품의 출구는 어디로 할 것인가
 를 결정한다.
2.공정 순서 검토
 -공정 순서는 우에서 좌, 좌에서 우인가.
 -공정이 누락된 것은 없는가.
3.설비를 설치할 수 있는 좌표가 공장 바닥에 있는가.
 -공장 Layout을 CAD화하고 공장의 기둥을 X1, X2, X3, …, Y1, Y2, Y3
 … 표시하여 설비를 설치할 때 좌표로 활용한다.
4.Line 형상
 -Line은 직선형, L자형, U자형으로 한다. 단, N자형, O자형, W자형
 은 좋지 않으므로 배제한다.
5.Line 내 Turn over나 Turn table 장치가 최소화되도록 한다.
 -Turn over나 Turn table이 많다는 것은 그만큼 많은 저해 요인이
  발생한다. 장치를 구입하는 비용 문제나, 소재 정지 구간이 많아
  결국 잠깐 정지가 많이 발생하게 되고, Lead time이 길게 되고,
  장치류에 따른 재공 수량이 많이 발생하게 된다.
  무엇보다도 매끄럽고 보기 좋은 Layout이 아니라는 것이다.
6.통로 폭
 -Main 통로는 정하였는가.
 -설비와 설비와의 통로는 얼마로 할 것인가.
  설비의 폭이나 지게차의 폭을 고려하여 통로의 폭을 결정한다.
 -공장 외부의 통로는 얼마로 할 것인가.
  즉, 설비 후방에 Chip box의 이동 여유나 설비의 이설 시 필요한
  폭을 고려한다.
7.공장의 문 Size와 개수
 -Main 통로에 맞는 문은 별도로 설계한다.
 -공장 내의 설비의 Size와 비례한 공장의 문이 필요하다.

-문은 몇 개로 할 것인가를 결정한다.

8.Chip 배출 방법

 -Machine layout을 결정할 때 가장 먼저 Chip 배출 방향을 결정하고, Layout을 배치할 때 공장 전체에서 Chip을 어디로 어떻게 배출할 것인가를 고려한다.

9.1차 전선 Tray 설치 방법

 -공장을 건설할 때 1차 전선 Tray를 사전에 설치하는데 이때 공장 내에 설치할 Machine layout을 고려하여 설비 상부에 일직선이 되게 한다. 즉, 1차 전선 Tray 아래에 있는 각 설비들의 제어반과 일치하게 하여야 아래로 내려오는 2차 전기 배선을 잡아주는 배관이 보기 좋게 정렬되는 것이다.

10.Air 배관과 용수 배관은 가능하면 2차 전기 배선용 배관과 함께 내려 설치하여 보기 좋게 정렬되도록 한다.

11.분전반 설치

 -분전반은 공장 건설할 때 사전에 설치해 놓는 것이 일반적인데 이때 설치할 설비의 전력량을 고려하여 가까운 위치에 적당한 수량의 분전반을 설치하여야 한다.

 -분전반의 위치가 멀리 있으면 그 만큼 전선이 많이 필요하고 설치 시 미관도 좋지 않으므로 공장 건설 시 세밀히 검토한다.

 -만약 분전반이 먼저 설치되어 있으면 용량과 미관을 고려하여 설비와 연결한다.

12.흐름생산 방식의 Layout

 -소재 → 가공 → 압입 → 조립 → 측정 → 검사 및 포장의 형태로 하나의 흐름생산 방식의 Layout을 배치한다.

 -즉, 이것을 나누어서 배치하게 되면 재공 증가, 인원 증가, 대량 불량 발생 등의 문제가 발생할 수 있다.

13.Loading & unloading 장치

 -작업자나 보전을 위해서 가장 좋은 방법은 Gantry loader type 이나 Gantry robot type이나 Lift & carry transfer 등이다.

이것은 작업자가 설비의 상태를 점검하거나 공구 교환할 때
Loader와의 간섭이 없기 때문에 안전하게 작업을 할 수 있다.
또한 Loader의 고장이 발생해도 설비를 수작업으로 생산할 수
도 있다.
- 간혹 Robot를 사용하여 4~5대 설비를 묶어서 생산할 때가
  있는데 이것은 생산성을 저해하는 직접적인 영향을 주므로
  피해야 하는 방식이다. 생산량이 아주 작거나 중량물일 때는
  별도로 고려한다.
  단점으로 설비 전체를 세워야 설비 점검이나 공구 교환이 가능
  하고, Robot가 고장이 났을 때 설비만 수동으로 생산하기 어렵
  다는 것이다.
14. 각종 부대 장치의 적정 위치를 선정한다.
    - Chip 처리장
    - 쓰레기 처리장
    - 유지류 보관 장소(Coolant , Hyd, Lub 등)
    - Spare parts 보관 장소
    - Jig & Fixture 보관 장소
    - 청소 도구함
    - 공구 보관함

*Layout 사례 #1(좋은 예)

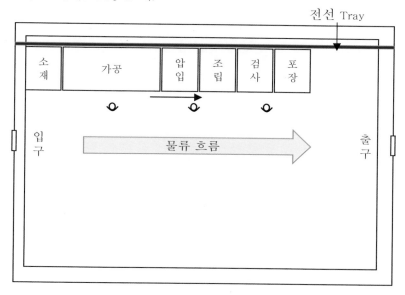

1.Layout 특징

 1)흐름생산 방식 채용.

  -소재 → 가공 → 압입 → 조립 → 측정 → 검사 → 포장.

  -Work flow는 타 Line도 동일한 좌에서 우로 한다.

  -Turn over나 Turn table 장치가 없게 하였다.

  -별도의 재공 관리가 필요 없게 했다.

  -관리자가 작업 현황을 한 눈에 보이게 했다.

 2)Lift & carry transfer type과 간이 Loader 이송 type 채용.

 3)소재 반입과 완성품 반출을 분리하였다.

 4)전선 Tray 위치를 설비 제어반과 일치화하였다.

 5)Air 및 용수 배관을 2차 전선용 배관과 함께 연결하고 가능하면
   일직선이 되게 했다.

 6)분전반에서 최소의 거리에서 전선 연결 작업이 되도록 했다.

 7)각 통로 폭은 설비의 Size를 고려하였다.

*Layout 사례 #1(나쁜 예)

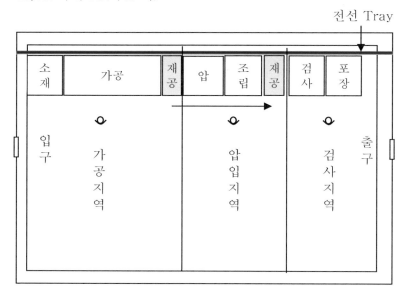

1.Layout 특징
 1)가공, 압입 및 조립, 검사를 3 가지 구역으로 나누어서 각각의
   재공품을 관리하는 방식이다(기능별 Layout).
 2)필요 없는 재공품이 발생한다.
  -가공 지역 : 1일분
  -압입 지역 : 1일분
 3)유사 가공 재공품이 혼용되는 사례가 있다.
 4)설비 설치 면적이 크게 소요된다.
 5)대량 불량에 대한 대책이 없다.
 6)후 공정에서 전 공정으로 불량 내용 전달이 빨리 되지 않는다.
 7)인원 편성이 원활하지 않기 때문에 인원 상승 요인이 된다.
 8)관리자가 Line을 관리하기 어렵다.

*Layout의 종류

Layout의 형태는 PQ분석(P:Product, 제품의 종류, Q:Quantity, 제품의 수량)에 따라 제품별 Layout, Group별 Layout, 기능별 Layout으로 구별할 수 있다. 우선 PQ분석이란 어떤 기업 내에서 생산하고 있는 모든 제품의 종류와 그 제품별 수량을 그래표로 나타낸 것이다. 이것은 생산기술자로써 가장 먼저 파악하여야 할 사항이다. PQ분석을 수량으로 할 수도 있지만 Q를 매출액 등으로 나타낼 수도 있다.

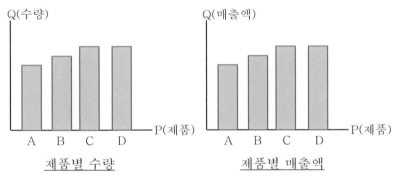

제품별 수량   제품별 매출액

1.Layout의 종류

1)제품별 Layout

가장 일반적인 Layout으로 단일 제품, Family 제품을 동시에 생산하는 Line에 적용하고, 관리가 용이하고 작업 효율을 올리기 쉽다. 흐름생산 방식, 대량 생산에 적용한다.

2)Group별 Layout

유사 제품을 하나의 Line에 혼류 생산시키는 것으로 공정 설계나 생산관리 부문에서 생산 기술력이 아주 필요한 Layout이다. 정확한 검토가 없으면 생산성 및 불량률 문제로 이어지기 쉽다.

3)기능별 Layout

앞의 예와 같이 가공 지역, 압입 지역, 검사 지역으로 기능별로 구별하여 배치한 Layout이다. 예로는 식품 공장에서 세척 공정, 절단 공정, 굽는 공정, 삶는 공정을 구별하여 배치한다.

4-1-3.1차 공청회

공청회는 공법 검토한 내용을 자료화하여 Owner를 포함하여 관련자 전원이 참석한 상태에서 내용을 설명한 후 수정 사항 및 추가 반영 사항이 나타나면 반영하기 위한 의사 결정 수단이다.

1.공청회 반영 내용은 다음과 같이 한다.

1)Project 고려 사항

2)Project 개요

3)설비 발주 방법

4)Project 현황

5)투자 회수 기간

6)Flow chart

7)PFMEA

8)Master schedule

9)투자비 현황

10)Layout

11)품질 확보 방안

12)안전 시스템 구축

2.공청회 반영 내용 상세는 다음과 같다.

1)Project 고려 사항

(1)환경

-공장 바닥에 Chip이나 Coolant가 비산되지 않게 고려한다.

-Work 물류 흐름도는 직선화 및 수평화로 고려한다.

-가공과 조립 Line의 소통을 위한 통로 확보는 고려되었는가.

(2)표준화

-작업 조건(작업시간) 표준화

OEM과 비교하여 작업 조건(작업시간) 표준화하고 적용한다.

-자체 설비제작사양서 작성 및 검수 표준화.

OEM 설비제작사양서를 기준으로 하고 사양 Down, 원가절감 방안을 제시한다.

도면 승인, 검수, 시운전 Process 작성.

생산 및 보전 교육.

검수 요령서 작성.

PFMEA 반영.

-자주검사 관리 표준화.

가공 공정별 자주검사 실시.

-작업표준서.

-작업을 위한 부대 시설 제작 표준화.

작업표준서 걸이, Chute, 발판, Air gun 위치 등.

-Utility 설치 표준화.

설비 설치, 배관, 배선.

-공구 및 Coolant 관리 표준화.

-사무 5S 관리 표준화.

사무실내의 환경과 자료 보관 장소와 PC 내 자료를 5S(정리, 정돈, 청소, 청결, 습관화)를 표준화하여 관리한다.

상세 내용은 "6-5-3.사무 5행" 을 참조 바람.

(3)프로세스

-신제품개발 프로세스 정립.

소재부터 완성품까지의 업무 프로세스를 정립한다.

-생산기술 업무 Level up 계획.

-생산성 향상 계획.

-인원 절감 계획.

-수율 관리 계획.

2)Project 개요

-Project를 설명할 수 있는 제반사항을 기입하여 관리하기 위한 것으로, Project명, 주요 고객사, 년도별 판매 계획, Proto, Pilot, 양산 일정, 자사 양산 일정, 가공 Line과 비가공 Line의 신규 여부, 기존

설비 활용, 개조 등으로 구별해서 설명한다.

3)설비 발주 방법

-설비 발주 방법이란 필요로 하는 설비의 사양은 어떻게 결정할 것이고, 대상 업체는 어떻게 정할 것이며, 설비에 필요한 제작 도면은 어떤 방식으로 승인할 것이며, 검수 방법, 입고 후 설치, 시운전은 어떤 절차로 할 것이며, 필요한 Spare parts 금액은 어느 정도로 책정할 것인가를 정하는 것을 말한다.

-설비 발주 방법의 종류는 설비, 공구, Jig & Fixture 등을 일괄 발주하는 Turnkey 방식과 개별로 발주하는 개별 방식이 있다.

(1)설비제작사양서 및 견적사양서

-OEM 설비제작사양서 기준, 사양 Down 및 원가절감 안을 적용 하여 자체 설비제작사양서를 작성한다.

-설비제작사양서 기준으로 견적사양서를 작성하여 견적 의뢰 시 사용한다.

(2)설비 견적 대상 업체

-설비 제작업체 Grade를 볼 때 동일 군으로 하지 않으면 견적가 차이 및 생산성에 직접적인 영향을 주므로 반드시 사전에 A,B,C Grade를 선정하여 결정한다.

(3)도면 승인

-설비 제작 전에 Maker는 제작사양서 기준으로 승인도를 제출 하고 승인을 득한다.

(4)입고 전 Maker 검수

-자사 직원 입회하에 설비 시운전 및 정도 확인을 득하고 OK 시 입고한다.

-시운전 방법은 사전에 결정하여 업체에게 통보한다.

-사전에 필요한 Test piece를 준비하여 업체에게 송부한다.

-가능한 보전 및 생산 교육을 현장에서 실시한다.

(5)입고 후 Tryout

-입고 후 자사가 요구하는 방법으로 Tryout 후 OK를 득한다.

-최종 생산 및 보전 교육을 실시한다.

(6)Spare parts

-본체가의 3%

-단, Jig & Fixture나 Loading & unloading 장치 중에 Work에 직접적으로 닿는 부품은 Spare의 의미를 떠나서 설비 견적가에 포함하여 각 2 Sets를 요청한다. 또한 제작도면은 반드시 취급설명서에 포함시킬 것을 요구한다.

4)Project 현황

-Project 현황이라 함은 작업 조건을 설정한 후 Line별 투자 상세 내역, 양산일, CAPA, C/T 총 투자비 소요 인원 등 Project에 기여하는 모든 항목을 설명하는 것을 말한다.

구분	Line명	상세	양산일	CAPA	C/T	투자비	인원	비고

5)투자 회수 기간

-각 기업에서는 Item을 수주하기 위해서 견적 단계에 촉박한 시간을 고려하여 투자타당성을 판단하는 기준으로 투자 회수 기간을 사용한다. 최근에는 기업 간의 경쟁력 과다로 투자 회수 기간은 점점 더 길어지고 있는 실정이다.

기업이 존재하기 위해서는 신규 Item을 계속 연결하지 못하면 결국 경쟁사에게 뒤처지는 결과를 초래하기 때문에 견적 단계에서 무리하게 수주 경쟁을 하여 수주 후 원가절감 검토 혹은 외주 검토 등으로 대응하고 있다.

일반적으로 투자 회수 기간이 2년이면 적당하다고 판단하였으나, 최근에는 수주 업체의 다변화에 의한 수주 경쟁이 치열하고,

고객의 요구 원가 또한 낮게 책정되어 있기 때문에 투자 회수
기간을 맞추기는 상당히 어려운 실정이다.

$$투자\ 회수\ 기간 = \frac{총\ 투자비}{연간\ 판매\ 금액}$$

6)Flow chart

-"3-3-2.장"에서 설명했듯이 Project의 내용을 한눈에 파악하기
위해서 Block diagram으로 아래의 내용을 작성하여 관리하기
위한 자료이다. Project명, 생산량, 작업 조건, C/T, 인원,
Work flow, 설비 대수(신작, 개조, 기존 사용, 내자, 외자 구분),
설비명, 공정명, 자동화 여부를 기입하여 관리하는 Chart이다.

7)PFMEA

-PFMEA(Process Failure Mode and Effects Analysis)로 고장의 원인이
되는 제조 공정과 물류 프로세스 등의 약점을 특정하고, 그것을
회피하기 위한 목적으로 한다. 이것으로 실패 리스크를 경감시
키는 것이다고 한다.
본 장에서는 개략적으로 공청회 시 사용하는 내용만 설명하고
자 한다. 뒤에 별도로 상세하게 설명할 예정이다.
-자사에서 생산하고 있는 유사 Item이나 타사의 Benchmarking한
Item의 공정별 문제점과 그 대책을 요약한 자료를 근거로 금 회
Project에 반영할 내용을 기록한 자료를 말한다.
본 자료는 관련부서와 사전 협의하여 누락 사항이 없고, 추가
사항에 대한 반영을 적극적으로 고려한다.

8)Master schedule

-OEM Master schedule 기준으로 자사의 Master schedule을 작성한
다. 자사가 1차, 2차에 따라 일정을 1~ 2개월 앞선 계획을 수립
한다. 즉, 물류 시간, 불량 재송부, 고객의 조립 등을 고려한다.

-계획 대비 실적으로 작성한다.

-Master schedule은 잘 보이는 곳에 부착하여 일일 check한다.

-모든 관련부서에 배포하여 함께 Project가 추진되게 한다.

9)투자비

-기획예산으로 수립한 것을 기준으로 투자비를 산정한다.

-투자비는 투자 회수 기간을 계산하여 투자타당성을 확인한다.

-투자 회수 기간이 길 경우는 경영진과 1차 공청회 시 방향에 대해 결정해야 한다.

-투자비가 과다하게 나올 경우 공법 검토 내용을 다시 확인한다.

-투자비 절감 방안으로 C/T 단축, 사양 삭제 및 공정 합병 등을 업체와 협의하고, 기존 설비 활용 방안을 고려한다.

-자동화율을 단계적으로 올려서 초기 투자비를 줄일 수 없는지 검토하고, 자동화율에 따라 감가상각비와 인건비와의 비교 자료를 작성하여 검토한다.

10)Layout

-Layout은 Material handling이 최소가 되도록 설비 배열을 하는 것으로 생산기술이 할 수 있는 최종의 기술이라고 할 수 있다.

Layout에 따라 불필요한 인원이 투입된다든지, 불필요한 공정이 투입된다든지, 물류 이동이 많아진다든지, 작업자 보행 시간이 길어진다든지, 앞뒤 공정 간 소통이 원활히 되지 않아 문제점 피드백이 바로 되지 않는다든지, 필요 없는 투자비가 들어간다든지, Lead time이 길어진다든지 하는 많은 문제를 야기시킬 수 있다. 따라서 생산기술 담당자는 모든 기술력을 동원하여 최적의 Layout이 되도록 여러 가지 안으로 설계하여 Owner와 관련자들과 공청회를 실시하여 결정해야 한다. 한번 설치한 Layout을 수정하려고 하면 수정도 어렵지만 많은 비용과 시간, 재고 확보 등의 애로사항이 발생하게 된다.

11)품질 확보 방안
 -자체 설비제작사양서와 견적사양서는 구비되었는가.
 -신기술, 신공법은 적용하였는가.
 -기존 유사 공정의 문제점에 대한 개선안을 적용하였는가.
 -타사 Benchmarking은 하였는가.
 -공구파손검지장치는 구축하였는가.
 -소재착좌확인장치는 구비되었는가.
 -Fool proof 장치는 필요 부위에 설치되었는가.
 -SPC는 적용하였는가.
　 Leak tester, 조립기, 압입기, 자동검사기의 측정값.
 -Lot 추적은 고려하였는가.
 -NG품 자동배출장치는 설치되었는가.
 -알루미늄 제품의 취급일 때 발생하는 흠 방지 대책은 고려하였
　 는가(Loading & unloading 장치, Conveyor, Stopper, 기준 Pin,
　 기준 Pad, Clamp 부위 등).
 -완성품 Pallet는 흠이나 미세 먼지 등의 대책을 수립하였는가.
 -알루미늄 제품의 Leak tester는 주변 온도에 영향을 많이 받으므
　 로 반드시 투입 전에 온도 보상이 되도록 하여야 한다.
 -이종 혼입 방지 대책은 고려하였는가.

12)안전 시스템 구축
 -모든 설비는 작업자가 안전하게 작업을 할 수 있도록 설계한다.
 -설비 검수 시 안전 관련 설비 동작 상태를 확인한다.
　 조작반 Switch를 눌러서 Interlock 여부나 비상 Return, 정지 등이
　 정상 작동이 되는지 확인한다.
 -가장 문제가 되고 있는 Leak tester Head 처짐이나 다이캐스팅
　 설비 내에서 작업자 끼임 문제 등은 반드시 사양서에 명기하여
　 안전시스템을 갖추도록 한다.

4-2. 품질관리
4-2-1. 품질관리란

품질(Quality)이란 주어진 요구사항을 만족시키는 능력을 가진 생산품이나 서비스의 전체적인 특징과 성격이라고 TTA정보통신용어사전에서는 말하고 있다.

ISO9000에서는 본래 가지고 있는 특성의 집합이 요구사항을 만족하는 정도라고 정의하고 있다. 또한 품질공학에서는 물건이 출하 후, 사회에 관여하는 손실이라고 한다. 단, 기능 그 자체의 손실은 제외한다.

품질관리란 품질 요구사항을 만족하기 위한 것으로 초점을 맞춘 품질 Management의 일부이다고 ISO9000s에서는 말하고 있다. JISZ8101에서는 품질관리란 구매자의 요구에 맞춘 품질의 물건 혹은 서비스를 경제적으로 만들어 내기 위한 수단의 체계이다고 말한다. 즉, 고객에게 제공하는 품질 혹은 서비스가 고객이 요구하는 품질, 가격, 납기가 되는 것, 또는 품질 및 서비스를 각 직장 및 부서에서 타사보다 싸고 빠르고 효율이 좋게 제공 가능하게 하는 것, 그러한 것을 행하기 위해서, 고유 기술만이 아니라 통계를 이용한 관리 기술을 전사적으로 행하는 것을 말한다.

*품질관리의 주요 업무 내용은 다음과 같다.
 1)QC공정표의 작성, 유지, 관리
 2)표준서의 작성, 변경
 3)측정 기기의 검교정
 4)측정 업무(원재료, 제품)
 5)공정 개선
 6)외주품 입고 관리
 7)고객 불량률 관리
 8)소재/가공 불량률 관리
 9)관련 부문 품질 교육

4-2-2.품질보증(Quality Assurance)

　품질보증이란 출하된 제품이나 부품이 결정된 품질로 되어 있는
지 없는지 확인하는 것을 말한다. 품질보증의 업무는 출하하여 좋
은 품질일까 아닐까를 확인한 결과를 고객에게 전달한다든지 문장
으로 보존한다든지 하는 것이다. 불량품이 발생했을 때는 재불량
품이 나오지 않도록 대책을 수립한다.
즉, 완성된 물건을 보다 좋게 하기 위해 항상 개선하는 일을 한다.
품질보증의 주요 업무 내용은 다음과 같다.
　1.제품 기획 업무
　2.설계 단계에서 불량 예방 계획 수립
　3.공정 감사, 내부 감사
　4.승인사양서 작성
　5.유해물질 자료 작성
　6.고객 Claim 대응
　7.기술 자료 준비
　8.고객 내사 대응
　9.5S 관리
　10.품질매뉴얼 작성, 유지 관리
　11.법정 교육 관리
　12.5STAR 관리(HMC 품질 인증제)
　13.SQ 관리(1차 기업 품질 인증제)
　14.ISO9001 관리
　15.IATF16949 관리
　16.각종 인증 관리
　★
*품질보증과 품질관리의 차이점
　-품질보증은 제품이 완성된 후 여러 가지의 대응을 하는 것을 말
　　하고, 품질관리란 제품이 완성되기 전의 단계에서 관련되는 것
　　을 말한다.

★ Yahoo. Japan. 品質保證と品質管理の違いから 인용함.

4-2-3.문제 해결 기법

생산기술자는 Project 진행 중이나 현재 생산 중인 Line에서 발생하는 문제점 해결 능력을 배양하기 위해서는, FMEA 자료를 잘 활용할 줄 알아야 하고, 공법 검토 시 Maker의 풍부한 경험을 잘 이용할 줄 알아야 하고, 또한 타사를 벤치마킹하여 자사에 잘 활용할 줄 알아야 한다.

교육 관련으로는 QC 7가지 도구(Pareto 도표, 특성요인도, Check sheet, Histogram, 산점도, 층별, Graph), 신QC 7가지 도구(연관도법, 친화도법, 계통도법, 매트릭스도법, 매트릭스 데이터 해석법, PDPC법, 애로 다이어그램법), 6Sigma, 창의적 문제해결 기법(TRIZ), 5Why 등을 스스로 학습하거나 교육 프로그램에 참여하여 배워야 한다.

이러한 많은 문제 해결 기법을 이론적으로 배웠다고 해서 경험도 없이 현장에 바로 적용하기에는 무리가 있다.

6Sigma 같은 경우에는 TFT를 구성하여 내용을 파악한 후, 문제점, 현상, 원인, 대책을 수립하여야 하는데 과거의 경험상 약 4개월이 소요되었던 적이 있었다. 교육과 병행하여 실시함으로써 많은 시간이 소요되었던 것은 사실이나 내용 자체의 용량이 방대한 것도 사실이다.

따라서 이러한 사유로 생산기술자가 많이 사용하는 기법은 5Why 기법을 활용하여 문제점을 나열하고 그에 따른 현상과 원인, 대책 수립, 담당자, 일정 등을 작성하여 관리하는 것이다.

문제를 해결하는 요소 중에 가장 중요한 것은 시간이다. 현재 불량이 발생하여 생산이 중단되어 있다고 보면, 현장에서 현물을 보보면서 조치 방안을 즉시 내려야 한다. 조치에 시간이 걸린다고 판단하면 관련자 회의를 실시하여 대책을 마련한다. 대책 준비에 시간이 걸릴 경우 생산에 지장을 주지 않은 임시 대책을 수립하여야 한다.

4-2-4.생산기술과 품질관리

　현장에서 발생하는 부적합 제품은 돌발적으로 발생하는 것과 만성적으로 발생하는 것으로 크게 나눌 수 있다. 돌발적으로 발생하는 것은 간단히 해결할 수 있지만, 만성적으로 발생하는 것은 생산부문만이 자체적으로 해결하기 어려운 일이다. 이때 생산기술이 적극적으로 참여하여 개선해야 한다. 무엇보다도 중요한 것은 이러한 만성 불량이 나타나지 않는 4M을 구축할 수 있는 능력을 갖춘 생산기술자가 되어야 하는 것이다.

<생산기술자의 품질관리에 대한 사고>
1.QCD를 만족하는 생산 시스템 구축
　　QCD는 4M이 구축되기 전에 이미 결정되어 탄생한다. 즉, 생산기술자가 어떤 사고를 가지고, 어떤 기술적인 Idea나 Data를 4M에 반영하였는가에 따라 나타나는 것이다.
　　제1장에서 거론한 기본과 원칙을 잘 준수하여 4M을 단계적으로 준비한다면 만성 불량으로 인한 원가 상승이나 납품 지연 등의 문제는 일어나지 않을 것이다.
　　-기본 :도면, 장비 List, 설비 Layout, 설비제작사양서, 설비견적사양서, 고정자산관리대장, Utility list, 작업표준서, 작업요령서, 유지류 List, 자주검사 Gage list, 설비점검 Check Sheet, 금형관리대장, Man Machine Chart, 소모품관리대장, FMEA 등을 갖추는 것.
　　-원칙 : 기본을 실제로 행하고 관리하는 것.
2.공정 능력 이해
　　앞 장에서 설명한 CP, CPk를 이해하고 설계나 현장을 리더해야 한다. 즉, 고객이 요구하는 CPk가 너무 과하지 않은지, 어떤 설비가 어떤 공차를 어느 수준까지 CPk를 만족하는지 판단할 수 있는 능력이 필요하다. 이러한 능력을 배양하기 위해서는 자사의 Data나 고객의 경험치, 타사의 자료 분석 등을 꾸준히 할 필요가 있다.

3.측정 방법 이해

설비에서 가공한 제품을 품질에서 정도 측정을 할 경우 품질관리에만 맡기고 결과만 볼 경우 나타나는 현상은 반복적인 수정 작업이 나타날 수 있다는 것이다. 측정기의 측정점와 Jig의 기준점을 동일하게 놓고 측정을 해야 반복 수정 작업이 일어나지 않는 것이다. 즉, 생산기술에서 제품 측정을 의뢰할 때 Jig point를 표시해서 제품을 넣어주고 처음에는 측정 상황을 함께 보는 것이 중요하다.

4.도면 이해

"3-2-2.도면 보는 법"에서 설명한 도면 보는 법을 이해한다.

5.문제 해결 기법 이해

생산기술자는 Project 진행 중이나 현재 생산 중인 Line에서 발생하는 문제점 해결 능력을 배양하기 위해서는 많은 노력을 해야 한다. FMEA 자료를 잘 정리하고 이용하여야 하며, 공법 검토 시 업체의 풍부한 경험을 잘 이용하여야 하며, 타사의 경험을 벤치마킹하여 활용하여야 한다. 교육 관련으로는 QC 7가지 도구(Pareto 도표, 특성요인도, Check sheet, Histogram, 산점도, 층별, Graph)나 6Sigma, PDCA Cycle, 5Why, 창의적 문제 해결 기법(TRIZ) 등을 스스로 학습하거나 교육 프로그램에 참여하여 배워야 한다.

6.Leadership

생산기술자는 Project 책임자로써 사내에서 발생하는 문제점을 해결하기 위해서나, 사외의 업체들 간의 업무 소통을 원활히 하기 위해서나, 국내외 출장 시 팀의 리더 혹은 회사 대변인으로서의 역할을 다함으로써 Leadership이 배양되는 것이다.

사내에서의 역할은 문제점이 발생하면 안건을 수립하여 관련 담당자들에게 회의 안건, 일정, 시간, 장소 등을 공지한다. 안건에 대한 책임자를 사전에 지정하고 회의 전에 대책안을 수립하여 참석할 것을 요구하고, 그 대책안이 완료될 때까지 Follow up해야 한다. 사외에서는 대외 업체 간의 소통이나 출장 시 팀을 리드하여 팀의 리더로서, 회사의 대변인으로서 역할을 한다.

4-2-5.품질 확보 방안

공법이 확정되어 4M(Man, Machine, Method, Material) 발주가 되기 전에 고객이 요구하는 품질을 만족하기 위한 방안을 확보하여야 한다. 이미 4M이 발주되어 버리면 품질 개선을 위해 많은 시간과 비용이 추가로 발생하기 때문에 생산기술에서는 공법 확정 단계에서 품질 확보 방안을 다음과 같이 준비한다.

1.자체 설비제작사양서를 구비한다.
 -이것은 가장 중요한 품질 확보 방안으로 OEM의 설비제작사양서를 입수하여 내부 관련자와 협의하여 자체 설비제작사양서를 제작하고 설비 Maker에게 견적 시 제공한다.
 -자체 설비제작사양서가 없으면 각 설비 업체별 가격 차이가 최대 2배를 보인 적도 있기 때문에 반드시 구비하여야 한다.
 -상세는 "3-7.설비제작사양서" 를 참조 바람.
2.견적사양서를 작성한다.
 -자체 설비제작사양서 기준으로 설비별 견적사양서를 작성하여 설비 업체에게 의뢰하여 동일한 사양 기준으로 견적이 접수되도록 한다.
 -견적가를 비교할 때 견적가의 차이나 사양 누락, 과잉 사양 등을 파악하기 용이하다.
 -상세는 "6-1-3.견적사양서" 를 참조 바람.
3.신기술, 신공법을 적용한다.
 -국내, 국외 공작기계전시회를 참가한다든지, 잡지, 유수의 공작기계 업체의 경험 등을 바탕으로 신기술, 신공법을 적용한다.
 -이때는 반드시 업체 실사 후 실제로 생산 중인 설비를 확인하고 효과를 파악하여야 한다.
4.PFMEA 활용한다.
 -기존 생산 Line에서 발생하였던 문제점과 대책을 정리한 PFMEA

자료를 신규 프로젝트에 적용한다.

5. 타사 Benchmarking 실시한다.

- 타사에서도 유사한 Item을 생산하고 있기 때문에 벤치마킹하여 당사에 적용 가능한 것을 선정하여 실시한다.

6. 공구파손검지장치를 설치한다.

- 최근에는 기술이 발달하여 공구파손검지장치 이외에, 공구마모 여부도 자동으로 감지하여 자동으로 공구를 교환한다. 물론 비용적인 문제를 고려하여 어디까지 적용할 것인지를 결정한다.

7. 소재착좌확인장치를 설치한다.

- 소재가 크고 넓을 경우에는 Clamp 시 밀착이 정확히 되지 않아 치수 불량이 나타날 수 있으므로 반드시 소재착좌확인장치를 설치한다.

- 소재착좌확인장치는 이물질이나 Coolant 등에 의해 Sensor 감지부에 Error가 발생하지 않도록 설계를 한다.

8. Fool proof 장치를 설치한다.

- 설비 투입구의 Work의 자세를 확인한다.

  예: Front 전면 및 상면 UP

- 설비 내 투입된 Work의 자세를 확인한다.

  자동일 경우 소재가 흘러가는 중에는 문제가 없으나, 설비가 중단되는 문제가 발생하여 소재를 작업자가 들어내서 다시 올리게 될 경우 작업자 실수로 반대로 투입되는 것을 인식하게 한다.

- 압입기의 압입 높이나 압입력을 측정한다.

- Leak tester의 Leak량을 측정한다.

- 조립기의 조립 방향이나 조립 높이, Torque를 측정한다.

- 각 종 Hole의 경과 위치를 자동으로 측정한다.

9. SPC를 구비한다.

- SPC(Statistical Process Control)란 통계적 공정 관리로 각 공정에서 중요한 치수를 자동으로 측정하고 DATA를 보관하여 통계적으로 분석하여 공정을 관리하는 것을 말한다.

-주요 DATA는 압입기의 높이나 압입력, Leak tester의 Leak량, 조립기의 조립 높이나 Torque, 자동검사기에서 측정한 Hole에 대한 경이나 위치, 높이 등이다.

10.Lot 추적 방안을 수립한다.

-당사 제품이 OEM에 공급되어 조립된 후 고객에게 인도되어 차량이 운행된다고 보면, 차량에서 문제점이 발생되어 Claim이 나타나는 시점은 언제인지 알 수가 없다. 즉, 불량 제품이 어느 정도 있는지 알 수 없기 때문에 조사 범위를 정하기 어렵고 만약 전수 조사를 한다고 하면 엄청난 비용이 발생하기 때문에 생산 제품에 Lot 마킹을 한다.

-Lot 마킹은 제조년월일시분까지 나타낸다.

-Marking 방법은 다양하여 수작업, Dot marking, Laser marking, QR Code marking 등이 있다.

11.알루미늄 제품의 취급 시 발생하는 흠 방지 대책을 세운다.

-Loading & unloading부, Conveyor, Stopper, Jig & Fixture, 기준 Pin, 기준 Pad, Clamp 부위 등.

12.완성품 Pallet는 제품의 흠이나 미세 먼지 등의 대책을 세운다.

-간지, 비닐 Cover 패킹 등을 준비한다.

13.알루미늄 제품일 때 Leak tester는 주변 온도에 영향을 받기 때문에 설치 위치나 투입 전 소재 온도 관리를 하여야 한다.

-공장에 설치 시 문 앞에 설치하면 겨울 철에 문을 여닫는 것 때문에 온도의 영향을 받아 NG품이 OK품으로 인식하는 경우가 발생한다. 공장의 냉난방이 잘된다면 이런 문제는 없을 것이다.

-공장의 냉난방과 관계없이 Leak tester 전 공정은 대부분 Washing 공정으로 이루어져 있고, Washing 시 사용하는 온도가 대략 60℃로 고온이기 때문에 알루미늄 제품은 팽창하여 있는 상태라고 보면 된다. 이런 상태에서 바로 Leak test를 실시하면 위 사례의 반대 경우가 발생하여 또한 OK품이 NG품이 된다. 이때는 제품의 두께나 크기에 따라서 차이가 있지만 경험상의

DATA를 볼 때 약 30분의 대기 시간을 주면 상온이 되어 반복 측정을 할 경우 오차가 없는 것을 알 수 있었다.

즉, 30분 간의 재공 Stocker가 필요하다는 것이다.

14. NG품 자동배출장치를 설치한다.

NG품이 혼입되지 않도록 자동 측정 후 설비 후방으로 Conveyor 를 설치하여 자동으로 배출하는 것을 말한다.

15. 이종 혼입 방지 대책을 수립한다.

- 현장에 제품 형상이 유사한 것이 있을 때는 마킹으로 자동 인식 하거나 제품의 소재 형상을 다르게 하여 인식할 수 있도록 한다.

16. 흐름생산 방식을 채택한다.

- 한 개의 Line을 일자형이나 U자형 또는 L자형으로 하여 후 공정 에서 발생한 부적합 상황을 전 공정에 신속히 전달하여 대책을 즉시 실행할 수 있도록 한다.

- 또한 작업자나 관리자가 Line 상황을 한 눈에 볼 수 있게 한다.

*품질 확보 방안

品
質
確
保
方
案

1.자체 설비제작사양서를 구비한다.

2.견적사양서를 작성한다.

3.신기술, 신공법을 적용한다.

4.PFMEA 활용한다.

5.타사 Benchmarking 실시한다.

6.공구파손검지장치 설치한다.

7.소재착좌확인장치 설치한다.

8.Fool proof 장치 설치한다.

9.SPC(Statistical Process Control)를 구비한다.

10.Lot 추적 방안을 수립한다.

11.알루미늄 제품의 취급일 때 발생하는
흠 방지 대책을 세운다.

12.완성품 Pallet는 흠이나 미세 먼지 등의
대책을 세운다.

13.알루미늄 제품일 때 Leak tester는 주변
온도에 영향을 받기 때문에 설치 위치나
투입 전 소재 온도 관리를 하여야 한다.

14.NG품 자동배출장치를 설치한다.

15.이종 혼입 방지 대책을 수립한다.

16.흐름 생산 방식을 채택한다.

4-3.소재도면
4-3-1.소재도면이란

소재란 기본이 되는 원료나 재료를 말하며, 그 원료나 재료를 가지고 어떤 형태의 제품을 만들기 위한 도면을 소재도면이라 한다. 설계에서는 소재부서에도 동일한 절차로 시작도면과 양산도면을 배포하고 양산도면이 되기까지 가공부서와 협의하여 승인을 득한다. 승인 협의의 중요한 내용은 첫째, 소재의 가공 여유량 결정, 둘째, 소재기준점과 가공 기준점을 동일하게 결정하는 것이다.

우선 가공 여유량에 대해서 보면 일반적으로 다이캐스팅품, 단조품, 주조품에 따라 사양이 결정되어 있고, 소재도면에 표기하게 되어 있다. 따라서 생산기술에서는 소재도면을 승인할 때 반드시 가공 여유량이 적합한지 여부를 확인하여야 한다.

두 번째로 소재 기준점이 어디인지 확인하여야 한다. 완성품도면을 보면 가공을 어디 기준으로 하여야 한다고 대부분 알 수 있다. 또한 최근에는 완성품도면에 가공 기준점을 표기하여 소재와 가공에 반영하도록 하는 경우가 많다.

"제3장"에서 설명하였듯이 도면에 가공 기준점을 X축(X1,X2), Y축(Y1, Y2,Y3), Z축(Z1,Z2)로 표기되어 있다. 즉, 소재도 동일하게 완성도면에 표기되어 있는 가공 기준점을 소재 기준점으로 사용하여야 하는 것이다. 생산기술에서는 소재도면을 승인할 때 반드시 확인하여야 하는 업무이다. 만약 소재 기준점과 가공 기준점이 다르게 되면 가공할 때마다 제품의 정도 산포가 나타나게 되어 정도 수정 작업에 많은 시간을 소비할 뿐 아니라, 정도 수정 작업을 한다고 해도 일정한 정도를 보증하기 어렵게 된다.

또한 소재부서에서도 소재 정도를 수정하는데도 애로사항이 발생하는 것은 당연한 일이다. 따라서 생산기술에서는 어떤 Project가 발생하여 소재를 신규로 제작하게 되면 반드시 소재부서에게 소재 승인도를 요청하여 가공 기준점을 소재 기준점과 일치화하여야 한다.

4-3-2. 소재 소요 계획

소재 소요 계획이란 해당 Line의 각 공정별로 가공 시 필요한
소재를 수량, 시점, 용도별로 수립하는 것을 말한다. 소재는 용도
에 따라 Proto용과 Pilot용, 양산준비용으로 나눌 수 있다.
Proto용은 설계부서에서 시작용 차량을 제작하기 위해서 요구하
는 것으로 도면 또한 Proto도면을 기준으로 한다. 수량은 Test 용도
에 따라 요구되기 때문에 수량은 그때 그때 다르게 되고, 시점은
대체적으로 3회 정도로 나누어 요청되는 경우가 많다.
Pilot를 제작할 때는 많은 시간과 비용이 필요하므로 업체는 경험
과 실적을 고려하여 선정한다.
Pilot용은 마찬가지로 설계부서에서 필요한 것으로 Pilot용 차량을
제작하기 위해서 요구된다. Pilot는 Pilot1과 Pilot2의 2단계로 양산
시점 4개월 , 2개월 정도 전에 요청된다. Pilot는 양산도면 기준으로
양산 설비를 이용하여 제작하여야 한다.
양산준비용은 크게 3가지로 나눌 수 있다.
첫째, 설비 검수용, 둘째, 공정 Tryout용, 셋째, Line Tryout용이다.
설비 검수용은 해당 공정의 설비가 제작되었을 때 소재를 설비
제작업체에 보내면 설비 제작업체에서 Jig & Fixture Setting 및 정도
작업을 하기 위한 것이다.
공정 Tryout용은 설비가 자사에 입고되면 각각의 C/T, 정도,
Jig & Fixture와 공구의 적합성 등을 확인하기 위함이다.
Line Tryout용은 공정 간 누적 공차 문제, 가공 후 설비와의 간섭,
자동화 설비의 Clamp 장치나 이송 장치와의 간섭 문제 등을 파악
하기 위함이다. 필요한 소재 수량은 설비 정도 확인 절차로 1차
1EA, 2차 3EA, 3차 연속하여 20EA 가공하여 5EA Sample 측정을 한
다. 3차로 가공한 5EA로 CPk Data를 산출한다. 설비 검수용의 수량
은 1차, 2차에 해당하는 수량 정도만 준비하고, Line Tryout용은
1일, 1주일, 1개월의 계획을 세워 이에 맞는 수량을 준비한다.

<소재 소요 계획>

단계	용도	상세
제품 기획		
제품 설계 및 개발	Proto용	1.설계의 요청에 따른 시작 차량용 2.회수는 3회 정도 3.수량은 약 200~300개 정도 4.제작은 외주 업체
공정 설계 및 개발 단계	설비 제작용	1.설비 제작업체에서 사용 2.수량은 1차(1EA), 2차(3EA), 3회
	공정 Tryout용	1.자사 내 시운전용으로 사용 2.수량은 1차(1EA), 2차(3EA), 　3차(20EA), 3회 정도
	Line Tryout용	1.Line 전체 연속 가공 시 사용 2.수량, 4시간/일, 주간, 월간 소요
품질 확보 단계	Pilot1	1.설계의 요청에 따른 Pilot 차량용 2.수량은 200~300EA 3.제작은 양산용 설비
	Pilot2	1.설계의 요청에 따른 Pilot 차량용 2.수량은 200~300EA 3.제작은 양산용 설비
양산 단계		

[호텔 업무 프로세스 비교]

1.일반적인 호텔

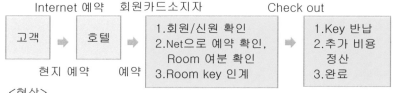

Internet 예약   회원카드소지자   Check out

현지 예약   예약

<현상>

1)Internet으로 예약 확인하며 업무 진행이 빠르다.

2)직원이 적다.

2.특이한 프로세스 호텔

본 호텔은 일본의 유명한 캡슐호텔로 많은 방을 소유하고 있으며
탈의실과 Room을 별도로 관리하고 있어 목욕탕용 형태의 Key를
소지하고 있다.

일본 캡슐호텔은 대부분 동일한 프로세스이다.

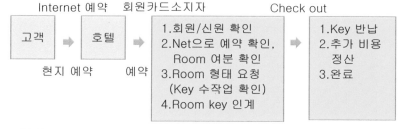

Internet 예약   회원카드소지자   Check out

현지 예약   예약

<현상>

1)내부 Net 상태가 느리다.

2)Room도 많지만 Key를 바구니에 담아 보관함으로써 고객의 요구
  Room 형태의 Key를 찾는데 시간이 많이 걸린다.

3)회원카드를 발행하지만 예약 시 Net에 등록 기능이 없어
  Check in 때 다시 예약 내용을 확인하는데 시간이 많이 걸린다.

4)결국 전체적으로 업무가 지연되어 대기 줄이 길게 늘어선다.

5)직원이 많이 필요하게 되어 인건비가 상승한다.

제5장 가공공정표

가공공정표란 제품을 생산하기 위해서 각 설비별로 편성효율이 최적인 상태의 공정 배분을 하여, 공정 No, 공정명, 설비명, 기종명, 부품명, 공정별 가공 상세 내역, 기준면 위치, Clamp 위치, Work flow, 관련 측정구 사양, 작성자 및 승인자, 개정 이력 등을 상세히 작성한 것을 말한다.

가공공정표 상의 가공 상세 내역을 우선 정하고 Cycle time을 계산하여 최적의 편성효율이 되도록 배분하여야 하고, 또한 Jig & Fixture의 간섭 여부 등도 함께 고려하여야 한다. 공정을 바꾸려고 해도 Jig & Fixture의 간섭으로 변경이 안될 경우도 있기 때문이다.

5-1.가공공정표

가공공정표란 제품을 생산하기 위해서 각 공정별로 최적의 편성 효율이 되도록 공정 배분을 한 것으로, 공정 No. 공정명, 설비명, 기종명, 부품명, 공정별 가공 상세 내역, 기준면 위치, Clamp 위치, Work flow, 측정 기구, 개정 이력 등을 상세히 작성한 것을 말한다.

가공공정표 작성 시 설비의 형태나, 공구와 Jig & Fixture의 사양에 따라 공정 배분을 검토해야 한다. 설비의 형태란, 만약 설비가 MCT일 때 보유 공구 수량 부족으로 해당 공정에서 가공할 수 없을 수도 있고, 공구 사양이나 Jig & Fixture의 사양에 따라 공구가 Jig & Fixture에 간섭이 발생하여 가공할 수도 없기 때문이다.

가공공정표는 공차의 영역에 따라 Rough 공정, Semi finish 공정, Finish 공정으로 나누고 해당 공정에 필요한 설비를 선정한다. 물론 공정이 간단한 제품일 경우는 Rough 공정 또는 Semi finish 공정 만으로 구성할 수도 있다.

Finish 공정은 그 정도 여하에 따라 생산기술에서 경험이나 업체의 조언이나 타사의 사례 등을 파악하여 국내 설비로 할 것인지 국외 설비로 할 것인지를 판단하여 결정하여야 한다.

국외 설비는 납기와 비용의 문제가 발생하기 때문에 검토한 내용을 Owner에게 보고하여 승인을 득한다. 일부 기업에서 국외 설비를 국내 설비와 경쟁을 시켜 견적을 받는 경우가 있는데, 이때 대부분 국내 업체에서 가능하다고 견적에 참여하는데 이것은 상당히 위험한 판단이므로 신중히 고려한다.

가공공정표 작성 시 중요한 것은 누적 공차를 확인하는 것이다. 누적 공차 확인은 공차 차트(Tolerance Chart)를 활용하는데, 이것은 해당 공정에 전후 공정의 치수를 전부 기입하여 누적 공차가 적합 한지 여부를 확인하는 것을 말한다.

누적 공차를 확인하지 않고 생산을 할 때 미가공 또는 과잉 가공 등의 불량이 발생할 수 있으므로 반드시 확인 작업을 한다.

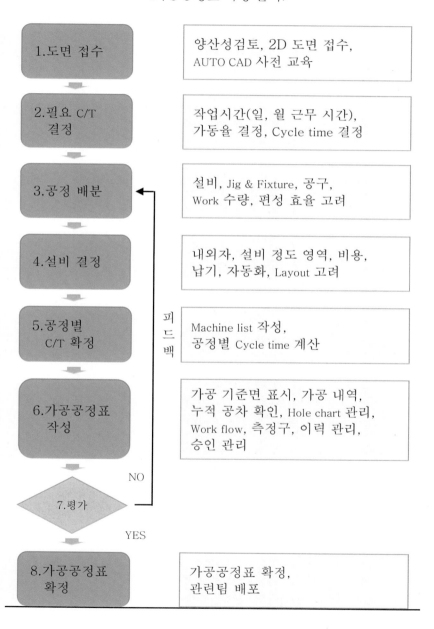

<가공공정표 작성 순서>

| 1.도면 접수 | 양산성검토, 2D 도면 접수, AUTO CAD 사전 교육 |

| 2.필요 C/T 결정 | 작업시간(일, 월 근무 시간), 가동율 결정, Cycle time 결정 |

| 3.공정 배분 | 설비, Jig & Fixture, 공구, Work 수량, 편성 효율 고려 |

| 4.설비 결정 | 내외자, 설비 정도 영역, 비용, 납기, 자동화, Layout 고려 |

| 5.공정별 C/T 확정 | Machine list 작성, 공정별 Cycle time 계산 |

| 6.가공공정표 작성 | 가공 기준면 표시, 가공 내역, 누적 공차 확인, Hole chart 관리, Work flow, 측정구, 이력 관리, 승인 관리 |

| 7.평가 | NO |

피드백

| 8.가공공정표 확정 | 가공공정표 확정, 관련팀 배포 |

YES

★
*가공공정표 양식

가공/QC 공정표
(Process Sheet for Machining and Quality Control)
(/)

| DATUM | ⁄⁄⁄ | |
| CLAMP | 주:⊏⇨보: ➡ | ※WORK FLOW :LEFT → RIGHT |

NO	관리기준 SPEC	측정구 GAGE	빈도 SMPL	측정구 GAGE	빈도 SMPL	NO	관리기준 SPEC	측정구 GAGE	빈도 SMPL	측정구 GAGE	빈도 SMPL	NO	개정내용 Revision	EO.NO	일자 Data	작성 Design	승인 Approval
		생산부문 Manufacturing Dev.		품질부문 Quality control Dev.				생산부문 Manufacturing Dev.		품질부문 Quality control Dev.							
공정번호 OP·NO 10(/)		기종 Model		부품명 Parts Name			공정명 Operation						작성 부서		작성 Design	검토 Review	승인 Approval

*가공공정표 작성 시 주의사항

1. 치수 기입은 정확하고 알아보기 쉽게 작성한다.
2. 치수 기입은 도면에 나타난 치수를 사용한다.
3. 투상법(제1각법, 제3각법)은 도면에 나타난 것과 같이 한다.
4. 치수 누적이 발생할 경우 알기 쉽게 전후 치수를 ( )를 사용하여 표기한다.
5. 한 장에 한 공정을 다 표현하기 어려울 때는 나누어서 한다.
6. 가공 기준면 표시를 명확히 한다.
7. Clamp 위치를 표시한다.
8. 사용 중 변경이 발생할 경우 개정 내용을 반드시 기입한다.
9. Hole이 많을 경우 반드시 Hole no를 부여하고 표기한다.
10. Work flow를 표시한다.
11. 측정구의 사양을 명확히 기입한다.

★ 현대자동차 양식 인용함.

5-2.작업표준서

★

작업표준과 표준작업이라는 것이 있는데 그 차이점에 대해서 간략히 설명하면, 작업표준이란 작업 방법, Cutter의 형상, 치수, 건조기 온도, 설비의 공기압 등 작업 방법, 기계 조작 등을 표준화한 것을 말하고, 표준작업이란 작업 순서, 시간, 표준 재공량 등을 정하고 이 순서에 시간을 정해 작업을 진행하면서 낭비가 없는 순서로 반복 작업이 가능하게 하는 것이다. 즉, 사람의 움직임을 중심으로 가치 있는 작업으로 구성하는 것을 말한다.

표준작업은 Tact time, 작업 순서, 표준 재공량의 3요소를 기준으로 작업 방법을 표준으로 정한 것이다. 이러한 표준작업을 준수하면서 안전하고, 효율적이고, 품질이 좋은 제품을 만드는 것이다. 영어로 작업표준은 "Operational Standard", 표준작업은 "Standardization"이다.

작업표준서란 작업의 방법이나 순서 및 기계 조작 등이 알기 쉽게 표준화시켜 기재되어 있는 것을 말한다.

작업자가 작업표준서를 바르게 준수하기 위한 3가지 사항은 ①관리자는 작업자의 작업 내용을 관찰하여 작업표준서를 준수하고 있는지 확인한다, ②작업표준서가 갱신되었을 경우 작업자에게 확인시켜 준다, ③작업표준서를 준수하지 않을 경우에는 반드시 주의를 준다. 즉, 작업자가 작업표준서를 바르게 준수할 수 있도록 확인하고, 변경 사항을 교육하고, 미준수 사항이 있을 경우 주의를 주는 역할을 해야 한다.

작업표준서는 다음의 2가지 형태인 양식 1, 양식 2로 나눌 수 있다. 양식에서도 알 수 있듯이 양식 1이 실질적인 작업표준서인데 사용하는 기업이 적고, 양식 2를 작업표준서라고 인식하고 사용하고 있다. 양식 2는 가공 내역, 사용 공구 사양, 자주검사 Gage 사양, 변경 이력 등을 기입한 것으로 가공공정표와 동일한 것을 알 수 있다.

작업표준은 위에서도 언급했듯이 작업 방법이나 기계 조작 등을

★ Yahoo. Japan. 作業標準と標準作業っ違うの에서 인용함.

● Yahoo. Japan. 品質管理の知識에서 인용함.

표준화한 것인데 이것을 정의하지 않고 작업자에게 교육도 하지 않고 생산을 한다면, 이것은 마치 신입사원에게 아무것도 가르치지 않은 상태로 작업을 하라는 것과 같은 것이다.

이것은 안전사고나 생산량 저하 및 불량률 다발로 이어질 가능성이 아주 높은 것이다.

따라서 생산기술에서는 작업표준서와 가공공정표를 엄연히 구별하여 작성할 필요가 있으며, 본서를 참고로 가공공정표를 작성하여 현장에 비치하여 QCD를 만족하는 제품을 생산하는 Line을 구축하여야 한다.

*작업표준서 양식 1(실질적인 작업표준서임)

Line명		공정명 : ○ ○ 작업 표준서		Cycle time	sec/ea	승인	작성
품번				정미시간	sec/ea		
사용공구							
순서	항목	내용		비고(도면)			
변경이력	년월일	내용				승인	작성

*작업표준서 양식 2

5-3.작업요령서

★

작업자가 작업표준에 의거하여 작업의 요령을 나타내는 지시서로
, 작업할 때 준수하지 않으면 안되는 규칙이나 감각, 요령 등, 의식
해서 작업하는 개소, 의식의 방법, 본연의 자세를 정리한 것이다.
작업할 때 필요한 기계의 조작, 치구의 교환, 기종 교환, 가공 작업
의 방법(부품의 쥐는 방법, 쥐는 위치, 부품을 조립할 때 접근 방법
등), 조립 기준, 사용하는 공구나 검사 규격 등 작업상에 특별히
필요한 주의사항을 기입한 것을 말한다.

"a-SOL의 카이젠 Menu"에서는 작업요령서는 다음과 같은 사유로
필요하다고 한다. 우선 현장에 있는 작업요령서를 정비하는 요령
은, 현재의 작업 내용을 즉시 개정하였나, 신입이 보든지, 경력자가
보든지 알기 쉽게 내용을 상세히 작성하였는가, 누가 교육을 해도
항상 동일한 작업 내용을 전달할 수 있는가이다.

이렇게 작업요령서를 정비하는 의미는 신입은 매회 바뀔 수 있고,
또한 교육 시키는 사람도 바뀔 수 있다. 만약 이러한 상황에 어떤
작업자가 "나는 자신이 작업하는 방식으로 조립을 하는 것이 빠르
고, 확인도 잊어 버리지 않는다" 라고 말할 때 관리감독자가 작업자
에게 그것은 맞지 않다 라고 말할 수 있을까 하는 것이다.

표준이 없는 작업 현장에 품질보증이 있을 수 없으며, 확실하게
효율이 상승하였다고 평가를 내리기도 어렵다.

*작업요령서의 작성 항목은 다음과 같이 한다.

1. 작업명, 품번, 품명, 공정명을 기재한다.
2. 도형으로 Layout을 작성한다.
3. 공정별 작업 내용을 상세히 서술한다.
4. 품질 확인 방법과 사용하는 Gage를 작성한다.
5. 작성이 완료되면 내부 결재를 득한다.
6. 작성된 작업요령서는 생산부서로 전달한다.
7. 생산부서의 요청사항이 있을 경우 수정하여 작성한다.

★ クォリティマネジメント用語辞典에서 인용함.

*a- SOL의 카이젠 Menu"에서는 작업요령서의 부착 위치를 다음과
같이 설명하고 있다.

1. 각 Line의 선두에 부착한다.
2. 책자로 만들어 보관하여 필요할 때 본다.

흔히 각 공정의 앞에 작업요령서를 게시하면 조금 거리가 있기
때문에 보기가 어렵고, 먼지나 기름으로 오염되어 잘 보이지 않
는 것이 많다. 그러한 것을 게시하는 것보다, 품질의 급소를 게
시한 품질 Check 요령서 등을 게시하는 것이 보다 의미가 있다.
작업요령서의 보다 중요한 목적은 가르치는 사람이나 교육을 받
는 사람이나 공히 이용이 쉽도록 하는 Tool이 되어야 한다는 것
이다. 매주 작업자가 바뀌는 Line이라면, 작업자 눈 앞에 항상 게
시하는 것이 맞을지도 모른다. 단, 지금 현장에 게시한 작업요령
서를 현장 작업자가 매일 확인하고 있을까를 현장에서 직접 작
업자의 행위를 확인해 볼 필요가 있다. 작업요령서 이외에도 현
장에 이용되고 있는 여러 가지의 게시물이나 요령서 등이 본래
의 목적과 같이 이용되고 있는지 확인하고 개선할 필요가 있다.

*작업요령서>

OOOO 작업요령서		품번	12345-67890	담당	승인	승인
		품명	Turbine Housing			
		공정명	완가공			
NO	작업 내용	품질		상세	도형	
		Check	Gage			
1	소재 Pallet에서 소재를 집어서 10공정 앞 Chute에 올려 놓는다			오른손으로 작업	00 → 10 → 20 → 30 → 40 → 50 → 60	
2	10공정의 가공된 소재를 뒤 Chute에 내려놓고 Jig에 Air gun으로 Chip을 제거한다		목시	Chip이 기준면에 있는지 확인		
3	10공정에 소재를 올린다			오른손으로 작업		
4	10공정 가공된 소재 자주검사 실시	1/20	Plug	20±0.05		
	~ 계속					

158

5-4.일반공차표

1.절삭가공

수치 구분	치수차		
	정급	중급	하급
0.5~3	±0.05	±0.1	±0.2
3~6			±0.3
6~30	±0.1	±0.2	±0.5
30~120	±0.15	±0.3	±0.8
120~400	±0.2	±0.5	±1.2
400~1,000	±0.3	±0.8	±2.0
1,000~2,000	±0.5	±1.2	±3.0

→도면에 수치차, 등급의 표시가 없을 경우에는 중급을 적용함.

→정급: 연삭, 중급: 일반 절삭 가공, 하급: 용접에 적용함.

2.탭구멍

탭	일반공차 허용차
M3	±0.2
M4~M6	±0.25
M8~M12	±0.5
M14~M27	±1.0

→도면에 수치차, 등급의 표시가 없을 경우에는 중급을 적용함.

3.C면취와 R 면취

치수	1공차	10공차
0.1이하	0	
0.1~0.2	-0.1	
0.2~0.3	-0.2	0.4
0.3~0.4	-0.3	
0.4~1.0	-0.4	
1.0초과	-0.5	0.5

4.각도 일반 공차

보통 치수에 대한 허용 편차				
10이하	10~50	50~120	120~400	400초과
허용치				
±1도	±30´	±20´	±10´	±5´

5.평면도, 직각도, 평행도

정도 수치		평면도				직각도				평행도			
		절삭가공		연삭가공		절삭가공		연삭가공		절삭가공		연삭가공	
초과	이하	정급	중급	정급	중급	정급	중급	정급	중급	정급	중급	정급	중급
0	25	0.02	0.03	0.01	0.02	0.03	0.04	0.01	0.02	0.04	0.06	0.015	0.03
25	75	0.03	0.05	0.02	0.02	0.04	0.07	0.02	0.03	0.06	0.1	0.03	0.05
75	250	0.05	0.07	0.03	0.06	0.07	0.11	0.03	0.06	0.1	0.15	0.05	0.09
250	500	0.1	0.15	0.06	0.12	0.14	0.21	0.06	0.12	0.2	0.3	0.09	0.17
500	1000	0.12	0.3	0.12	0.25	0.3	0.43	0.12	0.25	0.4	0.6	0.17	0.35
1000	2000					0.43	0.71	0.35	0.7	0.6	1.0	0.35	0.7

6.진직도, 진원도, 원통도

정도 수치		진직도				진원도				원통도			
		절삭가공		연삭가공		절삭가공		연삭가공		절삭가공		연삭가공	
초과	이하	정급	중급	정급	중급	정급	중급	정급	중급	정급	중급	정급	중급
0	25	0.02	0.03	0.01	0.02	0.02	0.04	0.007	0.01	0.04	0.06	0.015	0.03
25	75	0.03	0.05	0.02	0.02	0.03	0.06	0.01	0.02	0.06	0.1	0.03	0.05
75	250	0.05	0.07	0.03	0.06	0.04	0.08	0.015	0.03	0.1	0.15	0.05	0.09
250	500	0.1	0.15	0.06	0.12	0.05	0.1	0.02	0.04	0.2	0.3	0.09	0.17
500	1000	0.12	0.3	0.12	0.25					0.4	0.6	0.17	0.35
1000	2000									0.6	1.0	0.35	0.7

[제조업의 3대 Key word]

　제조업의 3대 Key word로 사람, 프로세스, 문화가 있다.
사람은 기업의 매출 성장에 동반하여 사람의 역량도 함께 강화하여야
하는데 실제적으로 잘 되지 않고 있다(도형 2참조). 도형 2에서 나타나는
매출 성장과 사람 역량 성장과의 차, 이것을 "GAP"이라고 하는데
"GAP"을 줄이는게 기업의 성패를 좌우한다.
　프로세스는 TS16949, OA(Office Automation), POP(Point of Production),
MES(Manufacturing Execution System), IOT(Internet of Things) SAP,
Oracle 등 여러 가지가 있지만 어떤 좋은 시스템을 구축하여 프로세스를
정립하여 놓아도 결국 실행하고 관리하는 것은 사람이다. 즉, 좋은 인재
를 육성하고 관리하는 것이 최고의 기업 성장의 밑거름이 되는 것이다.
　기업의 문화란 오랜 역사와 전통을 바탕으로 형성되는 것으로 이것
또한 사람에 의해서 나쁜 것은 개선하고 좋은 것은 유지, 관리함으로써
기업의 정신이 되는 것이다.
　"TOYOTA의 문화"로 실수를 적극적으로 공개하라, 겸손, 인간 존중,
책임은 "내" 가 아니라 "우리"가 진다, 자신에게 이로운 해결책과 개선안
을 스스로 찾는다, 만일 어떤 공정이던 활동 가치를 창출하지 못한다면
없애라(무다 제거), 5-Why, 현지 현물, 판매 순위 1위가 아니라
고객 만족 1위 목표, 결정 신중하게, 실행은 재빠르게 한다 등의
여러 가지가 거론되고 있다.

도형 1. 기업의 3대 Key word

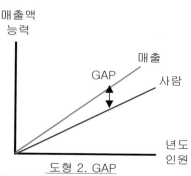

도형 2. GAP

제6장 견적

  해당 공정에 필요한 설비나 장치류 등을 발주하기 위해서 각 업체에 견적사양서를 배포하고, 협의해서 견적가, 견적사양서, Cycle time, Machine layout, 공구 사양, Jig & Fixture 사양, 제작 소요일 등을 정리한 서류를 견적이라고 한다.

  견적을 의뢰하기 위해서 중요한 견적사양서를 자체 설비제작 사양서 기준으로 작성하고, 견적 대상 업체를 기존 업체나 경험이 많은 신규 업체 등으로 동일한 수준의 설비 Maker로 정하는 것이다. 만약 수준의 차이가 "A"와 "C"가 되면 가격적인 차이를 현저히 보여 가격만 보고 구매부서에서 결정하기 쉽다.

  이것은 품질이나 납기 등의 문제를 야기할 수 있기 때문에 반드시 생산기술에서는 견적 대상 업체 선정 시 유사 수준의 업체를 선정하여 보고하고 결정한다.

6-1.견적
6-1-1.견적이란

"Wikipedia"에서 견적(見積)이란 금액, 양, 기간, 행동을 미리 개산(概算)하는 것이라고 말한다. 본서에서 다루는 견적이란 해당 공정에 필요한 설비나 장치류 등을 발주하기 위해서 각 업체에 견적사양서를 배포하고, 협의해서 견적가, 견적사양서, C/T, Machine layout, 공구 사양, Jig & Fixture 사양, 제작 소요일 등을 정리한 것을 말한다.

견적을 의뢰하기 전에 필요한 것은, 첫번째로 앞 장에서 설명한 자체 설비제작사양서로 각 공정별 견적사양서를 만들어야 한다. 견적사양서는 견적의 기준이 되므로 설비 개요, Work의 재원, Machine name, C/T, 정도 보증, 공정 상세, 자동화 여부, 기종 교환 방식,Feed unit, Jig & Fixture, Tooling, Transfer 방식, 반입 반출 방식, Chip conveyor 사양, 전기 사양, Spare parts, Machine layout을 상세하게 작성하여 설비 제작업체에 제공함으로써 공정한 경쟁이 될 뿐 아니라 견적 차이를 최소화할 수 있다.

두 번째로 견적 대상 업체를 기존 업체나 경험이 많은 신규 업체로 동일한 수준의 설비 업체로 정하는 것이다. 이것은 어떻게 보면 현재 가장 지켜지지 않고 있고 지키기 어려운 일이지도 모른다.

왜냐하면 대다수 업체에서 견적을 의뢰하면 할 수 있다고 하기 때문이다. 만약 "A"와 "C"가 경쟁을 하면 가격 차이가 많이 나서 가격만으로 구매부서에서 결정하기 쉽다. 이것은 품질이나 납기 등의 문제를 야기할 수 있기 때문에 반드시 생산기술에서는 견적 대상 업체 선정 시 유사 수준의 업체를 선정하여야 한다.

세 번째로 견적이 접수되면 Maker별 견적가 분석 및 예상 구입가 List를 작성하여, 항목별 단가를 세분화하여 단가 비교를 하고, 사양을 분석하여 누락이나 추가 사항이 있는지 확인하여 업체에 다시 수정 견적을 요청한다. 업체에 수정을 요청할 때는 반드시 기한을 제시하여 전체 일정에 차질이 없도록 한다.

6-1-2.견적 업무 Process

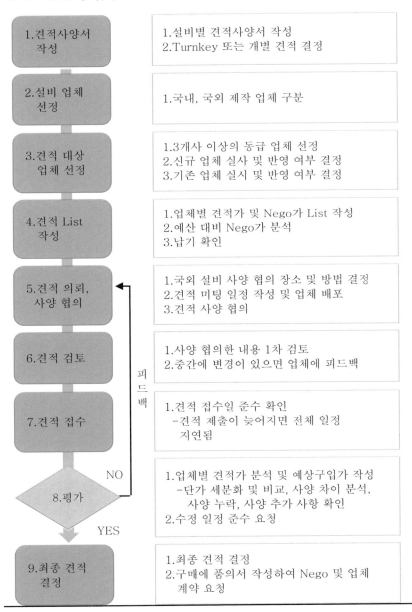

| 1.견적사양서
작성 | 1.설비별 견적사양서 작성
2.Turnkey 또는 개별 견적 결정 |

| 2.설비 업체
선정 | 1.국내, 국외 제작 업체 구분 |

| 3.견적 대상
업체 선정 | 1.3개사 이상의 동급 업체 선정
2.신규 업체 실사 및 반영 여부 결정
3.기존 업체 실시 및 반영 여부 결정 |

| 4.견적 List
작성 | 1.업체별 견적가 및 Nego가 List 작성
2.예산 대비 Nego가 분석
3.납기 확인 |

| 5.견적 의뢰,
사양 협의 | 1.국외 설비 사양 협의 장소 및 방법 결정
2.견적 미팅 일정 작성 및 업체 배포
3.견적 사양 협의 |

| 6.견적 검토 | 1.사양 협의한 내용 1차 검토
2.중간에 변경이 있으면 업체에 피드백 |

| 7.견적 접수 | 1.견적 접수일 준수 확인
 -견적 제출이 늦어지면 전체 일정
  지연됨 |

피
드
백

| 8.평가 | NO | 1.업체별 견적가 분석 및 예상구입가 작성
 -단가 세분화 및 비교, 사양 차이 분석,
  사양 누락, 사양 추가 사항 확인
2.수정 일정 준수 요청 |

YES

| 9.최종 견적
결정 | 1.최종 견적 결정
2.구매에 품의서 작성하여 Nego 및 업체
  계약 요청 |

6-1-3.견적사양서

견적사양서란 자체 설비제작사양서를 근거로 각 공정에 필요한 설비 사양, 공구 사양, Jig & Fixture, 요구 Cycle time, 정도, 자동화 등의 견적 사양을 요약한 것을 말한다.

견적 사양의 상세는 다음과 같이 구성한다.
1)설비 Concept
 발주 설비의 공정 상세 내용을 작성한다.
2)소재 품번, 도번, 재질, 경도, 기종별 사양 비교표
 -대상 Work의 종류와 품명, 도번을 작성한다.
 -기종별 재질, 경도, 중량을 기입한다.
 -기종별 사양 비교표를 개략적으로 작성한다.
3)Machine name
4)Cycle time
 -절삭 시간과 비절삭 시간으로 나누어서 작성한다.
5)정도 보증
 -Cpk 요구 정도에 대해서 항목별로 명확히 확인하여 요구한다.
6)Station별 작업 내용과 Spec
7)Work flow(소재 흐름)
 -Work flow는 Machine layout과 공장 내의 물류 흐름과도 관계가 있으므로 반드시 사전에 결정한다. 즉, 좌→우, 우→좌로 표기한다.
8)Work 자세
 -Work 자세 변화가 없도록 Layout을 배치한다.
 일자형, U자형, O자형 등의 일자 형태로 흐름생산이 되게 한다.
 상하 이동이나 전후 이동 등의 자세 변화 장치가 없도록 설계한다. 이렇게 함으로써의 장점은 Lead time을 단축할 뿐 아니라 필요 없는 자세 변환 장치 설비 비용이나 이로 인한 고장 개소 증가를 사전에 막을 수 있다.

9)Machine height(설비 높이)

  -Machine의 반입부, 기계 내, 반출부의 각각의 높이를 지정한다.
  반입부가 Conveyor로 되어 있다고 보면 소재의 바닥면과 설비
  내의 Jig의 바닥면 높이가 일치하여야 한다는 것이다. 다행히
  설계 단계에서 확인하여 수정을 하게 되면 문제가 없으나, 설비
  가 입고되어 설치 시 간섭이 발견되어 조치하려면 많은 시간과
  비용이 발생한다. 즉, 높이 조정 장치를 별도로 제작하여 설치
  하지 않으면 안된다.

10)Floor space(바닥 면적)

  -Floor space란 설비를 바닥에 놓았을 때의 가로와 세로의 길이
  를 말하며, 이것은 대부분 설비 업체에서 결정한다.
  Machine layout을 그려서 전후 공정과의 연결 상태 확인이나
  Line에 소요되는 전체 면적이 얼마인지 파악하는데 필요하다.

11)기계 중량

  -표준 설비 이외의 전용 설비는 반드시 설비에 중량을 표시한
  다. 지게차로 설비를 설치할 때 중요한 치수이다.

12)자동화

  -최근 최저임금 책정으로 인건비가 상승하여 설비 투자를 자동
  화로 검토하여 인원을 줄이려는 기업이 늘고 있다. 자동화는
  비용 문제가 있기 때문에 초기에 투자할 것인지, 아니면 양산
  중에 추가 투자를 할 것인지를 사전에 결정하여야 한다.
  수동 설비를 양산 중에 자동으로 변경하는 것은 가능할 수도
  있지만, 초기 투자비 대비 더 많은 비용이 소요될 수도 있다.

13)기종 교환

  -기종 교환이 있는가.

  -교환 내용은 무엇인가.

  -생산 방식은 Lot 혹은 Random인가.

  -교환 주기는 회당 몇 시간이 걸리는가.

  -교환 시간은 회당 몇 분이 걸리는가

-교환 방법과 기종 교환부의 범위는 어떻게 되는가.

14)Feed unit

-최근의 설비는 대부분 NC 방식을 사용하고 있기 때문에 사양을 별도로 지정할 필요가 없지만, 전용 설비 등을 고려할 경우는 C/T이나 정도 여부를 판단하여 유압 방식이나 NC 방식을 결정한다.

15)Jig & Fixture

-Work 착좌 확인 장치는 필요한가.

-치구 청소는 자동으로 고려하였는가.

-Work 유무 장치는 필요한가.

16)Tooling

-공구 파손 장치는 필요한가.

-공구 예비품에 대한 List, Maker, Tool life, Tool spec, 수량 등을 기입하여 제출받는다.

17)집진 장치

-가공 설비는 대부분 Coolant를 사용하여 절삭을 하고, 이때 발생하는 Mist는 인체에 해롭고 다른 기기 작동에 악영향을 주기 때문에 집진을 하게 되는데 이러한 설비를 집진 장치라고 한다.

18)Transfer 장치

-반송 방식은 어떻게 할 것인가(Lift & carry, Slide & carry, Dial index, Manipulator, Robot 등).

-구동 방식은 어떻게 할 것인가(NC, Hyd 등).

-Loading work 수는 어떻게 할 것인가.

-반송 Pitch는 어떻게 할 것인가.

19)반입 Conveyor

-반입 Conveyor는 누가 만들 것인가.

-Conveyor 형식은 어떻게 할 것인가(Free roller, Top roll chain, Power roll, Friction slat, 기타).

-Escaper 장치는 있는가.

-Work 반입 장치는 있는가.

-Conveyor의 속도는 결정하였는가.

-Conveyor의 길이는 결정하였는가.

-설비와의 Interlock 방법에 대해서 결정하였는가.

20)반출 Conveyor

-반출 Conveyor는 누가 만들 것인가.

-Conveyor 형식은 어떻게 할 것인가(Free roller, Top roll chain, Power roll, Friction slat, 기타).

-Escaper 장치는 있는가.

-Work 반출 장치는 있는가.

-Conveyor의 속도는 결정하였는가.

-Conveyor의 길이는 결정하였는가.

-Full work switch는 필요한가.

-NG품 자동배출장치는 필요한가.

-설비와의 Interlock 방법에 대해서 결정하였는가.

21)자주검사대

자주검사대는 가공이 끝난 제품에 대해 정도 확인 작업을 하기 위해서 설치한 검사대를 말한다.

22)Turn over

-Work의 자세를 상면을 하면으로, 또는 그 반대로 변환시켜 주는 장치이다.

23)Turn table

-Work의 자세를 전면을 후면으로, 또는 그 반대로 변환시켜 주는 장치이다.

24)Chip 처리 장치

-Chip 처리 장치는 누가 만들 것인가.

-용량은 얼마인가.

표준 설비일 경우 대부분 Tank 용량이 작아서 Chip이 tank에 누적되어 Coolant가 넘치거나, 고장이 발생하거나, 처리되지 않은 Chip을 작업자가 비우는데 상당한 시간을 소비하고 있는 경우가 많이 있다. 따라서 제품에 따라 Chip량을 계산하여 표준품보다 큰 용량을 선정하는 것이 좋다.

알루미늄 제품에 표준 Chip tank를 사용할 때, 하루 2회 정도 바닥에 깔린 Chip 제거 작업을 해야 하는 불합리가 발생한다. 제품에 따라 회수 차이는 더 날 수도 있음.

-Chip 처리 방식은 적합한가(Screw, Magnet, Scraper 방식 등).

-Filtering system은 적합한가(Metal mesh, Paper, Cartridge,

Magnet, Cyclone, Centrifugal, Drum, 기타).

Paper filter 등 Mesh의 사양은 반드시 지정한다.

(예, Mesh 20μm 이하)

-Chip 배출 방향은 어디인가(후방, 측방 등).

-Chip 배출구 높이는 얼마인가.

-자동 온도 조절 장치는 필요한가.

Coolant Tank는 시간이 지나면 온도가 상승하거나 겨울에는 온도가 낮아 알루미늄 제품 같은 경우에는 제품이 팽창이나 수축 등으로 가공 후 치수 산포가 나타나게 되는 현상이 발생한다. 이것을 방지하기 위해서 Coolant 온도 자동조절장치를 설치하여 사용한다.

25)Hydraulic unit(유압 unit)

Hyd unit란 유압유를 사용하여 Work를 고정시켜 주거나,

Feed unit의 전후진 혹은 상하단 이송 시 필요한 동력원을 발생시키는 장치이다.

26)Lubrication unit(윤활 Unit)

-Lub unit란 설비에 사용되는 각 종 구동물의 원활한 동작이나 마모 방지나 내구성 향상을 목적으로 윤활유를 공급하는 장치이다.

27)Air

-Air는 설비 가동에 필요한 압축 공기(압력 4.5~5 Kgf/cm^2).

28)제어반
 - 제어반은 설비를 가동시키는 머리에 해당하는 것으로 PC(Programmable Controller)를 사용하고 있다. PC란 Relay회로를 사용하여 제어한 회로를 Ladder도(圖)라는 어원을 사용한 컴퓨터에 편집하여 간단하게 외부 기기를 제어할 수 있는 기기이다. Relay 회로는 배선 작업이 대단히 어렵지만, PC는 대부분 컴퓨터 내에서 편집 가능하므로 아주 간단한다. 그리고 Relay 회로에서는 불가능한 제어도 간단하게 실현시킬 수 있다.
 - 제어반 설치 형식은 별치형과 Machine 본체 취부형이 있는데 기업 특성에 맞게 구성하면 된다. 비용적인 면에서는 Machine 본체 취부형이 아주 유리하다.

29)조작반
 - 조작반은 대부분 Machine 취부형으로 되어 있으며, 설비의 조작에 필요한 Switch, Push button, 생산 현황, 공구 현황, 보전 현황 등을 나타내는 Display 화면 등으로 구성되어 있다.

30)Counter
 - 생산 수량이나 공구 사용 수량 등을 나타내는 기기로, 최근에는 Display 화면에 프로그램으로 나타낼 때가 많이 있다.

31)기타
 - 사양서에 기입하지 않은 사항이 있으면 기입한다.

32)Spare parts
 - Spare parts의 금액은 일반적으로 본체의 3%로 결정하고, 업체로부터 항목을 추천받아 사양을 지정한다.
 - 승인 검토 시 Maker에서 Spare parts list를 작성하여 생산기술로 제출한다.
 - 생산기술에서는 보전부서 및 생산부서에 List를 보내서 필요한 부품을 확인을 받아 최종 Spare parts list로 정한다.

33)Machine layout
 (1)Machine layout이란 설비의 Work flow를 포함하여 본체, Input

장치, Station 구성 요소, Output 장치, Coolant tank 등의
모든 설비 구성 요소를 그린 것을 말한다.

(2)Machine layout을 작성한다는 것은 공정 배분을 정확히 이해하
고 있는 것을 말한다. 따라서 생산기술은 스스로 Machine layout
을 작성할 수 있어야 한다.

(3)Machine layout만 보고도 설비 견적 사양이 될 수 있도록 모든
내용을 정확히 기입해야 한다.

(4)주요 표기 항목으로 Work flow, Work 자세, 앞 공정과의 연결
방법, Input 장치, Loading 장치, 본체의 Station 구성 요소,
Unloading 장치, Output 장치, 후 공정과의 연결 방법, Air unit,
Coolant tank, Chip box, Hyd tank, 제어반, 사람의 위치, 자주검사
방법 및 위치, 자동화 방법, Fool proof 장치, NG품 자동배출장치
등을 기록한다.

(5)전후 공정과 하나의 자동화 방식을 사용할 때에는 전후 공정
Machine layout도 포함하여 전체를 작성하면 이해하기 쉽다.

34)안전 시스템 구축

작업자가 아무리 교육을 받고 숙달되어 매일매일 작업을 한다
고 해도 어느 한 순간 잠깐의 실수로 조작 미스, 설비의 운동부
와 작업자의 간섭, 손가락 끼임, 프레스 설비에 작업자가 있는
것을 모르고 다른 작업자 동작 Switch를 누른다든지, Leak test
설비의 Seal을 교체하는 중에 측정 Head가 처진다든지 하는
안전사고가 발생한다.

생산기술은 안전사고를 미연에 방지할 수 있는 시스템을 구축
해야 하는 의무를 가지고 있기 때문에 반드시 견적사양서에
안전사고 항목을 기입하여 설비 Maker에게 요구하여야 한다.
다음은 실제로 일어나고 있지만 대부분의 기업에서 잘 반영되
지 않고 있는 안전사고 사례를 들어보고자 한다.

(1)Leak tester 측정 Head 처짐

-Leak tester란 알루미늄 제품의 Leak를 측정하여 선별하는 기계

로, 본체를 포함하여 측정 Head와 Jig & Fixture, Jig 내의 Seal 등으로 구성되어 있다.

Seal은 소모성이기 때문에 수시로 교체를 하여야 하는데, 이때는 작업자가 설비 내로 머리를 넣는다든지, 몸의 일부가 들어간다든지 하는 상황이 발생한다.

측정 Head는 일반적으로 유압식이 많으며, Head 중량이 1ton에 가까운 것도 있다. 설비를 정지시키고 Seal 교체 중 1ton 가량의 Head가 처져서 안전사고가 발생한 것이다.

-모든 Vertical type의 유압 Head는 처지게 되어 있다.

-대책으로 Head에 기계적 Lock 장치를 설치하여 수동 작업 시 Head가 자동으로 Lock가 되도록 하여 강제적으로 처지는 것을 잡아주는 장치를 설치한다.

(2)다이캐스팅 설비 내 끼임

-다이캐스팅 설비란 알루미늄 제품의 소재를 만들어 내는 설비로, 알루미늄 잉곳(Ingot)을 용해로에 넣어서 용해시켜 금형에 공급하면 좌우 금형부를 유압이나 기계식으로 눌러서 제품을 만들어 낸다.

-대부분의 다이캐스팅 설비는 규모가 크고 조작반과 좌우 금형부가 직각의 형태로 구성되어 있어 조작반 위치에서 좌우 금형부가 합치는 부분이 보이지 않게 되어 있다. 작업자가 금형의 이물질 제거나 다른 문제로 들어 가서 작업을 하고 있는 상황에 다른 사람이 모르고 동작 Switch를 눌러서 작업자 끼임이 발생한 안전사고이다.

-대책으로 금형부 진입부에 1차 안전 Sensor 설치, 금형부 내에 2차 안전 Sensor를 설치하여 사람이 있을 경우를 감지하여 작동이 안되게 한다.

*Machine Layout

	IDENTIFICATION	FEED UNIT		HEAD						
STA	OPERATION	DRIVE	FEATURES	DRIVE	FEATURES	REMARK				
ST1	IDLE									
ST2	WASHING									
ST3	WASHING									
ST4	AIR BLOW									
ST5	AIR BLOW						CODE	DATE	REVISION	
ST6	IDLE									

NOTE

1. T/M 조립측 검은부분

SHUTTLE 1EA
(BY 90)

COOLANT TANK

AIR TANK

E

H

LOADER로 직접공급
(BY 70)

ST1 ST2 ST3 ST4 ST5 ST6

IDENT							본지 기록사항	
OPERATOR		AIR INLET	⊙	TOOL SETTING위치		MODEL CHECK	●	사 형 & ACC배치도/가공명/자동화정보/WORK FLOW/
H/D TANK	H	COOLANT INLET	○	CHIP처리방향		본 기		各UTILITY정보/UNIT DRIVE/작업자방향/
COOLANT TANK	C	W/STEAM INLET	W WS	WORK FLOW	→	주변상황		WORK자세/SPACE SIZE/반출입높이/주위상황/
ELEC BOX	E	설치기준점		전원 투입구		배관ZONE		CYCLE선도/DATUM/기타
청소위치	←	설치기준MARK	▽	WORK취출 방향		TURN OVER		LAY-OUT
LUB TANK	△	수준기위치		MAIN CONSOLE		TURN TABLE		OP NO
OIL LEVEL	▲	통 로		SUB CONSOLE				M/C NAME

*정확한 Machine layout을 작성하기 위해서는

1.Machine layout의 전후 폭을 결정한다.

이 작업은 아주 중요한 것으로 해당 Line을 설치할 공장 안에 전후 폭의 문제로 통로에 설비의 일부가 튀어나오는 경우가 발생할 수 도 있다. 수동일 경우는 그래도 수정하기가 쉬울 수도 있지만, 자동일 경우는 수정하기도 어렵기 때문에 견적 단계에서 지정하 고 승인 단계에서 확인하고 검수 단계에서 최종 확인한다.

2.공정 배분을 정확히 한다.

3.소재 투입부나 가공 후 반출부의 자동화 방식은 어떻게 할 것인 가 결정한다.

4.설비 내 반송 방식은 어떻게 할 것인가 결정한다.

5.Work flow를 정하고 표시한다.

6.설비 외 부대 장치들의 Layout을 정한다.

7.자동 검사 장치가 있을 때 NG품 자동배출장치 위치를 표기한다.

8.Chip 배출 방향을 결정한다.

6-2.견적 대상 업체 선정
6-2-1.견적 대상 업체 선정

견적 대상 업체를 선정하기 위해서는 첫째로 국내 혹은 국외로 할 것인지 결정하고, 둘째로 국내일 경우는 기존 업체와 잠재적 업체로 구분하고, 셋째 국외일 경우 많은 변수가 있으므로 신중히 업체를 선정해야 한다.

국내에서 가능한지를 판단하기 위해서는 많은 경험과 지식을 가지고 있지 않으면 안되기 때문에 국내 업체와의 협의, 타사 실적 벤치마킹, 내부 경험자의 조언 등을 바탕으로 결정해야 한다. 간혹 국내 업체들이 수주의 목적으로 가능하다고 하여 발주하여 생산을 하였으나 생산 중 품질 문제를 야기하여 생산에 지대한 차질을 주는 경우가 종종 있다.

국내로 할 수 없다고 판단할 때 결정할 수 있는 좋은 방법은 국외 업체의 실적 자료나 Line 견학 요청을 하는 것이다. 이때 대부분 국외 업체에서 해당 자료나 Line 견학을 할 수 있도록 협조한다.

국외 업체로 결정되었을 경우 일본, 미국, 유럽, 기타 지역으로 크게 나누어서 생각해 볼 수 있다. 지금까지는 가격, A/S 및 문화적인 사고 측면에서 일본 업체 설비를 많이 사용하였다. 하지만 최근에 유럽과의 FTA로 인해 무관세 혜택을 받기 때문에 가격, 품질, 납기, A/S 측면에서 일본 설비와 비교해서 검토해 보는 것이 좋다.

국내 업체로 선정된 기존 업체나 잠재적 업체는 반드시 업체 실사를 하여 현재 재무 상태, 설계 능력, 인원 현황 및 보유 설비 현황 등의 변화 상태를 점검하여 결정한다. 기존 업체라고 하더라도 경기 상황에 따라 업체의 상황은 수시로 바뀌기 때문이다. 기존 업체가 아닌 새로운 잠재적 업체를 결정할 때는 업체 실사한 내용을 정리하고 신규 등록 사유를 작성하여 임원진의 승인을 득해 실시해야 한다. 또한 신규 업체는 견적 전에 자사 설비제작사양서를 배포하여 충분히 검토할 시간을 주어야 한다.

<견적 대상 업체 선정 순서>

1.장비 List	국내, 국외 구분 국외는 사전 내부 협의 실시
2.업체 현황 조사	국내:기존 업체, 잠재적 업체 국외:기존 업체, 타사 사례, 전시회 설비별 3사 이상
3.설비제작사양서 공지 및 협의	자사 설비제작사양서 공지 질의 및 응답 협의
4.업체 방문 실시	국내:기존 업체, 잠재적 업체 방문 국외:실적 자료 요청, 방문 실시 구매부서 동행 조사
5.실사 내용 보고서 작성	재무 상태, 설계 능력, 인원 현황, 보유 설비 현황, 현재 진행 업무, 유사 설비 제작 경험, 실제 생산 중인
6.견적 대상 업체 결정	보고서로 Owner 결정

6-2-2.Local Part

대부분의 물건은 가공 및 조립되어 하나의 제품이 되는데, 제품 전부를 자사 내에서 만들거나, 혹은 일부를 사외에서 개발하여 납품을 받는 경우가 있다.

사내에서 물건을 만드는 것은 MIP(Made In Plant)라고 하고, 사외에서 물건을 만드는 것을 LP(Local Part)라고 한다. 이것을 결정하는 것을 Parts sourcing 결정 회의라고 하고, 주관하는 부서는 PM(Project Manager)이나 CFT(Cross Functional Team)이다.

LP의 종류수나 업무의 부하에 따라 외주관리부서를 두고 업무를 진행하는 기업들이 많이 있다. 외주관리부서의 주요 업무는 외주 업체 선정, 생산관리, 품질관리, 원가관리, 일정관리, 재고관리, 제조원가관리, 투자 방법 협의 등이다.

생산기술에서는 개발일정표를 작성할 때 LP의 요청일, 수량 등을 기입하여 외주관리부서에 제공하여 전체 일정 관리가 되도록 하고, LP 업체의 기술지도나 업무 협조를 품질관리와 함께 진행한다.

품질관리의 주요 업무로 초도품 입고 관리, 양산품 입고 관리, 불량률 관리, 클레임 관리, 품질관리 기술지도 등이다. 기술지도 부분은 품질관리 독단의 일이 아니고 생산기술, 보전, 생산 등의 협조 하에 외주관리부서에서 체계적인 계획을 수립하여 지도한다. MIP 품질이 아무리 뛰어나다고 해도 LP 품질이 나쁘면 제품 전체의 품질이 나쁜 것이기 때문에 자사와 동일 수준의 관리가 필요하다.

하지만 현실은 LP화의 기본적인 목적은 사내 설치 공간이 없거나, 원가절감 방안으로 추진되고 있어, 업체에 대한 투자비 지원이나 기술 지원은 잘 이루어지지 못하고 있는 실정이다. 이러한 사유로 LP 업체의 경쟁력은 점점 저하되고 도태되어 파산하는 경우가 종종 발생하고 있다. 일본의 경우는 Line 이관 시 내부에서 설비 Overhaul을 실시하고, 시운전을 충분히 한 후 정도가 만족된다고 판단할 때 LP 업체 작업자 교육을 실시한 후 이관을 하고 있다.

<LP 업체 개발 시 유의사항>

1. 이관 일정을 명확히 한다.
 - 계획된 일정을 LP 업체와 공유하여 사전 준비를 철저히 한다.
2. LP 업체 개발의 목적은 무엇인가.
 - 대부분 사내 투자비 절감 목적으로 진행되기 때문에 LP 업체에서의 대응 방안으로는 인건비 절감 및 작업시간 연장 등이다. 하지만 최근 최저임금 상승으로 LP 업체에서 인건비 절감이나 작업시간 연장으로 더 이상 대응하기 힘든 상황에 도달해 있다.
3. LP 업체의 지원 계획은 있는가.
 - 외주관리 주관으로 생산기술, 품질관리, 생산부서의 주기적인 기술 지원 계획을 수립하여 실행하여야 한다.
4. LP 업체의 재무 상태, 경험, 인원 현황을 파악한다.
 - 재무 상태나 경험이나, 생산할 수 있는 여력이 없는 상태의 업체에 Line을 이관하여 OEM의 납품에 문제를 야기시켜서는 안된다.
5. Line 이관 시 설비 정도 상태를 양호하게 수리, 보수하였는가.
 - LP 업체의 재무 상태나 기술 능력을 고려하여야 한다.
 - MIP이었을 때는 내부에서 기존에 발생하고 있는 문제점에 대한 조치 방법에 대해서 알고 있기 때문에 대처도 빨리 할 수 있지만 LP 업체 에서는 전혀 새로운 Line이기 때문이다.
 - 따라서 Line 이관에 필요한 설비는 내부에서 수리하거나 보수하여 현재의 정도 상태를 LP 업체에 공유하여 현 상태의 정도를 보증하게 한다.
6. LP 업체에 충분한 Line 생산 연습이라든지 교육은 실시하였나.
 - 처음 접하는 Line에 대해서 LP 업체 작업자나 관리자가 충분히 이해하고 조작하고 관리할 수 있도록 교재를 활용한 교육이나 작업자가 직접 생산 현장에 투입되어 함께 사전에 생산을 해 볼 수 있도록 해야 한다.
7. 소모품은 빠짐없이 인계하였는가.

6-3.견적 의뢰
6-3-1.견적 의뢰란

　견적(見積)이란 금액, 양, 기간, 행동을 미리 개산(概算)하는 것을 말한다. 견적을 문서로 작성한 것을 견적서라고 한다.
　견적 의뢰란 견적사양서, 제품도면, 제품 샘플을 설비 제작 업체에게 제공하고 충분히 설명하여 해당 공정에 필요한 견적가, 견적사양서, C/T, Machine layout, 공구 사양, Jig & Fixture 사양, 제작 소요일 등을 요청하는 것을 말한다. 견적 의뢰는 견적 사양이 자사가 요청한 사양을 준수할 때까지 반복하여 수정 요청한다.
*견적 의뢰 방법은 다음과 같이 한다.
　1)견적 의뢰 방식으로는 Turnkey 견적(설비, Jig & Fixture, 공구 등
　　제반사항을 한꺼번에 발주하는 것)과 설비, Jig & Fixture, 공구,
　　자동화 등을 나누어서 하는 개별 견적이 있다. 중소기업에서는
　　기업 특성상 예산 문제로 개별 견적 방식을 선호하고 있지만,
　　이것은 실질적으로 비용 절감 효과를 전혀 보지 못할 때가 많다.
　　개별 견적은 여러가지 문제점을 안고 있다. 생산기술의 보유 능
　　력, 개별 업체의 능력, 설비와 공구 및 지그의 조합에 따라 나타
　　나는 정도, 설치 및 시운전 과다 시간 등에 따라 Project 일정을
　　맞추지 못하는 때가 많이 있다는 것이다. 또한 이로 인해 품질
　　문제나 납품 지연이 발생하게 되어 철야 근무도 잦게 되어 생산
　　기술자가 퇴사하는 사례가 빈번하게 발생한다는 것이다. 따라서
　　개별 견적은 신중하게 검토하여 실시하여야 한다.
　2)Turnkey 견적은 앞에서 설명한 자체 견적사양서를 기준으로,
　　설비, Jig & Fixture, 공구, 자동화 등 제반사항을 한꺼번에 견적
　　의뢰하고, 또한 설치, 시운전 및 정도 작업까지 업체에게 요구함
　　으로써, 관리가 용이하고 정도 보증 및 일정 준수가 가능해진다.
　3)개별 견적은 다음과 같이 실행한다.
　　(1)설비 본체 견적서 작성 및 견적 의뢰

-시운전 비용을 포함하지 않기 때문에 설비업체에서는 정도 보증을 하기 어렵다. Jig & Fixture나 공구에 의해서 정도는 복합적인 요소이므로 문제가 발생할 경우 선을 긋기 어렵기 때문이다.

(2)공구 견적서 작성 및 견적 의뢰

-공구 업체 선정은 상당히 어려운 작업인데 현재 사용 중인 업체가 있을 때는 동일한 업체를 선정하는 것이 기존 공구와의 공용화 및 업무의 간편화를 도모할 수 있어 여러 가지로 유리하나, 단일 견적이 되어 가격 경쟁력이 없고, 업체의 편의를 봐준다는 오해를 살 여지가 있으므로 신중히 결정한다.

(3)Jig & Fixture 견적서 작성 및 견적 의뢰

-담당자에 따라 동일 Item의 Jig & Fixture가 여러 업체의 형태로 입고되면 작업자가 Spec 수정 작업에 애로사항이 있을 수 있다.

-따라서 기존에 생산하고 있는 유사 공정의 Jig & Fixture에 문제가 없다면 견적 사양을 지정하여 제시하는 것이 좋다.

(4)자동화 견적서 작성 및 견적 의뢰

-전후 공정과의 Interlock 관계를 명확히 제시한다.

-자동화 장치류의 길이와 높이를 명확히 제시한다.

*견적 의뢰 방법에 따른 장단점

구분		Turnkey 발주	개별 발주	비고
발주 방법	본체 외	본체부터 전체를 한 업체로 발주	각 항목별로 업체를 별도로 발주	
장단점	비용	개별 대비 높다	낮다 (설치 시운전 시 인건비 및 실패 비용이 추가 발생)	
	시간	짧다	길다 (견적사양서, 견적 협의, 업체 선정, 설치 시운전 등)	
	정도 보증	높다 (Maker에서 보증)	낮다 (생산기술의 능력에 따라 차이가 발생할 수 있다)	
	통제 능력	높다	아주 낮다 (설치 시운전에 바빠 전체를 통제하기에는 아주 어렵다)	
	일정 관리	높다	아주 낮다 (전체를 볼 수 없어 일정 지연 초래가 잦다)	
결론		○		

*견적 협의 방법은 다음과 같이 한다.

 1.국내

 1)견적사양서, 도면을 사전에 업체에 배포하고 숙지하게 한다.

 2)업체별 견적 협의 일정표를 작성하여 시간과 장소를 정한다.
    가능하면 Maker별로 별도의 시간을 정해서 하는 것이 좋다.

 3)협의 일정표를 각 Maker에게 송부한다.

 4)해당 제품과 도면 및 자체 견적사양서를 준비한다.

 5)견적 사양 협의를 실시한다.

 6)사양 협의 시 고객의 안이 좋을 경우 견적사양서를 수정 반영
    하고 전 Maker에게 다시 통보하여 견적 준비가 되게 한다.

 7)견적서 제출 내용에 대해 명확히 설명한다.
    견적사양서, 견적가, C/T chart, Tool layout, Machine layout 개략도,
    견적 제출일, 제작 일정표 등을 제출 요구한다.

 8)필요에 따라 관련부서를 참석시켜 요구사항이 반영되도록 하
    고, 사전에 견적사양서를 배포하여 숙지가 되도록 한다.

 2.국외

 1)대기업에서는 설비가 많을 경우에는 두가지의 방법으로 견적
    협의를 실시한다. 첫째, 국내와 마찬가지로 국외 업체를 불러서
    국내에서 견적 협의를 한다. 둘째, 국외는 대부분이 일본 업체
    로 구성되어 있는 경우가 많기 때문에 생산기술과 구매부서가
    일본으로 가서 견적 협의를 한다.
    유럽이나 미국 등 국외 설비를 견적 협의할 때 중요한 것은 그
    말이 뜻하는 의미를 정확히 파악하여야 한다는 것이다.
    즉, 견적서 상의 글자만으로는 견적 영역이 정확히 어디서 어디
    까지인지 알 수 없을 때가 있다. 이렇게 계약이 이루어지고 설
    비 승인을 할 때 사양이 누락되는 것을 종종 볼 수 있다.

 2)중소기업에서는 국외 설비를 한꺼번에 많이 구매할 기회가 적
    기 때문에 조심해야 할 것은 신규 업체나 신기술 및 신공법 등
    이 적용된 설비일 때 반드시 실적 자료를 확인할 필요가 있다.

6-4.견적 접수 및 평가
6-4-1.견적 접수 및 평가

견적사양서를 기준으로 설비업체에 견적을 의뢰하여 접수하는 것을 견적 접수라고 하고, 접수한 견적 사양이 자사가 요구한 견적사양서에 사양 누락은 없는지, 사양 over는 없는지, C/T은 준수되는지, 공구 사양은 적합한지, Machine layout은 적합한지, Jig & Fixture 사양은 적합한지, 항목별 단가는 적합한지, 납기는 준수 가능한지, 항목별 단가 산정은 적합한지, 타사 대비 단가가 높게 책정되어 있는 것은 없는지, 예상 구입가는 어느 정도인지 등을 확인하고 수정하는 작업을 견적 평가라 한다.

견적 평가는 사양을 확인하는 것도 중요하지만 생산기술과 구매부서가 어떤 업체를 결정할 것인가를 종합적으로 판단하기 위한 자료이기도 하다. QCD를 고려하여 업체를 결정하여야 하지만 부득이하게 생산기술에서 본 Project에서는 반드시 이 업체가 결정되었으면 하는 경우가 발생하였을 때, 생산기술에서 구매부서로 생산기술 의견을 아래 "Maker별 견적가 분석 및 예상가 구입 List" 양식을 활용하여, 가격 차이가 10%(기업 결정 사항)가 넘지 않는 한도 내에서 요청한다.

*Maker별 견적가 분석 및 예상구입가 List

구분	항목	自社		A사			B사~	예상 구입가	비고
		SPEC	수량	금액	SPEC	수량			
계									

기납입실적
1. 공정NO:
2. 장비명:
3. 계약일:
4. MAKER :
5. 견적가:
6. 계약가:
7. NEGO율:
8. 특이 사항 :

6-4-2. 품의서

　우선 기안과 품의를 비교해서 설명하고자 한다.

기안(起案)이란 이러한 것을 하고 싶다는 안을 생각하는 것이고,

품의(稟議)란 이러한 것을 해도 좋은지를 Owner에게 질의를 해서

승인을 구하는 것을 말한다. 기안이 품의로 되는 때도 많이 있다.

품의와 결재의 차이는 품의는 복수인의 승인을 필요로 하지만,

결재(決裁)란 결재 권한을 가지고 있는 사람에게 직접 승인을 득하

는 것이다.

　품의서란 회사나 관공서 등에서 결재를 받기 위한 서류이다.

회의 토의 안건이 아니라, 구매처와의 계약, 인재 채용, 물품 구입

등에 대한 결재를 구하기 위해 쓰여진다. 제출처는 결재의 권한을

가지고 있는 상사이지만, 회사의 규모에 따라서 많은 관련부서

인원과 임원진 및 Owner로 된다.

　품의서나 보고서 작성 시 가장 중요한 것은 One Page Report로 한

장에 모든 내용을 요약할 수 있는 능력이 필요한 것이다. 즉, 결론

을 한 장으로 요약하여 앞 장에 나타내고 나머지 주요 사항들은

유첨으로 뒷 장에 놓는 것이다. 이런 능력을 배양할 수 있기 위해

서는 품의서나 보고서의 목차 구성이나, 내용 집약 방법 등이 중요

한데 이것은 상사로부터의 경험과 지식을 전수받든지, Internet이나

각종 서적을 참조하여 스스로 학습하지 않으면 안된다.

　품의서를 이루는 중요한 요소는 예산이다. 이것을 품의예산이라

고 하는데 초기 기획예산을 근거로 각 설비별로 최종 견적 의뢰하

여 받은 견적가 기준으로 Nego를 실시하여 투자타당성이 있는

예산으로 편성한 예산을 말한다.

　품의예산이 결정되면 생산기술에서 Project 투자타당성을 검토하

여 Owner의 승인을 득하고 집행한다. 만약 투자타당성이 적합하지

않다고 판단될 때는 공법 검토 단계부터 다시 업무를 추진해야 하

므로 초기 단계부터 업무를 진행할 때 철저히 하는 것이 중요하다.

*품의서는 다음과 같이 준비한다.
 1.품의예산 결정
   Maker별 견적가 분석 및 예상 구입가 List 활용, 업체별 Nego가
   반영하여 결정한다.
 2.품의서는 가능한 한 장으로 요약한다.
   나머지는 유첨 자료로 첨부할 수 있도록 한다. 즉, 한 장에 모든
   내용이 압축되어 보는 사람이 이해할 수 있도록 한다.

 3.본문 내용은 다음과 같이 한다.
  1)품의 목적
  2)Project 개요
  3)양산일
  4)판매 계획 대비 생산량
  5)투자 상세
  6)투자 회수 기간
  7)유첨

 4.유첨자료
  1)전체 일정표
  2)Flow chart
  3)투자 검토 내역
  4)견적 대상 업체 및 계약 현황
  5)Maker별 견적가 분석 및 예상 구입가
  6)Layout
  7)자체 견적사양서
  8)업체 견적서

 5.품의서는 관련부서 모두의 승인을 득해야 한다.
   즉, 복수의 승인을 반드시 필요로 하는 것이다.

*품의서나 보고서 작성 시 주의사항

1. 제목을 작성할 때 "~의 건" 이라고 작성하는 것을 없앤다.
   - "~의 건" 은 "~の件"이라는 일본의 잔재 문구이다. 어떤 특별한 의미없이 말의 끝에 붙여서 사용되고 있다.
   - 아쉽게도 기업에서 이렇게 사용하는 이유를 물어보면 이유도 모르고 사용하고 있고, 그렇게 하지 않으면 이상하다고 한다. 심지어 신입사원 조차도 이렇게 사용하고 있다는 것이다.
   - 예를 들면 "00부품 신공법 적용으로 원가절감 방안 보고의 건" 이라고 할 때는 "00부품 신공법 적용으로 원가절감 방안 보고" 로 작성하면 된다는 것이다.

2. 작성자의 이름을 적어야 한다.
   - 품의서나 보고서의 양식에 작성자의 이름을 적는 란이 있으면 작성자를 바로 알 수 있으나, 일부 품의서나 보고서는 작성자의 이름을 적는 란이 없다. 이런 상태에서 결재란의 담당자란에 작성자가 사인만 하는 경우가 있다. 만약 최고 결재권자가 작성자에게 문의사항이 있을 경우 이전의 결재권자에게 물어 볼 수도 있지만 대부분 작성자에게 물어보는 것이 일반적이다.
   또한 시간이 경과하여 품의서나 나 보고서의 내용을 다시 확인할 경우 누가 작성했는지 알지 못해 작성자를 찾는 시간을 허비하게 되는 것이다.

3. 문서는 기승전결(起承轉結)이 아니라 기결승전으로 작성한다.
   - 품의서나 보고서는 One Page Report가 되어야 한다.
   - 즉, 서론과 결론이 먼저 한 장으로 맨 앞에 요약되어 전체를 설명한다. 일반적으로 각 기업에서는 품의서나 보고서는 자사만의 고유 양식을 가지고 있으며, 작성 방법에 대해서도 있는 그대로 작성하는 것이 대부분이다.
   - 따라서 본인이 품의서나 보고서를 어떻게 하면 한 장으로 요약할 수 있는지, 스스로 터득해야 한다.
   이렇게 함으로써 스스로 기획력을 높일 수 있다.

6-5.계약
6-5-1.Nego

★
Negotiation의 사전적 의미는 타결 의사를 가진 2인 또는 그 이상의
당사자 사이에 양방향 의사 소통을 통하여 상호 만족할 만한 수준
으로의 합의에 이르는 과정이라고 정의하고 있다. 생산기술에서는
업체별 견적 사양을 접수하여 사양 누락이나 과잉 사양이 없는지
확인을 한 후 업체에게서 최종 견적사양서와 Nego가를 접수한다.
본 자료를 근거로 견적 대상 업체 현황표를 작성하여 발주부서인
구매부서로 품의서와 함께 송부하여 최종 Nego를 실시하고 업체가
결정될 수 있도록 한다. Nego의 방법에는 여러 가지가 있지만 업체
에게 공평한 기회를 줄 수 있도록 해야 한다. 우선 시점과 회수를
명확히 정해서 업체에게 사전 공지가 되어야 한다.
시점은 모든 업체에게 동일하게 언제까지 Nego가를 제출 하라는
것을 말하고, 회수는 몇 번을 실시할 것인가를 말하는 것이다.
Nego 때는 생산기술에서는 "견적 대상 업체 및 계약 현황"의 양식
을 활용하여 각 설비별 품명과 대수, 예산을 기입하고, 업체로부터
받은 견적가를 작성한 후에 Nego를 실시한다. Nego된 금액을 그 아
래에 작성하여 예산 내에 들어오는지 납기는 문제없는지 확인한다.

〈견적 대상 업체 및 계약 현황〉

NO	품명	구분	대수	예산	견적대상업체			요구납기		비고
					A	B	C	입고	시운전	
	계									

★ 매경시사용어사전에서 인용함.

6-5-2. 계약

★계약(契約)이란 서로 대립하는 2개 이상의 의사 표시가 합치하는, 채권의 발생을 목적으로 하는 법률 행위이다고 한다. 갑과 을이 물품 계약을 하기 위해서는 계약 조건이 필요하고 이것은 사전에 충분히 설명되어야 한다. 계약 조건은 지불 방법(현금, 어음), 지불 시기(1차: 계약 시, 2차: 설비 입고 시, 3차: 시운전 완료 시), 차수별 지불 금액(1차: 몇 %, 2차: 몇 %, 3차: 몇 %), 입고 지연에 따른 지체상환금, 기타 계약에 따른 일반 조건 등이다.

구매부서는 최종 Nego를 실시한 후 특별한 사유가 없는 한 Nego가 기준으로 업체를 결정하고 계약을 실시한다. 생산기술에서 설비의 특성이나 업체의 고유 기술 등을 고려하여 특정 업체를 요청할 때는 품의서에 사유를 명확히 작성하여 송부한다. 이때 Nego가 차이가 몇 % 정도 over되었지만 생산기술에서 발주가 필요할 때는 임원진에게 보고하고 Owner의 승인을 득한다.

계약 조건이 준비되면 계약서 2부를 준비하여 갑(발주업체)과 을(제작업체)이 계약 서명을 하고 각 1부씩 나누어서 관리한다. 또한 구매부서에서는 계약서 사본 1부를 생산기술로 송부하고, 생산기술에서는 계약서 내용을 확인하여 요구사항의 Miss는 없는지 파악하여야 한다. 문제가 없을 경우 최종 Nego가를 정리하여 품의예산 대비 얼마나 차이가 나는지 검증한다.

이것은 품의예산이 많은지 적은지 확인을 할 수 있으며, 초기 기획 단계부터의 업무를 검증해 볼 수 있고, 이러한 작업을 반복함으로써 업무의 정확성을 올릴 수 있다.

*생산기술에서는 계약서를 접수하고 다음과 같은 업무를 한다.

1. 자료를 철할 File 구매.
2. File 목록 대장 작성.
3. 업체별 File 제작.
4. 컴퓨터 내에도 File 보관 장소 및 File 목록 List를 작성한다.

★ 법률용어사전에서 인용함.

6-5-3. 사무 5행

3정 5행이란 생산 혁신 활동의 일환이다. 3정은 정품, 정량, 정위치를 뜻하고, 5행은 정리, 정돈, 청소, 청결, 습관화를 뜻한다. 여기서 말하는 5행은 생산 현장에 놓여 있는 설비나 제품, 기타 부대 장치류들을 어떻게 관리할 것인가이다. 하지만 사무실이나 자료실이나 PC 내의 자료들 또한 5행이 필요한 것이다.

이러한 것을 사무 5행이라고 한다. 사무 5행의 주된 목적은 자사 내 누구라도 보관된 지식과 경험 및 Knowhow를 공유하여 개인의 발전과 기업의 성장에 도모하기 위함이다.

자료실 관리 방법은 위에 언급한 자료실 전체 File목록대장을 만들고 관리인을 지정해서 유지 관리한다. File의 제목 및 일련번호 부여, 보관 기간, 부서명 등을 관리한다. 또한 자료는 어떠한 경우에도 개인이 보관할 수 없도록 한다. 필요하면 개인 파일을 만들어 복사하여 사용하도록 한다.

PC 내 자료 보관 위치와 보관 방법 및 보안에 대해 서술코자 한다.

보관 위치로는 우선 모든 사람이 함께 작업할 수 있는 공유 PC 또는 그룹웨어 등의 준비가 필요하다.

보관 방법으로는 사전에 Project별 File목록대장을 작성하여 보관할 수 있는 방을 만든다. 개인 PC에서 작성한 자료는 반드시 공유 PC에 올려 놓고, 공유 PC 내 자료를 수정할 때는 개인 PC로 복사해서 작업하고 다시 공유 PC에 올리는 작업을 반복한다. 이런 작업은 습관화가 필요하므로 상사는 수시로 Check해서 유지 관리한다.

자료 보안은 상당히 어려운 일이다. 대기업에서는 Groupware, ERP, SAP 등을 활용하여 보안시스템을 구축하여 자료 유출을 막고 있으나, 중소기업에서는 막대한 비용 부담으로 자료 유출을 막는 보안 시스템을 갖추고 있지 않다.

하지만 기업에서는 자료 유출을 막을 수 있는 자체 대안을 수립하지 않으면 기업의 생존 여부를 좌지우지하게 될 것이다.

<사무 5행 이행 준수 사항>

1.자류실 내 전체 File목록대장은 만들었는가.
 -자료실 전체 File목록대장을 만들어 보기 쉬운 장소에 비치한다.
2.자료 File의 색인표는 만들었으며 색인표는 작성되고 있는가.
3.자료 File의 제목이나 Numbering 방법은 지정되어 있는가.
4.자료실 내 자료의 위치는 지정되어 있으며 File목록대장에 기록
 되어 있는가.
5.자료 File의 규격이나 Size는 지정하였는가.
 -File의 두께는 대, 중, 소로 3가지를 준비한다.
 -초기 단계는 자료가 적으므로 소를 사용하다가 자료가 많이 질
  경우, 중이나 대로 교체하여 사용한다.
 -소를 사용할 경우, 자료 File이 얇아 넘어지기 쉬우므로 별도의
  보관 BOX나 칸막이를 준비한다.
6.자료 File의 철 화스너에 비닐 Tape 작업을 하였는가.
 -철 화스너에 의한 File의 손상을 방지한다.
7.업무 File을 자신의 책상위에 비치하고 업무를 보고 있지 않은가.
 -필요한 자료를 개인 File로 복사하여 사용하여야 한다.
8.자료실 내 File 관리인은 지정하였는가.
 -File 신규 제작 및 목록대장 등을 관리한다.
9.사무 5행 이행 Check list는 작성되어 있는가
10.사무 5행 Check list 기준으로 월간 점검을 하고 있는가.
11.PC 내 자료 관리 방안은 지정되어 있는가.
12.공유 PC 또는 Groupware 등으로 자료가 공유화되고 있는가.
13.공유된 자료는 매일 Update 되고 있는가.
14.자료 보안은 어떻게 할 것인가.
 -보안장치를 사용할 수 없을 때라도, 근본적으로 기업에 직접적
  인 영향을 주는 도면이나 재료 관련 자료나 제품 단가 등은 어떤
  방안을 강구하여 유출되지 않도록 하여야 한다.

〈사무 5행 Check list〉

다음의 5가지 항목을 점수로 배점하여 부서별 월간 관리를 하기
위한 Check list이다.

1.정리(25점)
 1)고장난 비품 및 물건은 방치되어 있지 않는가.
 2)비품 정리 상태는 양호한가.
 3)개인별 주변 불필요한 물건은 없는가.
 4)절전 상태(개인 PC 및 각종 전등)은 양호한가.
 5)개인 책상 위 불필요한 서류는 없는가.
 6)개인 PC 내 자료 정리는 잘 되어 있는가.
 7)개인 PC 내 자료가 공유 PC에 잘 공유되어 있는가.

2.정돈(25점)
 1)자료 목록 대장은 비치되어 있고 제위치에 있는가.
 2)자료는 쉽게 찾을 수 있는가.
 3)불필요한 자료는 방치되어 있지 않는가.
 4)자료 보안 상태는 양호한가.
 5)개인별 주변 정돈 상태는 양호한가.

3.청소(15점)
 1)바닥은 깨끗한가.
 2)테이블 및 의자 상태는 깨끗한가.
 3)쓰레기는 방치되어 있지 않는가.

4.청결(15점)
 1)복장 상태, 명찰 부착 상태는 양호한가.
 2)개인의 이미지 상태는 양호한가.
 3)3S(정리, 정돈, 청소)를 지키는 룰은 정해져 있는가.

5.습관화(20점)
 1)정기 교육 실시 여부
 2)5S 관련 정기적 관리 체계는 있는가.

*사무 5행의 재미난 예(여행용 캐리어)

<캐리어 내부 사진>

여행용 캐리어의 특징

1.가격 : 10만원 대~300만원 대

2.재질 : 알루미늄, 천연가죽 등

3.기능 : 잠금 장치, 방수, 가벼운 무게, 내구성, 조용하고 부드러운
        double caster 등

4.내부 특징

 -어떤 업체의 캐리어든지 대부분 위의 사진과 같이 짐을 넣는
  공간은 하나로 되어 있고 짐을 묶어 주는 고무 밴드나 상부 덮게
  정도가 일반적이다.

 -캐리어 짐이 한쪽을 쏠리는 현상이 있다. 특히 가방이 크면 클
  수록 심하다.

 -작은 보조 가방을 넣는다고 하여도 해결하기는 쉽지 않다.

5.사무 5행의 관점에서 설계해 보면

 -화려한 외관, 다양한 기능 및 고가인 것을 고려할 때 내부의
  모습은 대부분 비슷하다.

 -따라서 짐이 쏠리는 것을 방지하기 위해 짐을 넣는 공간을 3칸
  정도로 구별하는 이동식 칸막이(철거 가능 방식)를 설치하고,
  고정 밴드 또한 각각 설치한다.

[간단한 예절]

 일반적으로 대기업이나 1차 기업 정도에서는 사외에서 진행하는 예절
교육에 참여할 기회가 주어졌으나 그 외의 중소기업에서는 바쁜 업무나
사람 부족으로 인하여 이러한 예절 교육을 받는 것이 쉽지 않다.
다음의 간단한 예절에 대해서 알아보자.
1.명함 주고 받기(회의 석상에서)
 1)명함을 주고 받을 때
  -나의 명함을 상대방이 보고 읽을 수 있도록 준다.
   즉, 상대방 측에서 볼 때 똑바로 되도록 한다.
  -왼손으로 주면서 오른손으로 악수를 한다.
 2)받은 명함의 한자를 모를 때
  -상대방에게 물어보는 것이 좋다. 즉, 그만큼 친밀감을 가지고 있다는
   것이기 때문이다.
 3)받은 명함은 어디에
  -명함을 받자 마자 지갑이나 포켓에 넣으면 실례이다.
  -받은 명함은 회의가 끝날 때까지 자기 앞에 앞사람 배열과 같이
   놓아 둔다.
2.식당에서 자리 배치(고객(상사들)과의 식사를 할 때)

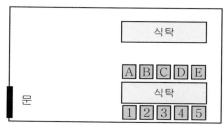

1.고객이나 상사가 앉을 좌석
 : 번호 좌석이고
   최고 상석은 3 번

2.부하나 접대자의 좌석
 :알파벳 좌석이고 상석은 C석

3.승용차 동승 요령
 1)상사의 차를 탈 때의 자신의 위치는 조수석이다.
 2)손님을 모시고 갈 때의 손님의 위치는 뒤쪽 조수석, 다음이 운전석 뒤쪽.
 3)손님과 함께 다른 차를 탈 때 손님은 뒤쪽 조수석, 본인은 조수석이다.

제7장 설비 제작

계약이 완료된 후 설비업체는 설비 제작을 위해 사양 협의일, 승인도면 작성일, 승인도면 제출일, 단품 제작일, 기계 조립일, 전기 조립일, 시운전일, Test piece 제작일 및 요청일, 업체 실사일, 업체 검수일, 납품일, 입고 및 설치, 시운전 등을 작성한 설비 제작 일정표를 작성하고 고객에게 송부하여 승인을 받는다.

업체가 제시한 일정이 당사 일정과 차이가 발생할 경우 업체와 협의해서 일정을 반드시 조정해야 한다. 발주업체는 특별한 사정이 없는 한 설비업체가 일정을 준수할 수 있도록 해당 항목 별 일정에 맞춰 협의를 실시한다.

또한 QCD를 만족하는 설비 제작을 위해서 관련부서의 요청 사항을 반영하고 내부 FMEA 자료를 제공한다.

7-1.사양 협의
7-1-1.사양 협의란

발주업체가 제시한 견적사양서와 설비 제작업체가 제출한 견적사양서에 대해서 양자가 최종적으로 대면하여 협의하는 것을 사양 협의라고 한다. 즉, 사양 협의는 발주업체가 요청한 견적 사양이 누락이나 추가하거나, 잘못된 것이 없는지를 협의하는 것을 말한다.

만약 사양 협의 시 견적 요청사항에 없었지만 추가로 요청할 것이 있을 때는 비용적인 문제가 발생하므로 사양을 축소하거나 다른 부분에서 가감하거나 별도의 구매 등의 행위가 발생할 수도 있다. 사양 협의 시점은 생산기술에서 결정하지만 업체와 협의해서, 계약과 동시에 견적사양서 기준으로 할 것인지, 설비제작일정표를 가지고 할 것인지, 승인도면을 가지고 할 것인지 판단해야 한다.

설비 제작업체에서는 계약 후 제일 먼저 설비제작일정표를 작성하여 발주업체의 승인을 받는다. 즉, 발주업체의 전체 일정에 차질을 주는 것은 없는지 승인을 받아야 하는 것이다.

설비제작일정표에는 사양 협의일, 승인도면 작성일 및 제출일, 제작일, 기계 조립일, 전기 조립일, 시운전일, Test piece 요청일, 업체 실사일, 업체 검수일, 납품일, 입고 및 설치, 시운전 등을 기입한다.

사양 협의의 참가 대상, 방법, 일정 등은 생산기술에서 사전에 사내 관련자들과 제작업체와 협의하여 결정한다. 참가 대상으로는 생산, 보전, 품질 관련자들로 하여야 하나, 이것은 생산기술에서 판단하여 승인도면 검토 단계부터 참석시킬지 여부를 결정하면 된다.

방법으로는 전체 관련자를 한꺼번에 모아서 회의를 하고 회의록을 작성하는 것이 좋으나, 관련자의 참석이 불가한 상황이 발생할 때는 서면으로 승인을 받아서 제작업체에 송부하는 방법도 있다.

일정은 사양 협의 시 가장 중요한 항목으로 생산기술, 사내 관련자, 제작업체, 제작업체의 외주업체 등 많은 사람이 참여하므로 상호 협의하여 일정을 조율하고 그 일정이 준수되도록 한다.

7-1-2.FMEA 반영

  FMEA란 Failure Mode and Effect Analysis(고장모드영향분석)으로 제품 및 프로세스가 가지고 있는 리스크를, 주로 제품 설계 단계 및 프로세스 설계 단계에서 평가해서, 그 리스크를 가능한 한 배제 또는 경감시키기 위한 기법이라고 한다. FMEA의 종류와 실시 단계는 제품 설계 단계인 DFMEA(Design FMEA),
공정 설계 단계인 PFMEA(Process FMEA),
공정 관리 단계인 CP(Control Plan)가 있다.
  DFMEA(설계고장모드영향해석)이란 고장의 원인이 되는 제품 설계의 약점을 특정하고, 그것을 회피하기 위한 목적으로 한다. 이것으로 실패의 리스크를 경감시키는 것이다.
  PFMEA(프로세스고장모드영향해석)이란 고장의 원인이 되는 제조 공정과 물류 프로세스 등의 약점을 특정하고, 그것을 회피하기 위한 목적으로 한다. 이것으로 실패의 리스크를 경감시키는 것이다.
  CP(관리계획서)이란 제품을 만드는 과정을 집결한 공정의 설계도이다. 시작CP와 양산CP로 2가지가 있다. 시작CP란 제품의 개발, 설계 단계에서 만들어지는 것이고, 양산CP란 시작CP의 최종판으로 양산 단계에 만들어지는 것이다.
  PFMEA란 생산 현장에 발생하고 있는 문제점들을 나열하여 어떤 항목부터 먼저 개선할 것인가를 3가지 항목으로 분류하여 가점을 매겨 우선 순위를 정해서 개선 활동을 하는 것이다.
  PFMEA를 사용하지 않을 때는 어떤 항목부터 할 것인가를 정하는 기준을, 불량을 많이 발생시키는 순서라든지, 고장을 많이 발생시키는 순서라든지, 작업의 불편함 순서라든지, 생산 현장에서 요청하는 순서 등으로 결정하였다. 즉, 객관적인 판단이 부족한 경우도 발생한다는 것이다. PFMEA의 위험 우선 순위를 결정하는 3가지 항목을 보면, 심각도, 발생도, 검출도를 10단계로 구분하여 점수를 매겨 이 3가지의 곱의 순으로 우선 순위를 정하고 있다.

*PFMEA의 업무 순서는

 1.해당 공정별로 작성한다.

 2.요구사항을 작성한다.

 3.잠재적 고장 형태를 파악한다.

 4.잠재적 고장 영향을 평가한 후 심각도 등급을 파악하고 작성.

 5.잠재적 고장 원인을 파악한 후 발생도 등급을 파악하고 작성.

 6.검출 현상을 파악하고 검출도 등급을 작성한다.

 7.결과를 문서화하여 이력 관리한다.

 8.PFMEA의 위험 우선 순위(RPN, Risk Priority Number)

  = 심각도 × 발생도 × 검출도

   심각도 : 10등급, 발생도 : 10등급, 검출도 : 10등급

 9.개선 우선 순위

 1)심각도>8, 8≥심각도 ≥5, 발생도 ≥4

 2)심각도가 높은 것

 3)심각도 × 발생도가 높은 것

 4)위험 우선 순위(RPN)가 높은 것

*PFMEA 양식

○ 시스템 ○ 서브시스템 ● 구성부품			잠재적 고장형태 및 영향 분석 (Process FMEA)												PFMEA 번호			
프로젝트명(차종)															초기완료예정일			
제품명/부품명															최근개정완료일			
제품번호/부품번호															개 정 번 호			
상호기능팀원														작성자	팀			
															이름/직급			
공정 번호 / 기능	요구 사항	잠재적 고장형태	잠재적 고장영향	심각도	특성구분	잠재적 고장원인	현 공정관리				RPN	권고 조치	담당 / 완료 예정일	조치결과				
							예방	발생도	검출	검출도				조치사항/ 조치완료일	심각도	발생도	검출도	RPN

7-2.승인도 검토
7-2-1.승인도 검토란

승인도란 제품을 생산하기 위해 필요한 도면이 적합한지 검토하여 변경 요청사항 등을 기재하여 승인을 요청하는 도면을 말하고, 이러한 행위를 승인도 검토라 한다. 즉, 설계나 설비 제작업체에서 작성한 도면을 양산성 검토를 하여 생산하기 적합한지, 누락된 사양은 없는지, 추가 요청할 사항은 없는지, 기존에 문제가 된 사항이 그대로 적용되지는 않는지 등을 검토하여 요청하는 것을 말한다. 따라서 승인도를 검토할 때는 DFMEA나 PFMEA 자료나 생산부서나 보전부서에서 요청할 사항들이 무엇이 있는지 파악하여 반영한다.

승인도 검토 업무는 크게 2가지로 나눌 수 있다. 제품도면을 승인하는 것과 설비 제작도면을 승인하는 것이다. 제품도면은 앞장에서 서술한 시작도면과 생산준비도의 2가지가 있으며, 설비 제작도면은 기계도면과 전기도면으로 크게 나눌 수 있다. 제품도면 승인은 앞 장에서 서술했기 때문에 생략하고, 본 장에서는 설비 제작도면 승인에 대해 서술하고자 한다.

설비 제작도면이 완성되면 설비 제작업체에서 생산기술로 승인 요청 일정을 통보하고 이를 근거로 관련부서와 협의일을 결정해서 설비 제작업체에 통보한다. 승인도면은 3부를 요청하여 사전에 관련부서에 배포하여 검토할 시간을 부여함으로써 협의 시 시간이 단축되도록 한다.

일반적으로 생산기술 담당자는 기계를 담당하는 사람이 대부분이기 때문에 전기 관련 업무는 보전에 일임하고 있다. 오래전 전기분야의 사업을 하고 있는 친구가, 전기의 시퀀스(Sequence, 동작 순서)는 기계에서 나오고, 이것을 수정하려면 기계의 도움을 받지 않으면 어렵다고 하면서 전기 공부를 권했다. 이에 Relay회로부터 PLC까지 공부한 적이 있었다. 생산기술 담당자로서 전기에 대한 최소한의 지식을 습득하기를 바란다.

<승인도 검토 요령>

1.제품도면 승인
 -기 설명한 "3-3-6.시작도면 접수" 를 참조한다.

2.설비도면 승인(기계, 전기, 전자 등)
 1)제작 일정표는 준비되었는가.
  -출도일, 부품 제작, 조립, 입회일, 설치일 등

 2)제출 서류는 구비되었는가.
  (1)제작사양서
  (2)총조립도
  (3)부품조립도
  (4)Jig & Fixture 구상도
  (5)Tool Layout
  (6)절삭 공구도
  (7)유공압 회로도
  (8)전기 회로도
  (9)Cycle선도
  (10)기계 및 전장부품 List
  (11)조작반 명판도
  (12)기기용량 일람표
  (13)시스템 구상도
  (14)기종 검지, 기종 교환 방법
  (15)전기, Air, Gas, 용수, 작동유, 윤활유 사용량 List

 3)해당 제품 샘플은 준비되었는가.
  -승인도면을 검토할 때 제품 샘플을 구비하여 직접 보면서 한다.
 4)해당 담당자 참석은 준비되었는가.

-사전에 담당자에게 일정을 통보하고 참석할 수 있도록 한다.

5)Cycle time은 적합한가.

(1)절삭조건표로 가공 시간과 비가공 시간으로 나눈다.

(2)가공 시간의 절삭조건은 적합한가.

(3)비가공 시간의 배분은 적합한가.

6)Machine layout은 적합한가.

(1)Machine layout에 자사 설치 공간과의 간섭 여부를 확인한다.

(2)전후 공정과의 간섭 여부 확인한다.

(3)작업자의 조작 편의성을 확인한다.

(4)보전성 확인한다.

(5)각종 비치물(가공공정표, 작업표준서, 자주검사 check sheet, 설비일상점검표 등) 부착 시 간섭 여부.

(6)Chip 처리 방향은 맞는가.

(7)설비 내 Chip이 누적되지 않게 하였는가.

(8)Air gun 및 Coolant gun은 설치되어 있는가.

(9)반입, 반출 장치는 전후 설비와 Interlock이 되어 있는가.

(10)반입, 반출 장치는 전후 설비와 높이는 맞는가.

(11)제어반, 유압, Coolant 장치 위치는 맞는가.

7)Jig & Fixture는 사양대로인가.

(1)Work와 간섭되는 부분은 없는가.

(2)기준 Pin은 사양대로이며 교환 가능한가.

(3)기준 Pad는 사양대로이며 교환 가능한가.

(4)Work 착탈은 용이한가.

(5)기준면은 확실히 설정되어 있으며, Work와 밀착되고 있는가.

(6)유압 부품은 표준 부품을 사용하고 있는가.

　-표준 부품이 아닐 경우 무상으로 Spare를 제공할 것인가.

　-제공하지 않을 경우 제작도면을 제공받는다.

(7)Clamp에 소재 변형은 없는가.

(8)Chip 배출 용이 구조로 설계되었는가.

(9)Work 착좌 확인장치는 있는가.

　-대부분 Option 사양이므로 요청 여부에 따라서 결정한다.

(10)Chip이 쌓이지 않도록 강제적인 Air blow나 Coolant flushing
　　장치는 있는가.

8)Tooling은 적합한가.

(1)Tool 도면 List는 제출되었고 사양대로인가.

(2)공구와 Jig & Fixture 간섭은 없는가.

(3)공구 수명은 제시되었는가.

(4)공구파손검지장치는 있는가.

(5)공구파손검지장치 방법은 적절한가.

(6)기존 생산 공장에서 생산 중인 유사 제품과 공용화를 검토한다.

　-유사 공정에 대한 공구도면을 업체에 제시하고 가능하면 공용
　　화를 검토한다.

　-Tool life 등을 고려하여 신규 사양이 더 좋을 경우 기존 공구를
　　변경하는 것으로 한다.

9)기종 교환

(1)기종 교환 방법은 용이한가.

　-방법에 따라 투자비 차이가 많이 발생하므로 신중히 검토한다.

(2)기종 교환 시간은 사양대로 인가.

　-시간은 투자비와 직결되므로 신중히 검토한다.

　-사양 협의 중 업체에서 제시되는 방법이 좋을 경우 적용한다.

10)전기, 전자도면

(1)전기도면은 사양대로 인가.

(2)전자도면은 사양대로 인가.

7-2-2.승인도 검토 업무 Process

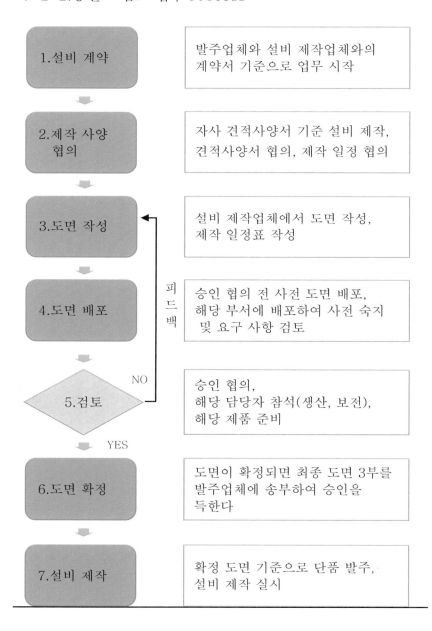

| 1.설비 계약 | 발주업체와 설비 제작업체와의 계약서 기준으로 업무 시작 |

| 2.제작 사양 협의 | 자사 견적사양서 기준 설비 제작, 견적사양서 협의, 제작 일정 협의 |

| 3.도면 작성 | 설비 제작업체에서 도면 작성, 제작 일정표 작성 |

| 4.도면 배포 | 승인 협의 전 사전 도면 배포, 해당 부서에 배포하여 사전 숙지 및 요구 사항 검토 |

피 드 백

| 5.검토 | 승인 협의, 해당 담당자 참석(생산, 보전), 해당 제품 준비 |

NO

YES

| 6.도면 확정 | 도면이 확정되면 최종 도면 3부를 발주업체에 송부하여 승인을 득한다 |

| 7.설비 제작 | 확정 도면 기준으로 단품 발주, 설비 제작 실시 |

7-3.Test piece
7-3-1.Test piece란

설비의 정도를 확인하기 위해서는 해당 공정에 맞는 제품이 필요하게 되는데, 이러한 제품을 사내 혹은 사외에서 해당 공정에 맞는 가공품으로 준비한 것을 Test piece라고 한다.

공정이 한 개로 완가공이 가능할 때는 소재 상태가 Test piece가 되고, 공정이 여러 개 있을 때는 각 공정의 전 단계까지 가공한 것을 말한다. Test piece는 시운전용 Sample work라고 말하기도 한다.

7-3-2.Test piece 공급 계획

Test piece 공급 계획은 다음과 같이 한다.

1.공정 배분이 되어 있는 Machine list를 준비한다.

2.Test piece 소요 계획을 수립한다.

 1)Proto용으로 설계에 필요한 수량 및 일정

 -Proto용은 설계에서 시작 차량을 제작하기 위해 필요한 것으로 일반적으로 200~300EA 정도를 요청한다. 요청 시점은 대부분 몇 단계로 나누어서 요청을 하고 단계별로 사양이 변경될 때도 있기 때문에 Test piece 제작업체에 사전에 충분히 협의하여 사양 변경에 대응할 수 있도록 한다.

 2)설비 검수용으로 설비 제작업체에 필요한 수량 및 일정

 -설비 검수용이란 해당 공정의 설비가 제작되었을 때 자체에서 설비를 시운전하기 위한 것을 말한다.

 -설비 제작에 필요한 수량은 시운전 1차(1EA), 2차(3EA) 기준으로 몇 회 할 것인가를 결정하여 수량을 결정하고 Test piece를 준비하여 해당 시점에 공급한다.

 3)사내에서 공정 Tryout용으로 필요한 수량 및 일정

 -공정 Tryout용이란 설비가 자사에 입고되면 각각의 C/T, 정도,

Jig & Fixture와 공구의 적합성 등을 확인하기 위함이다.

-공정 Tryout은 1차(1EA), 2차(3EA), 3차(20EA 연속 가공하여 5EA 측정)로 나누어서 한다.

-수량은 1차, 2차, 3차 각 3회로 생각하여 100EA 정도 준비한다.

-설비 제작업체에 송부한 Test piece의 양품을 구별하여 공정 Tryout용으로 활용할 수 있는지 판단하여 사용한다.

4)Line Tryout용으로 필요한 수량 및 일정

-Line Tryout용이란 각 공정 간 누적 공차 문제, 가공 후 설비와의 간섭, 자동화 설비의 Clamp 장치나 이송 장치와의 간섭 문제 등을 파악하기 위함이다.

-수량은 하루 4시간 분량을 며칠 정도 할 것인가를 결정한다.

-Line Tryout은 연속으로 가공하여 전체 공정의 문제점을 확인하기 위함이기 때문에 충분한 소재를 확보할 필요가 있다.

-이때 가공하여 정도가 OK된 것은 양산으로 사용할 수 있기 때문에 별도 관리를 한다.

-작업자 현장에 배치하여 작업요령을 숙지할 수 있도록 한다.

3.소재 요청 계획을 수립한다.

Test piece 소요 계획에 따라 가공 시 발생할 불량률 감안 약 10% 추가 물량을 소재 담당 부서에 공문으로 요청한다.

4.Test piece 가공은 사내 혹은 사외로 구분하여 계획을 수립한다.

1)사내에서 가공 가능한지 검토한다.

2)사내에서 가공이 불가할 경우 가공 가능한 업체를 수배한다.

3)최소 2개사 이상 업체를 수배하여 견적 의뢰한다.

4)외주 가공 업체는 사전 방문하여 가능 여부 판단을 실시한다.

5.Test piece 공급

1)Test piece가 준비 완료되면 각 업체로 송부한다.

-Proto품/Pilot품: 설계

-설비 제작용: 설비 제작업체

-Tryout용: 현장

7-4.업체 실사
7-4-1.업체 실사란

생산기술에서는 잠재적인 신규 업체나 기존 업체를 견적 참여시키고자 할 때나, 설비가 제작되고 있는 중간에 업체를 방문하여 업체의 재무 상태, 설비 제작에 투입되는 설계 인원, 현장 작업 인원, 설비 제작 진행 현황, 지원 필요 사항 등을 확인해서 Project에 차질을 주는 요소가 없는지 확인하는 작업을 업체 실사라고 한다.

업체 실사 시점은 초기 견적 단계나 견적 대상 업체 선정 단계에서 실시하고, 대상은 기존 업체와 잠재적인 신규 업체 등으로 정해서 실시한다. 잠재적인 신규 업체를 참여시키고자 할 때는 구매부서와 함께 방문하여 제반사항을 확인하여 구매부서의 의견 등을 고려하여 보고서로 결재를 득해 참여 여부를 결정한다.

기존 업체 또한 재무 상태, 인원 현황 등의 문제가 있을 때 보고서로 가부를 결정하여 진행 여부 승인을 득하는 것이 좋다.

업체 실사는 국내, 국외로 구분하여 진행한다. 국내일 때는 사전에 방문일, 방문 인원 및 목적을 공문으로 송부한 후 방문한다.

국외일 때는 비용과 시간적인 제약이 있기 때문에 필요성을 파악하여 반드시 필요하다고 판단할 때는 국외 업체와 협의하여 가능하다고 승인이 있을 때 내부 품의를 득해 국외 출장을 진행한다.

오래전의 경험이지만 독일 업체가 견적에 신규로 참여할 기회가 있어서 업체 실사 요청을 하였고, 업체에서 가능하다고 하여 업체 실사를 한 적이 있었다. 지금도 마찬가지이지만 독일은 공작기계의 세계의 선두 주자이기 때문에 일단 모든 것을 믿고 방문하여 회사 제반사항 등을 확인하였다. 하지만 실제 당사가 발주하고자 하는 설비가 현장에 없었고 해당 설비를 견학하려면 꽤 먼 거리를 가야 했기 때문에 그냥 믿고 다른 회사로 가버린 적이 있었다. 이것은 설비가 입고되고서야 잘못되었다는 것을 알게 되었다. 설비 정도 문제로 거의 6개월을 밤낮으로 고생한 적이 있었다.

7-4-2. 2차 공청회

2차 공청회의 목적은 설비 제작 단계에서 1차 공청회 시 요청사항이나 지시사항 등이 반영되었는지, 현재까지 진행되고 있는 모든 업무 내용을 다시 한번 정리하여 최종적으로 누락된 것이나 수정할 것이 없는지, 일정상 지연되고 있는 것은 없는지를 관련자와 Owner 참석하에 점검하기 위한 것이다.

2차 공청회 반영 내용은 다음과 같이 한다.
1)Project 고려 사항
 -1차 공청회 시 작성한 내용을 근거로 환경, 표준화, 프로세스 3가지 측면에서 수정사항 또는 지시사항을 반영하여 작성한다.
 -중간에 추가 부분이 있었을 경우 반영하여 작성한다.
2)Project 개요
 -Project명, 고객사, 년도별 판매 계획, Pilot 및 Proto품 공급 일정, 고객 및 자사 양산 일정, 가공 Line과 비가공 Line의 신규, 기존 설비 활용, 개조 등의 변경된 사항을 수정하여 작성한다.
3)설비 발주 방법
 -설비, 공구, Jig & Fixture 등을 일괄 발주하는 Turnkey 방식과 개별로 발주하는 개별 방식을 결정하였는가.
 -자체 설비제작사양서는 작성하였나.
 -견적사양서는 작성하였나.
 -견적 대상 업체는 선정하였나.
 -도면 승인 설비 제작 전에 제작 사양서 기준으로 제출 받는다.
 -입고 전 Maker 검수 실시한다.
  당사 직원 입회하에 검수 후 OK 시 입고 조치한다.
 -입고 후 Tryout 방법에 대해 제시한다.
  1차(1EA), 2차(3EA), 3차(20EA 연속하여 5EA 측정, CPk 1.33).
 -Spare parts: 본체가의 3%.

4)Project 현황
 -Line별 업무 내용, 양산 적용 시점, 생산 능력, 요구 수량, C/T, 투자비, 인원 현황 등을 작성한다.
 -개조 등이 필요할 경우 재고 확보 계획도 작성한다.
5)투자 회수 기간
6)Flow chart
7)PFMEA
8)Master schedule
 -OEM Master schedule 기준으로 자사 Master schedule을 작성한다.
9)투자비
 -품의예산으로 수립한 것을 기준으로 투자비를 산정한다.
10)Machine Layout
 -해당 Machine Layout을 작성하고, 그것을 공장 Layout 에 옮긴다.
 -제4장에서 거론한 Layout의 고려 사항을 점검한다.
 -Layout은 한번 설치하면 이설 시 많은 시간과 비용이 소비되므로 모든 해당자에게 상세하게 설명하여 점검을 받는다.
11)Test piece 공급 계획
 -설비 검수용, 공정 Tryout용, Line Tryout용을 준비한다.
 -설계 요청용 Pilot1, Pilot2도 준비한다.
12)업체 실사 계획
 -설비 제작 중에 그 동안 업체의 내부 사정이 어떻게 바뀌었는지, 현재 진행 중인 업무는 원활히 진행되는지를 확인한다.
13)유지류(Coolant, 윤활유, 작동유 등) 공급 계획
14)Utility(전력량, Air량, 용수량) 공급 계획
15)품질 확보 방안
 -고객이 요구하는 품질을 만족하기 위해 품질 확보 방안을 수립.
16)안전 시스템 구축
 -모든 설비는 작업자가 안전하게 작업을 할 수 있도록 설계한다.
 -설비 검수 시 안전 관련 설비 동작 상태를 확인한다.

7-4-3.유지류 List 작성, 발주

유지류란 설비 가동에 필요한 Coolant fluids(절삭유), Hydraulic oil (유압유), Spindle oil, Lubrication oil(윤활유) 등을 말한다. 모든 유지류는 각 설비별 소요 용량과 교체 주기, 개소 등을 List로 작성하고, 설비 입고 시점에 맞춰 사전에 발주하여 유지 관리한다.

절삭유란 기계 가공 시 공구와 제품의 마찰열을 줄여 주고, 가공성을 향상시킬 뿐 아니라, 가공 중에 발생하는 Chip을 제거하는 역할을 한다.

절삭유는 업체별 특성이 있기 때문에 절삭유 선정 시는 기존에 사용하고 있는 사양이나, 타사에서 사용하고 있는 사양이나, 업체가 추천하는 사양 등을 실제 Line에 사용해 보고 선정한다. 업체가 추천한 사양을 Test하고 적용할 때는 계획을 세워 진행 현황을 수시로 확인하고, 또한 생산 의견을 수렴하여 적용한다.

절삭유의 보충이나 교체는 아주 중요하다. 절삭유의 희석율이 낮으면 가공성에 문제를 줄 뿐 아니라, 설비나 제품의 녹 발생을 유발하게 된다. 또한 보충 시 주의사항을 깜빡하고 수도꼭지를 잠그지 않아 절삭유가 외부로 유출되지 않도록 해야 한다.

절삭유 희석율은 계측기로 주기적으로 측정할 수 있도록 Check sheet를 작성하여 관리한다. 교체 주기는 업체에서 제시하는 주기를 기준으로 마찬가지로 Check sheet에 포함하여 관리한다.

유압유는 유압 Tank를 이용하여 Jig & Fixture 상의 제품의 Clamp & unclamp할 때, 설비의 X, Y, Z축 Feed unit(최근 설비는 대부분 NC 구동 방식임)의 유압 Cylinder나, 자동 Loading 장치의 전후진 Feed unit 혹은 상하 Feed unit의 유압 Cylinder에 사용된다.

Spindle oil은 구동체인 Spindle의 내구성을 좋게 하기 위한 것으로, 설비 특성상 업체에서 지정 사양으로 정해서 사용되고 있다.

윤활유는 설비 전체의 구동체 부품에 내구성을 좋게 하기 위해 공급하는 것이다.

7-4-4.Chute, Conveyor 발주

Chute란 수동 Line일 때 설비와 설비 간 제품 이동을 수작업으로 할 때 Chip이나 Coolant가 바닥에 떨어지는 것을 막아주고, 또한 Coolant를 회수하는 역할을 하며, 제품이 무거울 때 수작업으로 이송하기가 힘들 때 사용하는 철판 형태를 가진 물건을 말한다. 가벼운 제품일 때는 철판 형태만을 가지지만, 무거운 제품일 때는 제품을 놓는 Die와 Rail을 설치하여 제품을 Die에 올리고 Die를 작업자가 밀고 다니는 형태의 간이 부품을 장착할 때도 있다.

Chute가 수동일 때 사용된다면, Conveyor는 자동으로 소재를 이송하고자 할 때 제품 이송용으로 철이나 SUS 등의 판을 가공하여 연결한 후 Motor 동력을 이용하여 이송하는 것을 말한다.

Conveyor는 다음과 같이 구성된다.

1. 용도에 따라 반입 Conveyor와 반출 Conveyor로 나누어진다.
2. Conveyor의 형식은 Free roll conveyor, Top roll chain conveyor, Power roll conveyor, Friction conveyor, Slat conveyor 등이 있다.
3. 제품을 정렬하고 서열대로 공급하는 Stopper와 Escaper장치 설치.
4. Conveyor에 제품을 올려 놓았을 때만 Conveyor가 구동되도록 인식 시켜주는 소재 유무 Switch를 설치한다.
5. Conveyor 상의 제품이 Full이 되었을 때는 전 공정에서 제품을 공급하지 못하도록 하는 Full work switch를 설치한다.
6. Conveyor의 속도는 일반적으로 6~10m/min 정도이나 제품이나 Line의 상황에 맞춰 설정한다.
7. 공급 길이는 발주 단계에서는 정확하지 않기 때문에 개략적으로 몇 m로 하고, 승인 단계에 정확하게 길이를 제시한다.
   길이가 정확하지 않으면 전후 설비와 간섭이 발생하여 설비를 설치하지 못하거나, Conveyor를 자르는 일이 발생할 수도 있다.
8. Machine 간 전기적 Interlock 작업을 하여 가동 중 충돌이나 설비 중단 등의 문제가 발생하지 않도록 한다.

7-4-5.자주검사 Gage 발주

자주검사란 제품을 생산하면 설비의 정도 오차, Jig & Fixture의 문제, 공구의 마모 등에 의해서 치수 산포가 발생하게 되는데, 이 치수 산포를 Spec 내로 수정 작업이 가능하게 표준을 잡아주고, 주기적으로 검사하는 행위를 말한다. 이러한 행위를 하기 위해서 제작되는 도구를 자주검사 Gage라고 한다.

자주검사 Gage의 발주는 일반적으로 생산기술에서 실시하지만 기업별로 품질부서에서 할 때도 있다. 하지만 공정 내용을 정확히 이해하고 있는 생산기술에서 발주하는 것이 더 좋다고 판단한다.

자주검사 Gage 발주 수량은 3 Sets로 하고, 1 Set는 현장용, 1 Set는 수리용(점검용), 1 Set는 품질관리용으로 한다. 수리용이란 자주검사 Gage는 1년 단위로 정기 점검을 받아야 하는데, 3 Sets를 번갈아가면서 수리하기 위해서 별도로 보관하는 것을 말한다.

자주검사 Gage의 관리는 품질관리이며, 생산기술로부터 Gage list와 품목을 받아 생산부서로 필요한 품목과 List를 다시 인계한다.

자주검사 주기는 대단히 중요한데 일부 기업들이 이해를 정확히 하지 못하고 있는 부분이 있다. 즉, 자주검사 주기를 시간으로 할 것인지 수량으로 할 것인지 결정하는 것이다. 일부 기업들이 자주검사 주기를 제품의 Capa와 상관없이 일괄적으로 2시간에 한번으로 정해서 자주검사를 하는 것을 보았다.

예를 들어 30만 대/년 Line의 2시간에 해당하는 제품의 수량은 103개이고, 10만 대/년 Line의 2시간에 해당하는 제품의 수량은 34개이다. 즉, 자주검사가 잘못되어 발생하는 불량의 수량은 30만 Line에서 약 3배 가량 더 나타나게 된다. 따라서 시간으로 주기를 설정하는 것 보다 수량으로 정하는 것이 타당하고, 일반적으로 대기업에서는 수량은 20개 단위로 설정하여 관리를 하고 있다.

자주검사에 필요한 것들로 자주검사 Check sheet, 자주검사 Gage 꽂이, 자주검사대 등이 있다.

7-4-6.Hoist, Pit 발주

Hoist란 공정 간 제품을 수작업으로 이송하기 위한 도구로, C/T이 길고 제품의 중량이 많이 나갈 때는 간단한 Hoist를 활용할 때가 많이 있다. Hoist는 소재 투입 공정부터 가공 공정 및 완성품 적재 공정까지 1개의 Line에 1대의 Hoist 혹은 여러 대의 Hoist로 작업이 가능하게 하는 장점이 있다. 또한 비용이 저렴하고, 설치 시간이 짧고, 고장 개소가 적은 장점이 있다.

하지만 단점으로는 Hoist를 수작업으로 조작하는 하는 시간이 많이 걸리고, 제품을 Clamp 할 때나 제품을 Jig & Fixture에 안착시킬 때 기준 Hole이나 면에 흠을 발생시킬 우려가 있으며, 반드시 작업자가 필요하다는 것이다. 즉, 인건비가 고정으로 발생하므로 Hoist를 사용하고자 할 때는 신중하게 검토하여 결정한다.

Hoist와 유사한 Air를 사용한 소재Lifter장치가 있다. 이것은 작업 반경이 좁지만 수직 및 수평 이동이 가능한 다관절로 되어 있어 중량물인 제품을 Loading & unloading할 때는 아주 유용하다.

Pit란 설비나 자동화류 등을 바닥 하부에 설치하기 위해서 구멍을 파는 작업을 말한다. 설비의 경우에는 우선 설비의 정적 하중이나 가공 중에 발생하는 동적 하중을 견딜 수 있는, 즉, 지내력을 갖춘 바닥 작업을 하여야 한다.

이러한 작업을 하기 위해서는 우선 중량물의 설비의 지내력이 계산되어 있어야 하고, 이것을 근거로 Pit 공사 업체에서는 지내력에 맞는 콘크리트 파일이나 철 Pipe을 박는 작업을 한다.

Pit의 바닥에는 Coolant나 물이 바닥에 고일 경우를 대비하여 구멍을 만들고 Pump를 설치하여 Coolant나 물을 밖으로 빼어내게 한다. 또한 작업자나 보전 담당자가 점검이나 수리를 하기 위해서 Pit 내부에 내려가기 위한 사다리 작업을 하고, 또한 Pit 내부는 어둡기 때문에 조명기구를 설치한다. 설비가 설치 완료되면 상부가 Open되어 있어 위험하기 때문에 철판으로 된 안전 Cover를 설치한다.

7-4-7.부자재 List 작성, 발주

부자재란 제품을 생산하기 위해서 간접적으로 필요한 물자와 재료를 말한다. 부자재 List로는 다음과 같은 것이 있고, 설비 입고 시점을 고려하여 사전에 발주한다.

<부자재 List>

1.각종 자료 부착용 걸이
 1)가공공정표, 작업표준서, 자주검사 Check sheet, 설비일상점검
  Check sheet 등을 부착할 수 있는 걸이를 말한다.
  부착 위치에 맞춰 형태를 결정하고 제작한다.
 2)자주검사 Gage 꽂이
  -자주검사 Gage의 분실이나 설비별 Gage를 정위치하기 위해서
   나무나 플라스틱 등을 Gage 형상을 파서 제작한다.
 3)자주검사대
  -자주검사를 하기 위한 제품을 올려 놓는 Die를 말한다.
 4)소재, 완성품, NG품 적재 Box
  -소재 Box는 자동화 여부에 따라 소재에서 공급하는 Box를 사용
   할 것인지 아니면 신규로 제작할 것인지 판단하여 결정한다.
  -완성품 Box는 고객의 자동화 방식에 따라 사양이 결정되므로
   반드시 고객과 사전 협의하여 승인을 득하여 제작한다.
  -NG품 Box는 붉은색 표시로 양품 Box와 혼용되지 않도록 한다.
 5)장갑
 6)안전화
 7)보안경
 8)마스크
 9)Air gun, Coolant gun
 10)청소 용품 등

7-5.검수
7-5-1.검수란

검수(Inspection)란 설비가 설비 제작업체에서 제작이 완료되어 시운전 가능 상태가 되면 발주업체가 설비 제작업체에 방문하여 C/T, 정도, 작업성, 보전성, 안전성, 기타 자사가 요청한 견적사양서 등을 확인하는 작업을 말한다.

7-5-2.검수자의 책임과 권한

1.설비 제작업체에서 원활한 검수가 되도록 최대한 지원한다. 특히 Test piece는 적당한 수량을 사전에 공급해야 한다.
2.검수자의 최종 Accept sign에 의해 설비의 비용이 지불되므로, 검수자는 자사의 대표자라는 것을 명심하며 검수에 임해야 한다.
3.기계란 납입된 후 영원히 이용한다는 점과 검수자 자신이 자신의 집을 구입한다는 기분으로 설비를 관찰해야 한다.
4.검수자는 승인도 검토 사항의 일관된 Check는 물론 검수 후 문제점 수정 여부 혹은 납입 시까지의 모든 문제점 보완 여부에 대해 모든 책임을 가진다(혹 검수자가 변경되더라도 그 시점까지의 모든 History를 정확히 인계하여야 한다).
5.검수자는 현장에서 직접 해당 기계를 사용하는 작업자가 되어 자신이 생각하는 것은 모두 지적하고 의견을 낸다.
6.특히 Cycle time, 정도는 절대적 조건이므로, Cycle time over나 Spec over는 절대로 허용해서는 안된다.
7.검수 후 장비가 입고되어 동일한 지적사항이 반복되어 발생되지 않고, 지적사항에 대한 조치 여부를 확인하기 위해, 검수자는 반드시 해당 설비 입고 후 기 작성된 Check 항목을 반복 확인한다.
8.중요 공정은 설비가 완성되기 전에 중간 검수를 해서 문제 유무를 확인한다. 특히 신규 업체는 반드시 중간 검수를 실시한다.

7-5-3.검수 Flow chart

발주업체	Maker

1.Test piece 수량, 시기 확인 ◄──► 1.좌기(左記)확정 통보
2.Test piece 공급 계획 확정 ◄── 2.설비 제작일정표 작성 송부
3.업체별 검수 일정 확인 ◄──► 3.검수 가능 일자 통보 확정
4.검수팀 구성 및 세부 일정
　작성

검수

재검수

지적사항
상호보관

업체 실수로 인한 재검수 시는
제반 경비는 업체 부담토록 한다

지적사항의 보완 여부의 확인
(Maker → 발주업체, 서면)

FOB(운송)

설치

검수 지적사항에 대한 항목별
Check

업체에서의 검수자가 직접 Check

시운전

7-5-4.검수 요령

1. 장비 검수 Check sheet는 해당 검수팀이 반드시 1부씩 지참하여 본 Sheet에 직접 기록한 뒤, 상급자 결재를 득한다.
2. 외국 Maker의 경우는 별도로 외국어로 회의록을 남겨 각각 복사하여 보관한다. Check sheet와 회의록은 반드시 일치해야 한다.
3. 검수팀 구성
 - 생산기술, 생산, 보전 등 3자 합동 Team이 원칙이나, 인원수 및 타 부문 참여 등은 별도 결정한다.
4. 검수 일정
 - 해당 업체에서의 준비 상황, Test piece 확보 상황 등을 고려하여 확실한 일정을 잡도록 하며, 만일 업체 준비 부족으로 검수 불가 시는 반드시 2차 검수 실시한다. 즉, 반드시 검수 실시의 원칙이며, 2차 검수 필요 시는 모든 비용은 업체 부담토록 한다.
5. 검수 이력 정립
 - 승인도>업체 검수>발주업체 설치 후 시운전, 3단계 별도 동일한 내용으로 Check될 수 있도록 제도화한다.
5-1. 각 단계별로 Check자의 일원화
  - 3단계의 검수자를 통일하지 않으면 Check한 내용의 이력 관리가 되지 않아 정확한 요구사항에 대해 업체에게 설명하기 어렵고, 그에 따른 회의 시간만 길어지게 된다 .
  - 따라서 각 단계별 검수는 반드시 일원화한다.
5-2. 일원화 불가 시 반드시 단계별 확인 내용의 숙지 및 Cross 확인
  - 검수자를 통일하기 어려울 때는 사전에 생산기술에 통보하고 인수받은 검수자는 단계별 확인 내용을 숙지하여야 한다.
6. 검수 시 준비 서류
1) 설비제작사양서
 - 승인도면 기준으로 설비 사양이 준수되었는지를 파악하기는 어렵기 때문에 설비제작사양서를 지참하고 검수 시 확인한다.

2)제품도, 全공정도

3)승인도

4)승인도 검토 시 회의록

5)해당 Line Layout

 -전 공정 및 후 공정과의 연결부의 치수를 확인한다.

6)연결 Conveyor부 도면

7)계약서

8)Provisional Acceptance Letter

 -외자 장비는 설비 FOB시 계약금을 지불하는데, 검수 시 특별한
   문제가 없다고 생산기술에서 판단하고 서류에 날인함으로써,
   설비 FOB와 동시에 계약금 지불이 가능하다는 서류를 말한다.

9)회의록 양식

10)자사 설비제작사양서

11)검수 일정

12)지도

13)영어, 일어 사전

14)명함(본인, Maker)

15)Stop watch(필요 시)

16)해당 Line의 자사 Tryout 계획표

17)계약 후 검수까지의 Maker와의 연락 사항 전부 Copy 준비

18)Maker 파일

19)공정별 Check sheet

20)Machine layout(CAD File)

21)수첩

22)Color chip

   설비 내외부, 전기 Panel 내외부의 도색 지정 사양을 표시한 것.

7.검수시 행동 요령

 1)현지 도착 후 업체 연락하여 검수 시간 결정

 -현지에 도착하면 방문 예정 시간을 통보하여 준비토록 한다.

214

2)업체 도착 후
 -담당 소개
 -검수 총 일정 협의
 -공장 Tour
3)검수 시 설비 옆에 지적사항 기록 가능토록 화이트보드나 지적
  사항을 적을 수 있는 지적사항 Check sheet를 준비토록 요청한다.
4)검수 시 문제점 보완 일정, 운송 계획, 발주업체에서의 Tryout
  일정 등도 확실히 협의한다.
5)검수 시 지적된 사항의 보완 여부를 장비 선적(혹은 운송) 전,
  반드시 Maker로부터 서면 확인 받도록 한다.
6)검수는 Maker에서 100% 준비된 상태에서 실시한다.
 -업체에서는 어느 정도 준비가 되면 설비를 빨리 입고시키기 위해
  서 검수 요청을 하는 경우가 많다. 따라서 업체 제작 진행을 수시
  로 확인하여 준비가 완벽히 되었을 때 검수한다.
 -만약 Maker 준비 부족 상황이 발생하면 재검수 실시한다.
7)검수 시 Utility 상태 확인한다.
 -승인도면 검토 시 제출한 전력량, Air 사용량 및 개소, 용수 사용
  량 및 개소 등을 실제 사용량을 확인한다.
8)검수 전 매월 업체로부터 설비 제작 진행 현황을 확인한다.
9)검수 시 생산기술 담당자는 설비 조작 교육을 받는다.
 -생산기술 담당자가 설비 조작 교육을 받을 수 있는 시간이 적기
  때문에 검수 시 시간을 활용하여 조작 교육을 받는다.
10)검수 시 취급설명서 확인한다.
 -검수 전에 기계 Part 취급설명서 준비를 요청하고, 검수 시 내용
  이 미비하거나 누락된 것 등을 확인하여 Maker에게 요구한다.
11)검수 시 설비 입고 계획을 작성한다.
  -검수가 완료되면 설비 입고 계획을 수립하여 자사에서 준비해
   야 할 지게차, Utility, 작업자 등을 사전 준비가 되도록 한다.
  -외자일 경우는 FOB로부터 상세 일정을 수립하여 준비한다.

7-6. 입고, 설치
7-6-1. 입고, 설치 계획서

설비 제작업체에서 설비가 제작 완료되어 발주업체에 들어오는 것을 입고라고 하고, 입고된 설비는 본체를 정위치에 안착시켜 전기, Air, 용수 등 Utility 연결 작업을 하고, 설비의 하드웨어(레벨 작업 등)나 소프트웨어(전선 연결 작업, PLC 동작 확인 등) 작업을 한후, Switch on을 하여 정상 작동이 되게 하는 것을 설치라고 한다.

설비가 제작 완료되어 입고 가능하다고 승인을 하면 업체에서는 설비 해체 및 포장을 하여 발주업체에 송부하게 된다. 이때 업체에서 작성한 설치계획서를 동봉하게 되는데 생산기술에서는 이것을 근거로 자체 설비 입고, 설치 계획서를 작성한다.

입고, 설치 계획서의 주요 내용은 Line명, 공정No, 설비명, 신작/개조 여부, 대수, 발주일, 설비 제작 기간, Test piece 공급일, 검수일 FOB, 입고, 설치, 시운전, 중간 미팅, Final 미팅, 작업자 조작 교육, 취급설명서 및 Spare parts 인수 인계, 양산 등으로 작성한다. 작성된 입고, 설치 계획서를 관련부서인 품질, 생산, 보전에도 배포하여 미팅일 이전에 미리 지적사항을 확인할 수 있도록 한다.

품질 부문에서는 본 일정에 맞춰 측정에 필요한 기기 준비 상태를 파악하고, 측정할 품목의 측정 Program을 사전에 입력하고 충분히 시운전하여 설비 시운전 시 측정 시간을 줄일 수 있도록 한다.

생산에서는 시운전 시 필요한 작업자를 배치하여 시운전 지원 및 조작 교육을 동시에 받을 수 있도록 한다. 조작 교육에 필요한 자료는 업체에서 사전에 배포하여 작업자가 공부할 수 있도록 한다.

보전에서는 각 설비별 점검 인원을 배정하여 설치, 시운전 중 지적사항을 확인하여 중간 미팅이나 Final 미팅 시 반영되도록 한다. 보전은 현재 업무를 진행하면서 신규 업무도 병행해야 하는 애로사항은 있으나, 이러한 업무를 대변해 줄 사람은 없기 때문에 생산기술에서 요청하면 일정에 맞춰 성실히 임해야 한다.

<설비 입고 시 고려 사항>

1. 설비 제작업체에서는 검수 시 결정한 입고일 변경 여부를 2~3일 전에 발주업체에 통보하여 검토 시간을 가지게 한다.
2. 설비가 입고되기 전에 설비 위치 마킹을 한다.
 - 기초공사가 필요한 설비일 경우는 최소 한 달 전에 기초공사를 하고, 설비 위치 마킹을 실시한다.
3. 입고일을 통보받으면 설비를 운반 차량에서 하차 방법, 지게차 준비, 전기 연결 방법으로 1차(Main에서 상부 전기 Tray 까지), 2차(상부 전기 Tray에서 설비까지)로 구분하여 준비하고, Air 배관 연결 준비, 용수 배관 연결 준비를 사전에 실시한다.
4. 설비 설치 중 생산기술 담당자는 설비 제작업체에서 가지고 온 설치, 시운전 계획을 자체 계획과 대비하여 협의하여 결정한다.
5. 설치, 시운전 계획서가 나오면 관련부서인 생산, 보전, 품질 부문에 각 1부씩 배포하여 준비 요청한다.
6. 생산기술에서는 시운전할 Test piece는 필요한 수량을 확보했는지 확인한다. 또한 설비 제작업체에 송부한 Test piece를 송부받아 양품은 후 공정 Test piece로 사용하고, 사용하지 않은 Test piece 는 해당 공정 시운전용으로 사용한다.
7. 화이트보드를 준비하여 시운전 시 확인할 수 있는 지적사항 List 를 부착하고, 관련부서 담당자들이 기록하도록 공지한다.
8. 설비 제작업체의 시운전 담당자를 지정하고 자사 관련부서 담당자들에게 인사를 시켜 원활한 업무 진행이 되게 한다.
9. 품질에서는 사전에 3차원측정기에 측정할 수 있는 Program을 작성하고 Test 완료시켜 놓아야 한다.
10. 작업자는 사전에 선정하여 시운전 지원을 하면서 설비의 이해도 를 높여 조작 교육, 정도 수정 작업 등에 익숙하게 한다.
11. Utility(전기, Air, 용수) 1, 2차 공사는 사내에서 할 것인지 사외에 서 할 것인가를 결정하고 사전 품의를 득한다.

12.1차 전기, Air 및 용수는 설비 상부 Tray까지 작업을 완료한다.
13.부대장치 입고 현황을 확인한다.
   -가공공정표, 작업표준서, 자주검사 Check sheet, 설비점검
    일상표 등의 부착용 부자재
   -자주검사 Gage
   -자주검사대, 자주검사 Gage 꽂이
   -자동화 장치류
   -유지류

<설비 설치 시 고려 사항>

1.설비 위치 Marking한 것과 설비 실제와의 차이를 확인한다.
 -업체에서 제공한 Layout 상의 치수로 Marking을 하였기 때문에
 실제 설비와의 오차가 없는지 반드시 확인하여야 한다.
2.설비 중량을 고려하여 지게차는 설비를 어떻게 들어서 이동할
 것인가, 지게차는 1대 혹은 2대로 할 것인가를 결정한다.
3.설비의 무게중심 표시를 한다.
 -지게차로 설비를 무게중심으로 들어 안전사고를 막기 위함.
4.생산기술에서는 설치 시 안전사고를 미연에 방지하기 위해서
 설치 시작부터 완료까지 직접 진두지휘한다.
5.Air 배관을 연결할 때 용접 작업으로 인한 화재가 발생하지 않도
 록 설비 상부나 그 주변에 불연재 도포 등을 덮는다.
6.Chute 및 Conveyor는 설비와 간섭이 없는지 확인한다.
7.자동화 장치는 전후 공정과의 간섭이 없는지 확인한다.
8.준비된 가공공정표, 작업표준서, 자주검사 Check sheet,
 설비점검일상표 등을 설비에 부착한다.
9.자주검사대를 해당 위치에 설치한다.
10.제출한 취급설명서는 요구 사양을 준수했는지 확인한다.
11.제출한 Utility List는 사양대로인지 확인하고 작업한다.

7-6-2.Utility List 작성, 의뢰, 공사

Utility란 설비가 작동되기 위해서 필요한 전기, Air, 용수의 양이나 개소 등을 말한다. 이러한 Utility 용량, Size, 수량, 위치 등을 한 장에 정리하여 관리가 용이하게 한 것을 Utility List라고 한다.

Utility List는 다음과 같이 활용된다.

첫째, 신규 Project 시 변압기, 1차 및 2차 전기, 컴프레서, 분전반, 배관 등의 용량, Size, 수량을 결정하고, 둘째, 기존 Line의 설비를 이전할 때는 1차 및 2차 전기, 분전반, 배관 등에 활용된다.

전기는 공장에 필요한 전체 설비의 전력량을 계산하여 인입되는 변압기 용량을 계산하는 것과 변압기에서 각 설비로 분배하기 위한 분전반을 거쳐 설비 상부 전선 Tray까지 연결하는 1차 전기와 설비 상부 전선 Tray에서 제어반까지 연결하는 2차 전기로 나눌 수 있다. 대부분의 공장들은 분전반까지 1차 전기가 들어와 있기 때문에 설비가 입고되면 분전반에서 제어반까지 2차 전기공사를 한다

설비를 분전반에 연결할 때는 설비의 용량에 맞는 차단기 용량을 선정하고, 반드시 한 설비에 한 개의 차단기와 연결해서 사용해야 한다. 한 개의 차단기에 여러 대의 설비와 연결하면 어떤 상황으로 과전류가 발생할 때 연결된 설비 전체가 다운될 수도 있다.

Air는 설비 자체 구동을 위해서 필요한 것이나 Air를 사용한 측정기나 설비의 내부나 Jig & Fixture의 이물질을 제거할 때 사용된다. "Air는 돈이다" 라는 말이 있다. 왜냐하면 컴프레서의 전력량은 일반 설비 대비 약 10배 정도(컴프레서 100HP, MCT 25KW 일 때)높기 때문이다. 따라서 가능하면 Air를 사용하는 부품이 적도록 설계하고, Air를 필수적으로 사용하는 Washing M/C, Leak tester 등의 설비를 설계할 때는 최소의 양이 되도록 한다. 또한 양산 중에 Air 누설이 발생할 때를 대비하여 항상 유지 관리를 해야 한다.

용수는 설비를 냉각하기 위해서 필요하거나 Coolant tank에 물을 공급하기 위해서 필요하다. 따라서 배관의 Size나 수량을 관리한다.

1.변압기 용량 계산

생산기술자는 강전(強電)과 약전(弱電)에 대한 기본적인 지식을 가지고 있어야 한다. 강전과 약전의 구분은 60V 이상을 다룰 때 강전, 60V 이하를 다룰 때 약전이라 한다.

강전에서 직류는 750V~7,000V 이하, 교류는 600V~7,000V 이하를 고압, 7,000V를 초과하는 전압을 특고압이라 한다.

설비 내에서 강전기기로는 Push button switch, 절환 스위치,Limit switch 등의 접점입력기기가 있으며, 약전기기로는 Push button switch, 디지털 스위치, 광전 센스 등의 무접점입력기기 등이 있다. 변압기는 전압이 22.9KV로 당연히 강전에 속한다.

변압기 용량을 계산 해 보자.

*변압기 용량 계산 근거

구분		부하설비 용량(KW) [a]	역율 [b]	효율 [c]	KVA d (a/(b×c))	수용율 e	변압기 용량(KVA) f (d×e)	비고
생산설비	생산설비	2,400	0.95	0.8	3,158	0.4	1,105	
Utility 설비	환경설비	120	0.95	0.9	149	0.6	89	
	냉난방설비	300	0.88	0.9	379	0.9	341	
	공조	40	0.93	0.8	52	0.8	41	
	콤프레샤	50	0.88	0.9	63	0.8	51	
	기타	2	0.95	0.8	3	0.4	1	
	계	512			645		523	
전등, 전열	전등, 전열	50			50	0.7	35	
합계		2,962			3,853	1	1,663	

{검토 상세}

1.부하설비용량(KW): 현재 사용중인 모든 설비의 전력량의 합.

2.역율과 효율은 KS C 4202-2003 고효율 보호형 전동기의 부하특성을 참조한다.

3.수용율

 -전등 10KVA 이하: 100%, 10KVA 이상 : 70%

 -기타 설비는 동력부하의 수용율표를 참조한다.

*전기 용어 정의

1.역율

교류는 전류와 전압과의 위상차가 있기 때문에 전력이 전류와 전압의 곱보다 항상 작다.

직류는 전력(P)=전압(V) × 전류(I)

교류는 전력(P)=VI×cosΘ

즉, 역율이란 cosΘ를 말한다.

2.효율

효율은 기계적 손실로 공급에너지 대비 일에너지의 율이다.

효율 = 일에너지/ 공급에너지

　　　(공급에너지=일에너지 + 손실에너지)

→역율과 효율은 KS C 4202-2003 고효율 보호형 전동기의 부하특성을 참조한다.

3.수용율

수용율 = (최대수용전력/ 총부하설비용량)×100

최대수용전력은 생산 중 Peak 전력치로 연간 일 단위로 측정하여 가장 높은 값.

총 부하 설비 용량 : 각 설비 소요 전력량의 합

4.부하율

일정 기간 동안의 평균전력과 최대전력의 백분율이다.

부하율은 60~70%로 적용하는 것이 적절하다.

2.Compressor 용량 계산

Compressor는 Air를 생성하는 설비로 공장에 없어서는 안되는 중요한 설비이다. Air는 공작기계의 구동, Air를 사용한 측정기나 Washing M/C, Jig & Fixture의 이물질 제거 및 Air gun 등에 필요하다. Compressor는 100% 가동되므로 사용 전력량이 일반 공작기계 대비 약 10배의 전력을 소비하게 되어 철저한 용량 계산이 필요하고, 또한 가능하면 가변형 Compressor를 설치하여 설비 가동 상태와 동일하게 부하를 자동으로 조절하여 전력비를 줄이도록 한다.

*Compressor 용량 계산 근거

구분	LINE 명	보유대수	소비용량(ℓ/min) 대당	소비용량(ℓ/min) Total	마력 (HP)	비고
가공	A Line	80	50	4,000		
	B Line	75	60	4,500		
	C Line	78	40	3,120		
	계			11,620	91	
조립	1 Line	20	100	2,000		
	2 Line	22	120	2,640		
	3 Line	16	110	1,760		
	계			6,400	50	
Air gun(설비의 약 10% 반영)				1,802	14	
합계				19,822	155	

{검토 상세}

1. 각 Line별 설비별 대당 소비용량을 파악하여 작성한다. 본 Sheet상에는 Line별 설비가 동일하다고 가정하에 작성하였다.
2. 사용하고 있는 Air gun의 숫자를 파악하고, Air gun의 용량을 파악하여 평균으로 사용하는 시간으로 대당 소비용량을 계산한다. 본 Sheet상에는 설비의 약 10%의 가정하에 작성하였다.
3. 마력은 Compressor 100HP 이론 토출량 12,800 ℓ/min로 하였다.
4. 계산치가 155마력이 나왔는데, Line을 고려하여 100HP 1대, 50HP 1대의 경우와 50HP 3대를 설치하는 것으로 고려한다. Line수와 연간 생산 수량을 고려하여 안을 선정한다.

3.보일러 능력 계산

사무실에는 일반적으로 냉난방 일체형을 많이 사용하지만, 큰 공장에는 일체형 냉난방 시스템을 적용하기에는 비용도 많이 들고 냉난방 효과도 떨어져서 보일러를 많이 설치한다. 보일러의 종류로는 크게 관류보일러와 콘덴싱보일러로 구분하며, 사용 연료에 따라 오일용과 가스용이 있다. 오일은 경유나 등유를 사용하고, 가스는 LNG나 LPG를 사용한다. 관류보일러는 전열면적이 $10M^2$, 증발량 1.5t/h 이하의 소형 보일러이고, 그 이상일 경우는 콘덴싱보일러를 사용한다.

*보일러 능력을 계산해 보자.

구분		평수	평당소요 열량(Kcal)	총열량 (Kcal)	1톤 이론 열량(Kcal)	1톤 보일러 소요 대수	효율	효율감안 1톤 보일러 소요 대수
가공동	A Line	1,000	600	600,000				
	B Line	900	600	540,000				
	C Line	800	600	480,000				
	계			1,620,000	643,910	2.5	97%	2.6
조립동	1 Line	500	600	300,000				
	2 Line	450	600	270,000				
	3 Line	480	600	288,000				
	계			858,000	643,910	1.3	97%	1.4
공장동 계				2,478,000	643,910	3.8	97%	4.0

{검토 상세}

1.온수는 공장, 사무동, 식당 등의 세면기와 일부 주방에 사용되고 있으며, 실제적으로 용량이 미비하여(약 2,000Kcal에 0.004톤 필요) 4톤 보일러로 충분히 공급 가능하다.

2.검토는 1톤 보일러 기준으로 하였고 효율 감안하여 1톤 보일러 4대를 설치한다.

3.평당 소요 열량은 600Kcal를 적용한다.

4.1톤 이론 열량은 643,910Kcal를 적용한다.

7-6-3.Man Machine Chart

품명 품번	A 부품						표준작업조합표 (Man Machine Chart)		
공정 순서	공정명 (작업 내용)	가공 능력 UPH	기본 시간			보행	수작업 ———		
			전체	자동	수작업		50	100	
1	10공정 앞에 소재를 잡아 서 놓는다	510	6	0	6		6		
2	10공정 제품 탈,장착 및 치구와 제품에 AIR BLOW후 ON	14	217	205	12	1	19		
3	20공정 제품 탈,장착 및 치구와 제품에 AIR BLOW후 ON	13	230	216	14	3	36		
4	30공정 제품 탈,장착 및 치구와 제품에 AIR BLOW후 ON	13	228	215	13	3	52		
5	40공정 제품 탈,장착 및 치구와 제품에 AIR BLOW후 ON	15	210	195	15	3	70		
6	50공정 제품 탈,장착 및 치구와 제품에 AIR BLOW후 ON	15	201	188	13	3	86		
7	AIR BLOW기 탈,장착	28	110	100	10	3	99		
8	DEBURR 실시	49	63	0	63	2			
9	컨베어 투입	612	5	0	5	1 6			
종합		13	230	216	151	25	사람 시간(a)	176	기계 시간(b)

Man Machine Chart란 사람의 작업과 기계의 작업을 분석하기 위해 횡축에는 시간축, 종축에는 사람과 기계를 놓고, 각각에 시간별 작업 요소를 기입한 도표를 말한다.

사람 시간과 기계 시간이 함께 작성되어, 어느 시간이 문제가 있는지 파악이 가능하고, 또한 개선 작업을 쉽게 할 수 있다. 현재 1명이 3대의 설비를 보고 있으면, 과연 3대가 적당한지 아니면 4대까지 볼 수 있는지, 아니면 2명이 8대를 볼 수 있는지 등의 방법을 검토하기 위해서 필요한 것이다.

설비 대수: 4대, 인원: 1명

라인 명칭	OO-Line	UPH	EA	작성일자		비고
작업자 수	1	Shift당 수량	EA	작성자		

자동　　　　　　　　　보행 〰️

	표준재공 가공전	표준재공 가공후	안전주의 +	품질검사 ◇	특별특성 ★
176 ←54→ 230	1				
224	1	1			
252	1	1			
267	1	1			
265	1	1			
274	1	1			
199 / 164	1	1			
170				1	
				1	

(시간축: 150　200　250　300)

230	차이(b-a)	54	율(b/a)	131%

{분석}

사람 시간이 176SEC, 기계 시간이 230SEC인 어떤 Line이다.
이때 사람시간이 약 54SEC Loss가 발생하는 것으로 되어 있으나,
사람 효율을 90% 감안하면 약 37SEC의 Loss가 발생한다.
따라서 공정 검토를 다시 실시하여 Loss가 최소가 되도록 한다.
공정 검토 내용은 가공 시간과 비가공 시간 부분에서 줄일 것은
없는지, 공정 변경은 할 수 없는지, 공구 개선은 할 수 없는지 등
으로 검토한다. 만약 반대의 경우인 사람 시간이 Over될 때도
마찬가지로 불합리나 불필요한 공정은 없는지 검토한다.

7-6-4.동작분석표

이것은 주로 수작업 공정에 대해 이용하는 것으로, 앞에서 서술한 맨머신차트의 수작업 만을 대상으로 하여 개개의 작업에 있어손이나 발 등 신체의 움직임을 세밀히 확인하여 그 소요 시간을 기입한 것을 말한다.

조립 작업 등은 개개의 동작을 자세히 기록하면 매우 긴 것이 되므로, 일본에서는 육척 훈도시를 상기하여 "훈도시"라는 별명을 붙여 사용한다. 개인의 동작을 기록했기 때문에 공구를 들어올린다, 공구를 원위치 한다는 등으로 분석하여 그 소요시간을 기입한다.

시간의 단위는 C/T이 긴 것일수록 단위시간 곧 분 단위, 초 단위, 0.1초 단위이고, 길이 측정에도 큰 것은 자(1 mm 단위), 버어니어 캘리퍼스(0.1 mm 단위), 마이크로미터(0.01 mm 단위)로 정도를 올려서 사용한다. 한 사이클이 십분 이상의 경우는 분 단위라도 상관이 없으나, 삼분 이내가 되면 0.1초의 눈금으로 표시한다.

소요시간은 정밀한 측정을 할 필요는 없고, 이 기입하는 소요시간은 뒤의 검토 시에 참고로 할 뿐이다. 기록했으면 기입되어 있는 개개의 동작에 생략할 수 있는 것이 없는가를 먼저 검토한다.

"뒤로 돌아 2보 이동하여 부품을 든다"라는 항이 있으면 먼저 뒤로 도는 것을 그만 두고, 눈 앞의 손 닿는 곳에 부품을 놓을 수 있는가 없는가를 검토한다. "오른쪽을 펼쳐 Nut runner(N/R)를 끌어내리고, N/R를 수평으로 볼트를 채운다" 라는 항이 있으면 N/R를 더 손 가까이에 놓을 수 없을까? 끌어내려 수평으로 하여 사용하면 N/R를 수평 위치에 옮기는 방법은 없는가를 검토한다.

동작분석표의 작성은 초기에는 특정의 기술원을 양성하여 관측, 기입시키나, 숙련이 되면 작업반장도 쓰도록 한다. 더 진보하면 개개인의 작업원도 자신이 하고 있는 동작이므로 작업원 자신이 쓰면 더 정확하다. 그리고 그러한 경우에 기입하는 시간을 정밀하게 요구하면 싫어하므로 시간은 정확하지 않아도 좋다.

각 동작의 불합리, 불균일, 불필요를 이 표에서 발견하여 제거하는 것이 그 목적이므로, 표에서 검토한 부품의 위치나 공구의 위치를 변경하는 것이 가능한가 어떤가를 확인하는 것이 중요하고, 가능하면 곧 실행하여 변경한 동작을 다시 분석하는 순서로 한다.

불합리와 불필요는 매회의 작업 중에 포함되어 있으므로 눈으로 보면 알기 쉬우며, 따라서 대책을 생각하게 된다. 그러나 불균일은 작업 내용의 산포에 있으므로 한번 보아서는 잘 판별이 되지 않는다. 특히, 용접이나 조립 작업 등 많은 부품을 취급하는 공정에서 발생하기 쉽다.

불균일을 찾는 방법으로 사이클 타임을 적당한 간격으로 측정하여 최소로 구별하여 표시하고, 최대와 최소의 폭이 적을 때는 큰 불균일이 없지만, 폭이 클 때는 불균일을 발견하기 쉽다.

동작분석표는 매번의 반복 작업 합리화에 대한 이용 외에도 공구 교환 , 금형 교환 등 주기적인 특별한 작업에도 이용하면 유효하다. 다음은 동작분석표의 한 예이다.

*동작분석표

공정	품명	공정 상세	시간(초)	비고
1st	1.OO Frame	양손으로 OO Frame을 집어서 조립대 위에 올린다	4	
	2.Stud bolt	오른손에 Stud bolt를 집어서 가조립한다	3	
	3.기준 Pin	오른손에 기준 Pin을 집어서 위치에 고정한다	3	
	4.조립기	양손으로 Switch를 눌러서 Bolt와 Pin을 압입 및 조립한다	10	
	5.자주 검사 Gage	자주 검사 Gage을 들어서 Bolt와 Pin 높이를 측정한다	12	버어니어 캘리퍼스
	6.OO Frame	양손으로 OO Frame을 집어서 도포대 위에 올린다	4	
	7.Sealant	오른손으로 Sealant 공급 장치를 집어서 소재에 도포한다	12	
	8.검사기	양손으로 OO Frame을 집어서 검사기로 옮긴다	4	

7-6-5.입고, 통관, 설치

설비 제작업체에서 설비가 제작 완료되어 발주업체에 들어오는 것을 입고라고 하는데, 국외 설비일 경우 통관 절차를 걸쳐서 입고가 된다.

입고된 설비는 본체를 정위치에 안착시켜 전기, Air, 용수 등 Utility 연결 작업을 하고, 설비의 하드웨어(레벨 작업 등)나 소프트웨어(전선 연결 작업, PLC 동작 확인 등) 작업을 한 후, Switch on 하여 정상 작동이 되게 하는 것을 설치라고 한다.

설비 제작업체에서는 발주업체에게 설비 입고 시점을 최소 3일 전에 통보하여 설치에 필요한 제반사항을 준비할 수 있는 시간을 제공한다. 또한 사정상 일정을 변경하고 싶을 경우에도 반드시 발주업체에게 사전에 통보하고 양해를 구해야 한다.

1.입고, 설치 시 고려 사항은 "7-6-1.입고, 설치 계획서"를 참조.
 1)설비 입고 시 고려 사항
 2)설비 설치 시 고려 사항

2.설비 통관 시 고려 사항
 1)통관에 필요한 서류를 준비한다.
 2)업체로부터 FOB 혹은 CIF 일정을 통보받아 예상 입고일을 계산.
 3)설비가 수입항에 도착하면 보세 지역으로 이동한다.
  -자사 내 보세 지역이 없을 때는 수입항 보세지역에서 실시한다.
 4)수입 신고, 납세 신고가 이루어진다(관련부서에서 실시).
 5)세관에 의한 심사, 검사(생산기술 참관하여 질의에 응대한다).
 6)관세 등의 납부.
 7)수입 허가.
 8)보세 지역으로부터 설비 반출.
 9)수입자 화물 인수 및 자사 이동.

7-6-6.Spare parts

　Spare parts란 제품을 생산하기 위한 설비들이 일정 기간이 지나면 본체 부품, Jig & Fixture 부품, 구동 부품, 전기전자 부품 등이 마모나 노후로 인하여 설비 성능에 지대한 영향을 주게 되어, 설정 주기에 맞춰 부품을 교체하기 위해서 준비하는 것을 말한다.

　Spare parts는 일반적으로 설비 계약 시 본체가의 3% 내외로 지정하고 업체에서 견적가에 포함시키도록 한다.
설비 사양이 결정되는 시점에 업체에 추천 Spare parts list를 요구하여 생산이나 보전과 협의하여 Spare 항목을 결정한다.

　최근에는 설비 대부분을 MCT나 TCT를 사용하고 있기 때문에 Spare parts를 특별히 준비하지 않는 기업이 많다. 특별히 생산이나 보전에서 금번 Project에 요구하는 Spare가 있는지 확인하고 반영하면 된다.

　특히 중요한 Jig & Fixture의 기준 Pin, Pad 등 Work와 직접 닿는 소모품은 Spare에 포함시키지 않고 별도로 설비와 함께 발주한다.
왜냐하면 시운전이나 양산 전에 문제가 발생하여 긴급 발주하면 가공 및 열처리 등으로 많은 시간이 소요되어 Project 일정에 차질을 줄 수 있기 때문이다. 시운전 중에 Jig & Fixture의 Spare 부품이 정도에 영향을 주고 있다고 판단할 때는 도면 수정은 물론 입고된 Spare 부품도 다시 제작 요청하여 받는다.

　설비 입고 시 들어온 Spare parts는 분실의 여지가 있으므로 업체로부터 접수한 List를 가지고 업체 입회하에 관련부서인 생산이나 보전 담당자들을 불러 인수인계를 하고 날인을 받는다.
혹 누락분이 있을 경우에는 Final 미팅 전까지 제출을 요구하고, 미준수 시는 Final 미팅을 할 수 없다는 것을 공지하여야 한다.
Final 미팅이란 설비의 정도, C/T, 지적사항, Spare parts, 취급설명서, 생산 및 보전 담당자 교육 등을 완료한 후 실시하는 미팅을 말한다.
(7-7-5.중간 Meeting, Final Meeting 참조)

7-6-7. 취급설명서

취급설명서란 설비의 주요 제원, 조작에 필요한 자료, Layout, 조립도, Tooling도, 절삭조건, Jig & Fixture도, 유공압도, 전기도 등을 작성하여 책이나 CD로 만든 것을 말한다.

취급설명서의 주요 용도는 설비가 고장이 났을 때 수리를 위해서 참고할 때나, 신입사원이나 기존 인원 등이 설비에 대한 학습 자료로 참고할 때이다.

★
취급설명서에 제출해야 할 서류는 다음과 같다.

1. 취급설명서
 1) 설비 사양
 2) 취급 요령
 3) 보수 조정 요령
 4) 사용 부품 List(유공압 부품 등)
 5) 조정 기준
 6) 보수 기준
  - 관리 항목 일람표, 점검표
  - 관리 항목 Layout
  - 시업 점검표
  - 긴급 연락처
 7) 소모부품 일람표
 8) 소모부품도
 9) 전체도
 10) 특수 구조 해설
 11) 유압, 공압, 증기, 냉각, 절삭유, GAS 및 윤활유 회로도
 12) 절삭조건
 13) 주요 사용 부품 취급 설명서, 조정 요령서, 치수도
2. 기계도면
 1) 총조립도

★ 현대자동차 공작기계제작사양서 인용함.

2)기초도

3)Jig & Fixture도

4)Tooling도

5)기계도

6)반송도(搬送圖)

7)Manipulator

8)Spindle, Shaft, Gear 가공도 및 조립도

9)Unit(Spindle unit, Feed unit 등)

10)Gear train

11)특수 기구도(보정 장치, Dresser, 절입 장치 등)

3.설비 사진

4.전기 회로도

 -강전 회로도, I/O 및 Soft회로도, Dummy일람표, 고장진단일람표

5.Data sheet(Program, Parameter 등)

6.동작순서도

7.기계 본체 배선도

8.전장 부품 List

9.제어반, 조작반 외형도

10.제어반내 기기 배치도

11.조작반 명판도

12.기기 용량 일람표

13.전기 검사 성적표

14.Melsec-A Parameter sheet : Floppy, Data

15.System 구성도

16.보증서(NC, 계측기 등)

17.기종 검지, 기종 교환의 Matrix표

18.전동기 부하 전류 측정표

19.최종 제출 자료 Check sheet

20.NC 설명서

*취급설명서 기본 사양은 다음과 같다.

1.기계 배열

　기계 및 그 부속 장치와 Layout은 협의를 한 후 승인을 득함.

2.Work 흐름

　생산기술에서 지정하여 견적사양서에 표기한다.

3.Station 번호 부여 방법

　1)각 Station 마다 St. no를 붙인다.

　2)St. no는 Work 반입측에서 Idle station을 포함한 명칭으로 한다.

　3)St. no는 St1, St2, …로 한다.

4.Unit 명칭

　각 Unit 번호, 명칭을 Work 반입 위치에서, 우측을 "A", 좌측을
　"B"로 한다.

5.Work 번호 부여 방법

　1)Work 번호, 명칭은 각 St. no 뒤에 -1, -2로 한다.(1-1, 1-2)

　2)혼돈하기 쉬운 물건은 Work가 불리는 이름으로 한다.

　-Cyl block의 Bore … 앞쪽에서부터 No1, 2, 3, 4 Bore

6.주조작반 위치

　-Work 반입측에서 조작 가능 위치로 한다.

7.부조작반 위치

　1)작업성이 좋은 공구 교환 위치 측에 부조작반 설치가 원칙이다.

　2)공구 교환 작업 시에 별차이가 없는 경우 주조작반으로부터
　부조작반의 상태가 보이는 측에 설치한다.

8.공구 교환 위치

　-공구 교환 작업이 용이한 위치로 한다.

9.자주검사 위치

10.부품 공급 장치

　1)부품 공급량은 최저 3시간 분을 원칙으로 한다.

11.Unit 구성

　각 Unit 관계의 구성은 분해 용이한 구조로 한다.

12.중량 표시

1)각 중량물은 운반 단위로 AL 명판으로 중량 표시를 한다.

2)밸런스가 잡히는 위치에서 기준에 맞는 메달기용 볼트를 설치.

13.Leveling

-Leveling 방법은 Jack-bolt 방식을 채용하고, Level 잡기가 용이한 모양으로 기준면을 준비하여 간단히 노출하게 한다.

14.각 Unit 간의 작업 공간

-각 Unit, 제어반 및 기기 간은 기종 변경, 공구 교환 조정, 보전 작업을 위해 (W)600mm×(H)2,000mm 이상의 공간을 준비.

15.Idle station

-Idle station은 보수 공간으로 활용한다.

16.기기 구성

-가능한 기구별로 중점적으로 보수, 점검 등이 쉬운 곳에 위치.

17.점검

1)점검 및 조정 작업이 용이하게 되도록 한다.

2)Belt, Chain을 사용하는 전동 기구는 Tension 조정 기구를 갖춘다. Cover를 투명화하여 외부에서 목시 점검이 가능토록 한다.

3)Belt, Chain, Motor 교환은 주변 부품을 분해하지 않고 교환이 가능토록 한다.

18.제어 계통의 Interlock

-제어 계통은 정전, 공기압, 유압원 정지, 압력 저하, 조작 Miss 등으로 기계가 파손되지 않도록 완전하게 Interlock한다.

19.Limit switch의 취부

-Limit switch의 취부 장소는 Chip 누적이 없는 구조로 하고 점검, 보수에 지장을 주지 않는 위치에 육각 Wrench bolt로 바깥측에서 지지대에 직접 체결한다.

20.Work의 검지

-근접 S/W 취부는 6mm 이상의 강판을 사용하고, 검지는 간접 확인 방식으로 한다.

7-6-8.유지류, 부자재, 자동화 장치

1.유지류

유지류란 설비 가동에 필요한 Coolant fluids(절삭유), Hydraulic oil (유압유), Spindle oil, Lubrication oil(윤활유) 등을 말한다.

절삭유란 기계 가공 시 공구와 제품의 마찰열을 줄여 주고, 가공성을 향상시킬 뿐 아니라, 가공 중에 발생하는 Chip을 제거하고, 설비 내부나 Jig & Fixture에 쌓이는 chip을 제거하고, 설비의 주요 부품이 녹슬지 않는 방청 역할을 한다.

절삭유는 물과 희석하여 사용하는 것이 일반적이고 제품의 특성에 따라 차이가 있지만 일반적으로 8% 전후이다.

유압유는 유압 Tank를 이용하여 Jig & Fixture 상의 제품을 Clamp & unclamp 할 때, X, Y, Z축 Feed unit의 유압 Cyl나, 자동 Loading 장치의 전후진 Feed unit 혹은 상하 Feed unit의 유압 Cyl에 사용되어진다. 최근의 Feed unit는 NC 방식을 대부분 채택하고 있다. NC 방식이 가격도 저렴하고, 유압유의 누유가 없어 보수가 용이하고, 응답속도가 빨라 결국 C/T 단축에 기여하기 때문이다.

Spindle oil은 구동체인 Spindle의 구동성과 내구성을 좋게 하기 위해 공급하는 것으로 일반적으로 설비 제작업체의 고유 사양을 지정하여 사용하고 있다.

윤활유는 설비 전체의 구동체 부품이 직접 접촉하는 것을 방지함으로써 마찰을 감소시켜 내구성을 좋게 하기 위한 것이다.

2.부자재

부자재란 제품을 생산하기 위해서 간접적으로 필요한 물자와 재료로, 다음과 같은 것이 있으며 설비 입고 시점까지 준비한다.

1)각종 자료 부착용 걸이

-가공공정표, 작업표준서, 자주검사 Check sheet, 설비일상점검표

2)자주검사대, 소재 Box, 완성품 Box, NG품 적재 Box

3)소재, 완성품, NG품 적재 Box, 장갑, 안전화, 보안경, 마스크 등

3.자동화 장치 입고 및 설치

자동화 장치란 어떤 제품을 한 공정에서 다음 공정으로 Robot나 간이 Loading 장치나 Gantry Loader 등을 활용하여 자동으로 이송하는 장치를 말한다.

자동화 장치는 주로 설비 입구에 설치되는 Input conveyor나, 설비의 입구에서 Loading station까지의 간이 Loading 장치나, 설비의 Station 간을 이송하는 Lift & carry 장치나, 설비의 Unloading station에서 출구까지의 간이 Loader 장치나, output conveyor 등이다.

자동화 장치는 설비와 함께 발주하는 Turnkey 방식과 설비와 따로 발주하는 개별 방식이 있다.

Layout의 정확성을 고려하고 빠른 업무를 위해서는 Turnkey 방식이 좋으나 기업에서 비용적인 문제를 거론하여 개별 방식으로 할 때가 많이 있다. 하지만 실제적인 비용 절감 부분은 눈에 띄게 나타나지 않으므로 2가지의 경우를 시간과 비용으로 나누어서 자료화하여 보고하고 결정하는 것이 좋다.

개별 방식으로 발주가 되었을 때는 설비 입고와 동시에 자동화 설비도 입고되어야 전체 Layout 설치상의 문제나 Interlock 상의 문제를 사전에 파악할 수 있다.

자동화 장치를 발주할 때 주의사항

1. 설비와 Turnkey 발주 또는 개별 발주를 결정한다.
2. Cycle time이나 정도를 필요로 할 경우 NC Feed unit를 활용한다.
3. 가동률과 직결하므로 비용과 시간을 함께 고려하여 결정한다.
4. 자동화 장치를 발주할 때는 각 설비의 Input 구간만으로 한다.
5. 전후 설비와의 Interlock 작업을 실시한다.
6. 전후 공정과의 치수를 명확히 지정한다.
7. Robot 자동화 방식은 생산 작업자나 보전 작업자에게 많은 장해를 주므로 가능하면 지양하고, Gantry loader, 간이 Loader 방식, Robot gantry, Lift & carry 방식 등을 선정하는 것이 좋다.

7-6-9.자주검사 Gage

자주검사 Gage는 설비의 정도 오차, Jig & Fixture의 문제, 공구의
마모 등에 의해서 치수 산포가 발생하는 것을 주기적으로 확인하여
수정 작업을 하기 위한 도구이다.
자주검사 Gage는 생산기술에서 각 항목별 3 Sets 씩 발주한다. 즉,
1 Set는 현장용, 1 Set는 수리용, 1 Set는 품질에서 관리용이다.
발주한 Gage가 입고되면 생산기술에서는 발주 List를 가지고 항목
별 누락 여부를 확인하고 품질 담당자와 함께 Spec 확인을 한다.
즉, 도면에 기재된 Spec과 Gage에 마킹된 Spec이 같은지 확인한
다. 또한 해당 제품을 준비하여 Gage별로 자주검사를 실시하여
문제 유무를 확인한다.
Spec이나 자주검사를 한 결과, 문제가 없다고 판단할 때 생산기술
에서는 품질 담당자에게 Gage를 인계하고 날인을 받는다.
자주검사 Gage에 필요한 부대 시설을 확인하고 설치한다.
1.자주검사대
2.자주검사 Gage 꽂이
3.Air micrometer
4.Checking jig
5.자주검사 Check sheet
6.표준 측정 기구
  -Micrometer
  -Vernier calipers
  -농도 측정기
  -적외선 온도 측정기
  -Torque wrench
  -철자
  -필러 게이지
  -압력 게이지

7-7.시운전
7-7-1.시운전(Tryout)이란

새로운 설비가 입고되어 가동에 필요한 부대 장치인 Coolant tank 와 Hyd tank의 연결 작업, 1차 전기 및 2차 전기 연결 작업, Air 용수 배관 연결 작업, 설비의 Level 작업, 제어반의 전선 연결 작업 후 Switch on 상태를 만들어 설비의 주요 부품이 제기능이 되게 한 후, 제품을 가공하여 정도 확인 작업을 시운전(Tryout)이라고 한다.

설비가 입고되기 전에 설비업체에서는 입고 계획, 지원 요청사항, 시운전 일정 등을 발주업체에 미리 송부하여 준비가 되도록 한다.

*시운전 준비 사항

1.발주업체 준비 사항

1)지게차

2)1차 전기 작업

3)2차 전기 작업

4)Coolant

5)Air 배관 공사

6)용수 배관 공사

7)시운전용 Test piece

8)해당 작업자

9)안전 교육 일지

10)Stopwatch 등

2.설비업체 준비 사항

1)입고 일정 및 시운전 계획서

2)지원 요청사항

3)시운전 책임자와 작업자 현황

4)수평기

5)작업 공구 등

7-7-2.품질 Check 수량, 방법

어떤 제품을 생산하여 고객이 요구하는 Spec을 만족하는지를 판단하기 위한 기준이 필요한데, 4M 준비가 완료된 상태에서, 측정기는 어떤 것을 사용할 것이고, 측정 방법은 어떻게 할 것이고, 측정 수량은 어떻게 할 것인가를 결정하여야 한다. 측정은 항온항습 시설을 갖춘 측정실에서 3차원측정기를 많이 사용하고 있다.

고객이 요구하는 품질 기준은 일반적으로 CPk 1.33 이상이다. 만약 어떤 자동차 부품을 CPk 1.67 이상을 요구하거나, 항목을 구분하지도 않고 전 항목을 CPk 1.33 이상을 요구하는 경우가 있다. 자동차 부품은 CPk 1.67 이상을 만족하기는 쉬운 일이 아니다.

왜냐하면 가공 중 제품은 고온의 Coolant와 가공 중의 열에 의해 열변형이 일어나고, Clamp에 의한 제품 변형이 발생하고, Jig & Fixture는 노후로 인해 마모나 느슨해짐이 발생하고, 공구 또한 마모에 의해 치수 산포가 발생하기 때문에 CPk는 변하게 되어 있다.

가능하게 하려면 우선 설비는 최근 기술이 발달하여 국외 설비일 때 열변위제어 기능, 진동방지제어 기능, 주축감시 기능, 볼스크류 냉각 기능, 롤러 가이드, 전자동 공구길이측정 기능, 공구파손검지 기능, 공구자동교체 기능, Touch sensor 등을 갖추고 있어 가능할 수도 있다. 하지만 설비의 가격이 너무 비싸(일반의 약 3배) 양산용으로 적용하기에는 어려워 대부분 부가가치가 높은 샘플 가공이나 고정도를 요하는 제품에 사용되고 있다.

또한 전 항목을 CPk 관리를 하는 것도 불합리하다. 우선 전체를 CPk 측정함으로써 시간 낭비가 발생할 것이고, 치수가 느슨한 것은 CPk 2 이상이 나올 것이기 때문이다. 따라서 생산기술은 특별 특성 항목 이외에 어떤 항목들을 어느 정도까지 관리할 것인지를 먼저 List up하고, 관련부서 담당자들과 협의하여 결정한다.

이러한 CPk 관리는 자사만의 명확한 이론과 근거를 만들어 관리함으로써 고객과의 협의 시 주도권을 가질 수 있기를 바란다.

*제품의 측정 방법과 수량

1.1차 1EA 가공하여 측정한다.

　만약 Loading work 수가 n 개일 경우는 n 개를 측정한다.

2.1차 측정한 값이 OK일 경우 2차로 3EA를 가공하여 측정한다.

3.2차 측정한 값이 OK일 경우 3차로 20EA를 가공하여

　1,5,10,15,20 번째의 5 EA를 측정하여 CPk값을 구한다.

　-만약 CPk 값이 1.33을 만족하지 않으면 다시 1차부터 Spec 조정

　작업을 한다.

　-2차부터 하고자 할 때는 CPk값이 크게 벗어나지 않았을 때

　품질과 협의하여 실시한다.

*측정 순서도

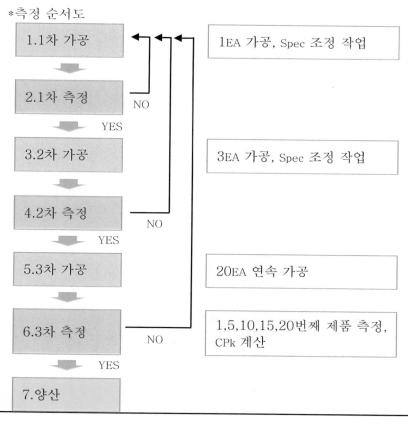

1.1차 가공		1EA 가공, Spec 조정 작업
2.1차 측정	NO	
	YES	
3.2차 가공		3EA 가공, Spec 조정 작업
4.2차 측정	NO	
	YES	
5.3차 가공		20EA 연속 가공
6.3차 측정	NO	1,5,10,15,20번째 제품 측정, CPk 계산
	YES	
7.양산		

7-7-3.공정별 Tryout 일지

제품도면이 생산에 배포되어 양산을 하다가 성능 개선이나 연비 개선 등의 사유로 도면을 변경할 때 주기란에 EO NO를 부여하고 변경 시점과 변경 사유를 기입하여 이력을 관리하게 되어 있다.

설계, 생산기술, 생산 등 모든 부서에서 동일하게 이력을 관리함으로써 최신 버전의 사양이 생산될 수 있도록 하는 것이다. 만약 하나의 부서에서 이력 변경사항을 놓쳐 적용하지 않은 상태로 관리하게 되면 부적합 제품이 조립된 차량이 출하하게 되어 클레임 상황이 발생하게 되는 것이다.

마찬가지로 설비 또한 입고 후 이력 관리를 하여야 한다. 입고 시 운전 때 C/T은 얼마였는지, 정도는 어느 정도였는지, 항목별 CPk 는 어느 정도였는지, 정적검사성적서와 동적검사성적서는 어느 정도였는지, 설비의 지적사항은 무엇이었고 어떻게 조치했는지 등을 기록하여 관리하고자 하는 것을 공정별 Tryout 일지라고 한다.

C/T에 대한 이력 관리를 해야 하는 이유는 과연 이 설비의 초기 C/T이 얼마였는지를 알아야 단축 목표를 어느 정도로 세울 것인가 를 결정하기가 쉽다는 것이다. 이것 또한 사무 5행(6-5-3장 참조) 을 얼마나 충실히 이행하고 있는가를 나타내는 것이다.

설비는 시간이 지날수록 노후화로 인해 성능이 떨어지게 되어 있다. 다행히 여유가 있는 기업들은 5~7년 단위로 설비를 점검하고 주요 부위인 Spindle이나 Feed unit 나 Ball screw 등을 신규로 교체 하는 Overhaul 작업을 하여 성능이 떨어지지 않게 하고 있다.

하지만 실제적으로 이렇게 하는 기업은 적고 대부분 문제되는 부분만 교체해서 사용하는 경우가 많기 때문에 성능은 점점 저하되고 속도는 떨어져 C/T이 느려지게 되는 것이다. 또한 생산 수량을 맞추지 못해 연장 근무 및 주말 특근을 실시함으로써 인건비가 증가하는 사유가 되는 것이다. 따라서 설비 입고 시 공정별 Tryout 일지를 작성하여 유지 관리를 철저히 해야 한다.

*공정별 Tryout 일지 활용 사례

1.설비 입고 시 Machine layout(2015.1.1)
－작업 조건 : 20시간/일, 23일/월, 85%

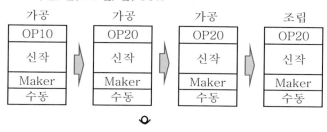

	가공	가공	가공	조립
	OP10	OP20	OP20	OP20
	신작	신작	신작	신작
	Maker	Maker	Maker	Maker
	수동	수동	수동	수동

C/T(SEC/EA): 100　　　　98　　　　　99　　　　　98
CAPA(EA/년): 168,912
인원(명/SHT): 1

2.현 시점 Machine layout(2020.1.1)
－작업 조건 : 20시간/일, 23일/월, 85%
－설비 개선이나 Overhaul 미 실시

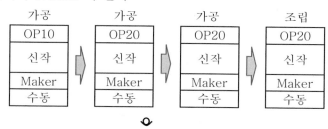

	가공	가공	가공	조립
	OP10	OP20	OP20	OP20
	신작	신작	신작	신작
	Maker	Maker	Maker	Maker
	수동	수동	수동	수동

C/T(SEC/EA): *120*　　　*115*　　　　*117*　　　　98
CAPA(EA/년): *140,760*
인원(명/SHT): 1

1.설비별 C/T의 영향으로 Capa가 28,152EA(약 17% ↓) 떨어졌다.
2.주요 부품인 Spindle, Feed unit, Ball screw 상태를 점검하고, 문제되는 부품을 교체하고, 노후된 전선 부품 등을 교체하는 전반적인 Overhaul 실시하여 최대한 원래의 상태로 복원 작업을 해야 한다.

7-7-4.공정 Tryout, Line Tryout

공정 Tryout이란 설비가 제작 완료되어 자사로 입고되면 설치, 시운전을 하게 되는데, 이때 설비 각각의 C/T, 정도, Jig & Fixture의 적합성, 공구 사양, 작업성, 안전성, 보전성 등이 목표치에 도달하도록 하는 것을 말한다.

공정 Tryout을 하기 전에 생산기술에서는 설비업체와 자사의 담당자를 지정하여 상호 인사하도록 하여, 시운전 중 문의사항이 발생할 때 서로 협력할 수 있도록 한다.

또한 현장에 지적사항 Check list를 화이트보드에 부착하여 자사내 관리자가 수시로 요청사항이나 지적사항을 적게 한다. 이렇게 작성한 지적사항을 가지고 생산기술에서는 중간 미팅 때 회의 자료로 사용하면 된다.

공정 Tryout 시 품질 확인 방법에 대해서는 앞에서도 거론했듯이 1차 1EA, 2차 3EA, 3차 20EA 연속 가공하여 5EA 측정하고, CPk를 만족할 때까지 실시한다. 공정 Tryout 중간에 시간을 활용하여 작업자나 보전 담당자 교육을 실시하고, 모자랄 때는 별도의 시간을 할애한다. 설비 업체에서는 가능하면 교육 자료를 사전에 배포하여 미리 학습할 수 있도록 한다.

Line Tryout은 공정 Tryout이 끝난 상태에서 소재를 첫 공정에서 마지막 공정까지 연속으로 흘려서, 각 공정 간 누적 공차의 문제는 없는지, 가공 후 설비의 간섭은 없는지, 자동화 설비의 이송 장치 부분이나 Clamp 부위 등과 소재의 간섭은 없는지, 작업자의 동선은 문제없는지, 소재의 입출에는 문제없는지, 완성품 적재 시 흠이나 간섭은 없는지 등을 파악하기 위함이다.

Line Tryout을 실시하는 방법으로는 우선 생산 작업자를 배치하고, 하루에 몇 시간을 할 것인지, 며칠 동안 할 것인지를 결정한다. 측정 방법은 연속으로 가공한 것을 기준으로 1, 5, 10, 15, 20 번째의 제품을 선별하여 치수 및 CPk를 측정한다.

검수 Tryout	1.장소 : 설비 Maker 2.주관 : 생산기술 3.동행 : 생산, 보전, 품질 4.방법 : 1차 1EA, 2차 3EA, 3회 5.측정 : 설비 Maker 6.점검 : C/T, 정도, 사양 준수 등 7.결과 : 제반사항 확인 후 입고 결정
공정 Tryout	1.장소 : 발주 업체 사내 2.주관 : 생산기술 3.참관 : 생산, 보전, 품질 4.방법 : 1차 1EA, 2차 3EA, 3차 20EA 중 　　　　1,5,10,15,20번째 치수 및 　　　　CPk 측정, 총 3회 정도 실시 5.점검 : C/T, 정도, 사양 준수, Jig & Fixture, 　　　　공구 사양, 작업성, 안전성, 보전성 6.결과 : 제반사항 확인 후 중간/Final 미팅
Line Tryout	1.장소 : 발주 업체 사내 2.주관 : 생산기술 3.참관 : 생산, 보전, 품질 4.방법 : 1차 1EA, 2차 3EA, 3차 20EA 중 　　　　1,5,10,15,20 번째 치수 및 　　　　CPk 측정, 총 3회 정도 실시 5.점검 : 누적 공차, 가공 후 설비와의 간섭, 　　　　자동화 부분과 소재와의 간섭, 　　　　작업자 동선, 소재의 입출 문제, 　　　　완성품 적재 시 흠이나 간섭 여부 6.결과 : 제반사항 확인 후 양산 준비

양산

7-7-5.중간 Meeting, Final Meeting

★

회의란 두 명 이상의 사람이 모여, 어떤 주제에 관해 논의를 하는 것, 또는 그 일을 하는 모든 것을 가리킨다라고 한다. 각 기업들은 기업 특성에 따라 여러 가지 형태의 회의가 있다. 우선 내부적으로는 사장 주관 회의, 임원 주관 회의, 팀장 주관 회의, 관련부서와의 회의 등이 있고, 외부적으로는 OEM과의 회의, LP 업체와의 회의, 신규 업체와의 회의, 기존 업체와의 회의 등이 있다.

회의의 방법보다는 회의의 주기가 더 중요한데, 예를 들면 임원 주관 회의를 매일 아침마다 한다고 보면(실제로 매일 약 2시간의 회의를 하고 있는 기업도 있음), 과연 회의를 함으로써 얻는 득과 실을 한번 따져보고 시간과 주기를 조정하는 것이 좋을 것이다.

여기서 재미난 사실을 알아보면 국내 기업들이 회의가 많고 시간도 많이 소비하고 있다고 보지만, 일본은 한국보다 훨씬 더 많은 회의가 있고 시간도 더 많이 소비하고 있다는 것이다. 국내 기업들의 회의의 목적은 문제점 해결이나 타당성 검토 후 최적의 안을 도출하는 것이 주된 것이지만, 일본 기업은 사소한 생수 구입 방법이나 복사 용지 구입 방법 등도 회의를 한다는 것이다.

일본인이 회의가 많은 이유로 스스로 어떤 일을 결정하지 못하기 때문이라고 한다. 이것을 설명하는 단편적인 예로 일본의 공장들을 견학하면 현장의 어느 부분에 항상 쓰여 있는 문구가 있다. "HORENSHOU(호렌쇼)"이다. 이 뜻은 HO는 보고(報告)의 일본어 HOKOKU의 첫머리 HO이고, REN은 연락(連絡)의 RENRAKU의 첫머리 REN이고, SHOU는 상담(相談)의 SHOUDAN의 첫머리 SHOU이다.

"HORENSHOU"의 장점은 모든 상황이 항상 보고되고 있기 때문에 상황을 빠르게 파악하여 대응할 수 있다. 또한 상하 관계나 부서 직원 간의 커뮤니케이션 측면에서 좋은 효과를 볼 수 있다. 하지만 큰 일이건 작은 일이건 스스로 결정하지 말고 상사에게 허락을 받아야 한다는 것을 나타내기도 한다. 이러한 것은 어릴 때

★ 위키백과에서 인용함.

부터 가정에서 부모로부터나 주변 사람들에게서 허락을 받아서 하도록 교육을 받아왔기 때문이라고 한다.

중간 미팅이란 설비 시운전 중에 제품을 품질에 측정 의뢰를 하면 최소 1~2일이 소요하게 된다. 이때를 감안하여 중간 미팅일을 정해서 현재까지 진행된 업무를 파악하기 위한 미팅이다.

중간 미팅 시 주요 업무는 현장에 부착한 지적사항 Check sheet 점검, C/T, 정도, Spare parts 인수인계, 작업자 교육, 보전 담당자 교육, 취급설명서 인수인계 등을 기록하고 대책자와 대책일을 작성한다. 또한 완료 예정 시점에 Final 미팅일도 기입하여 설비업체나 사내 담당자들에게 공지하여 준비토록 한다.

생산기술 담당자는 중간 미팅을 실시한 후 매일매일 진행 상황을 점검하여 진척율이 좋아지지 않을 때는 다시 중간 미팅을 실시하여 개선 일정을 수립한다. C/T이나 정도는 중요한 관리 항목이므로 반드시 자사가 요구한 Spec 이내로 들어오지 않으면 Final 미팅을 할 수 없다는 것을 Maker에게 공지하여야 한다.

회의의 방법에는 각 기업들의 특성에 따라 여러 가지가 있을 수 있다. 하지만 가장 중요한 것은 정시에 시작하여 정시에 결론을 내고 끝내는 것이다. 여기에 시간을 한 시간 내로 정해서 하면 더욱 좋을 것이다.

한 시간 내로 회의를 끝내기 위해서 필요한 것은 회의를 주관하는 사람이 얼마나 사전 준비를 철저히 하는가이다. 우선 회의 목적을 명확히 하고, 일정, 일시, 장소를 사전 공지하고, 참가자를 선정하고, 회의에 필요한 자료를 사전 배포한다.

일정 공지는 최소 3일 전에 실시하여 참가자들이 회의 자료를 준비할 시간을 주어야 한다. 또한 참가자가 변경될 경우에는 반드시 대체자가 내용을 파악하고 자료를 가지고 올 수 있도록 확인한다.

회의 주관자는 회의록 작성 방법을 어떻게 할 것인지 사전에 정리하여 참석한다. 회의 때 회의록 작성에 많은 시간이 낭비되지 않도록 한다.

Final 미팅이란 말 그대로 중간 미팅 때 지적되었던 사항들이 전부 완료되었을 때 최종적으로 하는 것으로, 모든 항목을 다시 작성하고, 완료 여부를 기입함으로써, 설비 잔금 지불이나 생산부서, 보전부서 및 품질부서로 양산 업무를 이관할 수 있게 한다.

설비 제작업체에게 Final 미팅은 설비 잔금 지불과도 직결되어 빠른 완료가 되길 원하지만, 생산부서나 보전부서 같은 경우에는 적은 시간으로 설비의 문제점을 완전히 파악한다거나 품질의 안정성을 보장받을 수 있을까가 염려되기 때문에 Final 미팅일을 지연시킬 때가 많이 있다. 또한 생산기술 측면에서도 빨리 업무를 종료하고 다른 업무로 전환하고 싶은 것이다.

이때 중요한 것이 생산기술의 리더십이다. Project에 참여하는 설비 제작업체는 대부분 자사와 계속해서 업무를 진행해 왔기 때문에 어느 정도의 신뢰성이 확보되어 있다고 볼 수 있다.

즉, 금번 Project만 하고 당사와 거래를 중지하지는 않을 것이기 때문에, 혹 중간 미팅의 내용 중에 정도에 영향을 주지 않는 구매품 추가 제출이나 제작품 추가 제출 등의 사유로 Final 미팅이 지연될 때, 생산기술은 리더십과 소통을 발휘하여 제작업체에게 확답을 받고 Final 미팅이 될 수 있도록 해야 한다.

Final 미팅 회의록에 기입되어 있는 Cycle time, 정도는 설비의 이력을 나타내는 것이므로 가공 시간과 비가공 시간으로 구별하여 작성하고, 정도는 CPk 값도 작성하여 유지 관리한다.

또한 정도는 설비가 노후화됨에 따라 점점 떨어지기 때문에 초기 측정 Sheet를 보관하여 설비를 개선할 때 사용할 수 있도록 한다.

[지적사항과 문제점 차이]

지적사항, 문제점의 차이에 대해서 간략히 소개하고자 한다.
제7장에서 설비가 입고 되면 현장에 화이트보드를 설치하고
"지적사항 Check sheet" 를 부착하여 생산기술, 생산부서, 품질부서,
보전부서 등에서 설비 시운전 시나 정지 상태에서의 지적사항을 기록
하여 설비 제작업체에게 수정 요청을 하게 되어 있다.
언젠가 일본 설비를 시운전할 때 현장에 "문제점 Check sheet" 라고
적어서 부착하였는데 일본 업체에서 왜 문제점이라고 적었냐고 나에게
따진 적이 있었다. 사실 그 때만 해도 왜 그러는지 몰랐기 때문에 일본
업체에게 왜 그러는지 물어보았다.
본 설비는 현재 시운전 중으로 완전하게 고객이 요구하는 사양이 준비
되어 인계되기 전이기 때문에 "문제점" 이라고 적으면 안되고,
"지적사항" 이라고 적어야 한다고 했다.
즉, 이러한 것은 설비의 주체가 어느 시점에 도달되어 있는가에 따라
다르게 표현해야 한다는 것이다.
Final Meeting이 완료되어 설비가 발주업체에 인계되어 양산하고
있는 중에 나타나는 것은 "문제점"이 되는 것이다.
설비업체에서 현재 생산 중인 설비가 이러한 문제가 발생하여 정도가
불량이라든지, 설비가 가동되지 않고 있다든지 할 때 사용되는
말이다.

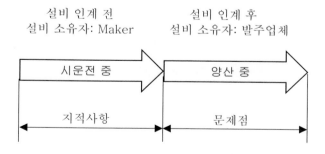

제8장 양산

양산이란 4M의 준비가 고객이 요구하는 조건을 만족한 상태에서 제품을 생산하는 것을 말한다. 즉, 설비는 고객이 요구하는 정도나 Capa를 만족하고, 작업자는 해당 설비의 기능과 조작 교육을 받아 스스로 능숙하게 할 수 있으며, 해당 제품에 필요한 재질은 Spec을 만족하고 내구 시험을 통과하였으며, 공장 Layout이나 설비 Layout 검토에 필요한 제반사항을 만족한 상태에서 제품을 생산하는 것을 말한다.

양산에는 양산 선행과 양산의 두 단계로 나누어서 관리하고 있다.

양산 선행이란 양산 1~2개월 전에 미리 생산을 해 봄으로써 설비의 상태나 작업자의 숙련 향상, 제품의 재질상의 문제, 물류상의 문제를 사전에 파악하기 위함이다.

양산이란 4M의 준비가 고객이 요구하는 조건을 만족한 상태에서 제품을 생산하는 것이다.

8-1.양산 선행
8-1-1.양산 선행 계획 수립

 양산 선행이란 양산 1~2개월 전에 4M의 준비 상태 전반에 걸쳐 점검하여 최종적으로 수정하거나 추가하거나 삭제하기 위함이다.

*양산 선행 계획은 다음과 같이 수립한다.
 1.일단위 업무 계획을 수립한다.
 2.소요되는 소재를 사전에 통보하고 확보한다.
 3.생산 수량의 계획 대비 실적을 분석한다.
 4.Man Machine Chart를 분석한다.
 5.불량률 현황을 파악한다.
 6.불량품 처리는 정확히 하는지 확인한다.
 7.작업에 필요한 부대 시설을 점검한다.
  -가공공정표
  -작업표준서
  -자주검사 Check sheet
  -설비점검일상표
  -자주검사대
  -자주검사 Gage 꽂이
 8.자주검사는 주기대로 하고 있고, 작성되고 있는지 확인한다.
 9.Layout상의 부적합이 없는지 확인한다.
 10.공장 전체 물류의 흐름은 간섭이 없는지 확인한다.
 11.적정 재공 및 재고 계획을 수립한다.
 12.완성품 보관 방법은 적합한지 확인한다.
 13.재공이나 완성품 적재 Pallet는 제품에 흠이나 간섭은 발생하지
    않는가 확인한다.
 14.절삭유, 유압유, 윤활유 등의 공급 방법을 확인한다.
 15.가공 중 Chip이나 Coolant가 설비 외로 비산되는지 확인한다.

*양산 선행 계획

 1.Line 명: 00 Line

 2.작업 조건: 20 Hr/일, 22 일/월, 85%

 3.연간 생산 수량: 200,000 EA/년

 4.Cycle time(SEC/EA): 80

 5.실제 UPH: 39

 6.작업자: 2명/SHT

 7.양산 선행 계획

  1)일정: 20**.2.1~3.30

  2)4HR/일 연속 생산하여 Cycle time, UPH, Man Machine Chart,
   불량 현황, 생산 간섭 여부 등을 파악한다.

OP10	OP20	OP30	OP40	OP50
MCT	MCT	MCT	조립	검사

 3)Cycle time(SEC/EA) 확인

계획:	78	77	80	70	70
실적:	78	77	80	70	70

 4)UPH 확인

계획:	39	40	38	44	44
실적:	39	40	38	44	44

     □ : Line의 실제 Cycle time과 UPH임

    →Cycle time과 UPH는 계획 대비 실적에 문제없음.

 5)Man Machine Chart 분석하여 문제가 있을 때 대책안을 수립한다.

 6)불량 현황

 -불량 현황을 정리하여 대책안을 수립한다.

 7)생산 간섭 여부

 -생산에 간섭을 주는 요소는 파악하여 대책안을 수립한다.

8-1-2.품질 향상 계획 수립

　운동 선수이든지 IT 관련 기술자이든지 관계없이 처음부터 뛰어난 기술이나 실력을 가지고 태어나지 않기 때문에 관련 스포츠 센터나 학교 등에서 피나는 노력과 연습을 반복함으로써 인정받는 선수나 기술자가 되는 것이다. 마찬가지로 제품도 고객이 요구하는 품질 수준을 만족하면서 제공하기 위해서는 양산 시점까지 어떻게 품질을 올릴 것인가 계획을 수립하여야 한다.

*품질 향상 계획은 다음과 같이 수립한다.
  1.일단위 생산 계획을 수립한다.
  2.소요되는 소재를 사전에 통보하고 확보한다.
  3.작업자 배치를 한다.
  4.품질관리자를 배치한다.
  5.설비의 CP, 제품의 CPk 측정하고 분석한다.
  6.설비의 CP, 제품의 CPk가 나오지 않을 경우 Line을 세우고 대책을 수립한다.
  -대책 수립 시 관련부서와 협의한 후 가장 적합한 안을 강구한다.
  7.공구의 예상 수명을 측정한다.
  -공구 수명은 품질과 직결되므로 반드시 측정하고 관리한다.
  8.작업자의 제품 취급상의 부적합은 없는지 확인한다.
  9.자주검사 Gage는 제역할을 하는지 확인한다.
  10.자주검사 주기는 제대로 설정되었으며 준수되고 있는지 확인.
  11.Checking jig는 도면대로 제작되었으며 제역할을 하는지 점검.
  12.품질에서 측정하는 방법은 적합한지 확인한다.
  13.소재반전장치나 소재이송장치에 의한 제품의 흠 등의 불량 발생 개소는 없는지 확인한다.
  14.절삭유의 희석율은 Spec을 준수하고 있는지 일상 점검한다.
  15.Air의 압력은 일정하게 공급되는지 컴프레서 상태를 점검한다.
  16.설비 누유 상태 여부를 확인한다.

8-2. 양산
8-2-1. 양산이란

양산의 사전적 의미는 동일 규격의 제품을 대량으로 생산하는 것을 말한다. 양산이란 4M의 준비가 고객이 요구하는 조건을 만족한 상태에서 제품을 생산하는 것으로, 설비는 고객이 요구하는 정도나 Capa를 만족하고, 작업자는 해당 설비의 기능과 조작 교육을 받아 스스로 능숙하게 할 수 있으며, 해당 제품에 필요한 재질은 Spec을 만족하고 내구시험을 통과하였으며, Layout 검토에 필요한 제반사항을 만족한 상태에서 제품을 생산하는 것을 말한다.

*양산 프로세스

	설계	영업	생산기술	관련부서
제품 기획	상품구상 및 설계 부품품질위험도 등급	견적 접수 견적 제출	개발 타당성 검토 사전품질계획 수립	설계 검토 외주 검토
제품 설계 및 개발	상세 설계 시작도 시작품 제작 IRE 목록	개발 승인	시작품 지원 PFMEA 양산선행관리계획	시작품 지원 부품업체 개발
공정 설계 및 개발	생산준비도		4M 준비 P1 준비 조립적합성	신뢰성시험 능력 검사협정 체결 측정시스템분석
품질 확보		포장 납품 용기	P2 준비 ISIR 공정 감사	조립적합성 단품한계내구시험 초도양산부품인증
양산			양산부품 업무 인계	전수 검사 (양산 초기 1개월)

8-2-2. 가동률 향상 계획 수립

   가동률(설비종합효율)이란 시간가동률, 성능가동률, 양품률 3개의
곱으로 생산 실적 대비 생산 능력의 비율을 말한다.
시간가동률은 부하시간 대비 가동시간의 비율을 말하고,
성능가동률은 가동시간 대비 정미가동시간의 비율을 말하고,
양품률은 정미가동시간 대비 가치가동시간의 비율을 말한다.
   부하시간의 돌발고장(정지로스)에 해당하는 항목으로 작업준비,
조정작업, 설비고장시간, 공구교환, 기종교환, 자주검사, Spec조정
등이 있으며, 가동시간의 순간정지(성능로스)에 해당하는 항목은
공전(空轉), 속도저하, 잠깐정지 등이 있으며, 정미가동시간의
불량(불량로스)에 해당하는 항목은 불량, 수정품 등이 있다.
   따라서 가동률을 향상하기 위해서는 위의 3가지 항목인 정지로스
, 성능로스, 불량로스를 줄이는 계획을 수립한다. 정지로스는 작업
자의 숙련도와 관계하므로 업체나 생산기술에서 적극적으로 지원
하여 설비 고장을 줄이도록 한다. 성능로스는 설비와 관계되는 항
목으로 생산하면서 발생하는 저해 요인을 즉시 개선한다.
불량로스는 작업자 실수에 의해서, 설비에 의해서, 공구에 의해서,
Jig & Fixture에 의해서 등 여러 가지 요인으로 인해서 발생한다. 앞
에서 거론했듯이 불량은 만성불량이 되지 않도록 발생 즉시 조치
하여야 한다. 가장 해결하기 어렵고 시간이 많이 소요되지만 이것
은 고객의 클레임과 직결되고, 향후 신규 Project 수주 여부와도 관
련이 있으므로 철저히 대응해야 한다.
   주요부서의 업무로 생산에서는 양산을 위한 제반사항을 점검하고
준비하여 생산을 주관하면서 가동률 현황 및 저해 요인을 기록하여
주 1회 관련자 대책 회의를 실시한다. 이때 생산 반장이나 조장도
참석시켜 업무 진행 현황을 파악할 수 있도록 한다.
   품질에서는 불량률 현황을 작성하고 불량에 대한 조치자를 사전
에 선정하여 생산 주관 회의 시 설명하고 각 조치자에게 대책안과

일정을 받아서 관리한다. 불량의 한도 견본에 대해서는 사전에 현장에 비치하여 작업자가 양부(良否)를 착오하지 않도록 한다.

　보전에서는 설비의 성능이 제대로 발휘되고 있는지, 소음이나 기름이 세는 곳은 없는지, 공기의 압력은 정확한지, 또한 세는 곳은 없는지, 잠깐 정지 등은 없는지 확인하고 문제점이 발생하였을 때 조치한다. 이러한 업무는 대략 양산 후 약 3개월의 기간에 목표 가동률이 85%에 근접할 때까지 이루어진다.

1.가동률 = 시간가동률 × 성능가동률 × 양품률
　1)시간가동률 : 부하시간 대비 가동시간의 비율
　2)성능가동률 : 가동시간 대비 정미가동시간의 비율
　3)양품률 : 정미가동시간 대비 가치가동시간의 비율

★
2.가동률 향상 계획
　1)일 생산성 파악
　　-UPH를 정확히 파악한다.
　2)생산성 저해 요인 파악 및 분석
　　-정지로스(작업준비, 조정작업, 설비고장시간, 공구교환, 기종교환, 자주검사, Spec 조정 등
　　-성능로스(공전, 속도저하, 잠깐정지 등)
　　-불량로스(불량, 수정품 등)
　3)우선 순위 결정
　4)대책안 수립
　5)대책안 실행
　6)검증
　　-효과 부족 시 대책안 수립 단계로 업무 반복한다.
　7)공수 저감
　8)수평 전개
　　-결과를 확인하고 타 Line에도 수평 전개한다.

★　菅間 正二의 生産技術の実践手法がよ〜くわかる 本[第2版] 인용함.

8-2-3.초기유동관리

초기유동관리란 신제품이나 Model change품 등이 생산 초기에 가동률이나 불량률, 직행률 등이 안정화되어 기업 이익에 공헌하기 위해서, 생산 초기 단계에 발생하는 여러 가지의 문제점을 신속하게 대책을 수립하여 안정된 생산 Line을 구축하는 행위를 말한다.

초기유동관리는 생산부서만이 실시하는 것이 아니라 생산기술, 품질, 보전 등의 모든 관련부서가 참여하여야 한다. 또한 초기유동관리를 단기간에 만족하기 위해서는 관련부서에서 정기적으로 참여하고 주어진 대책안에 대해서는 책임을 가지고 실시하여야 한다. 이러한 결과물은 생산기술에서 차기 Project에 반영하여 재발하는 일이 없도록 한다. 초기유동관리의 목표가 달성되었다고 판단할 때 Line을 생산부서에 인계한다.

초기유동관리의 일정은 일반적으로 3개월을 목표로 해서 실시한다.

[초기유동관리 관리 항목]
1)가동률
2)불량률
3)직행률
4)공정 능력(CPk, CP)
5)Cycle time
6)UPH
7)목표원가
8)MTTR, MTBF
9)기종 교환 시간
10)Man Machine Chart
11)물류
12)자주검사 방법 등

8-2-4. 생산 인계

생산 인계란 Final 미팅을 근거로 양산 준비가 완료되면 생산기술에서는 생산부서에 4M 제반사항인 설비 List, C/T, 정도, 작업자 교육, Man Machine Chart, 취급설명서, Machine layout, Spare parts, 가공공정표, 작업표준서, 설비일상점검표, 자주검사 Gage list, 자주검사 Gage, 자주검사 Check sheet, Utility list 등을 인계하는 것을 말한다.

생산 인계의 의미는 생산 주관을 생산부서로 이관한다는 것이다. 즉, 생산에 관련된 4M 제반사항을 점검, 관리, 실행하는 것을 말한다. 따라서 생산기술에서는 생산에 인계하기 전 자료 목록을 확인하여 누락 여부가 없는지 세밀히 확인하여야 한다.

우선 C/T은 설비 List로 가공 시간과 비가공 시간으로 나누어서 작성하여 인계하고, 가공 정도는 설비별 품질 Check sheet를 복사하여 인계하고, 취급설명서, 작업자 교육 내용, Spare parts, Utility list 등은 Final 미팅 시 확인한 내용을 근거로 한다.

Man Machine Chart는 작업자의 인원수와 관련되는 것이므로 최종본으로 수정, 작성하여 생산부서에 설명하고 인계한다.

Machine layout 또한 최종본으로 수정하고 CAD File로 생산에 인계하고 만약 생산 중에 Layout 수정 사항이 발생하면 생산부서에서는 생산기술에 통보하고 수정한다. Machine layout은 Man Machine Chart와 직결되기 때문이다.

현장에 비치하는 가공공정표, 작업표준서, 설비일상점검표, 자주검사 Check sheet 등은 내부 결재를 득하고 사본을 생산부서 이외에 품질부서로도 인계한다. 가공공정표일 경우는 품질에서 사용하기 용이하게 자체에서 수정하여 사용하는 경우도 있다.

자주검사 Gage는 입고 시점에 생산기술에서 품질부서로 List와 항목을 전부 인계하였다.

품질부서에서는 양산 전에 자주검사 Gage list와 항목을 생산부서로 인계하고 향후 생산 시 유지 관리도 실시한다.

4M 제반사항을 생산부서로 인계하는 것은 쉬운 일이 아니다.
생산부서 입장에서는 좀 더 늦게 받고 싶어하고 생산기술에서는
다른 Project를 하기 위해서는 매듭을 지어야 하는 상황이 발생한다.
 가장 좋은 방법은 생산기술에서 인계하는 Line이 문제없도록 하면
된다. 따라서 어떤 일이든 생산기술에서는 기획 단계부터 양산 단
계 전반에 걸쳐서 QCD를 만족하는 Line 구축을 위해서 최선을 다해
야 한다. 또한 생산부서는 약간의 부족함이 있더라도 언제까지 대
책을 수립해서 해결하겠다는 계획을 받고 Line을 이관 받아야 한다.

[생산부서 인계 항목]
 1)설비 List
 2)Cycle time
 3)가공 정도
 4)작업자 교육 내용
 5)Man Machine Chart
 6)취급설명서
 7)Machine layout
 8)Spare parts
 9)가공공정표
 10)작업표준서
 11)설비일상점검표
 12)자주검사 Gage list
 13)자주검사 Gage
 14)자주검사 Check sheet
 15)Utility list

8-2-5.보전 관리

1.보전이란
★

　보전(保全, Maintenance)의 사전적 의미는 보호해서 안전을 유지하는 것이다고 한다. 여기서 유사한 단어인 보수(保守, Safeguard)의 사전적 의미는 정상적인 상태를 유지하는 것으로 기계나 시스템 등의 정비, 점검 작업을 나타내는 것이 일반적이다.

　기계의 보수란 고장난 개소의 수리, 파손된 부분의 수선을 말하고, 시스템의 보수란 소프트웨어의 갱신, 하드웨어의 교환을 말한다.

　보수란 기계가 고장이 났을 때 원래의 상태로 되돌리는 것을 말하고, 보전이란 기계가 고장이 나지 않도록 일상 점검을 하는 것을 말한다.

　보수의 사용법으로는, 엔진에 결함이 발생하였을 때 차량의 보수 점검을 한다든지, 탈선 사고가 난 후 선로의 보수 작업을 추구한다든지, 납품 후의 기계를 보수하는 일을 담당했다든지, 최근의 청년은 생각하는 것이 보수적으로 되었다 등이다.

　보전의 사용법으로는, 기계 보전의 목적은 기계가 파손되지 않도록 한다든지, 돌발적인 사고를 제로로 하기 위해서 정기적인 보전을 행한다든지, 환경보전에 의해 사람과 동식물의 거주 환경의 안전을 도모한다 등이다.

　제품을 만들 때 필수 요소는 전부 4가지(4M)가 있다.
첫째, 작업자(Man)이다. 어떤 Full 자동화된 공장이라고 할지라도 불량 분류 등의 작업은 역시 사람이 하지 않으면 안되는 것이다.
둘째, 재료(Material)이다. 적절한 원재료나 부품을 적기의 시점에 공급함으로써 생산성을 높일 수 있다.
셋째, 방법(Method)이다. 효율이 최고가 되게 생산하기 위한 방법은 무엇일까를 항상 생각해서 현장에 적응시키는 것이다.
넷째, 기계(Machine)이다. 공장에서는 반드시 무엇인가의 기계나

★ Yahoo. Japan.保守と保全の違いとは에서 인용함.

설비가 가동되고 있고, 이것을 안정하게 가동되게 함으로써 기업 이익에 공헌하게 하고 있다.

이 4가지의 요소 전부 생산에 없어서는 안되지만 가장 중요한 요소를 지정하라면 당연 Machine일 것이다. 즉시 대체할 수 없는 기계나 설비가 중지되어 버렸다면 설비를 보전하는 것으로 인해 생산성은 떨어지고 만다. 따라서 기계나 설비가 중단되지 않도록 하는 것이 무엇보다도 중요한 것이다. 설비보전이란 말하자면 그러한 문제가 발생하지 않도록 정기적으로 보전을 행하는 작업 전반을 나타낸다.

2.설비 보전의 종류

사후보전, 예방보전, 예지보전의 3가지가 있다.

첫째, 사후보전이란 기계나 설비가 고장날 때까지 사용하였거나, 기계가 정지한다든지, 효율이 저하하였을 때 그 원인을 규명하고 대처하는 업무이다.

기계나 설비가 고장이 나면, 우선 원인을 파악하기 위해서 설비를 분해한다든지, 관련 문서를 확인한다든지, 제작업체에 문의를 하면서 대책안을 수립한다. 분해 후 문제점이 파악되면 그 자리에서 수리를 하고, 새로운 부품이나 수정품이 발생하면 발주 또는 수정하여 고장을 대처한다.

둘째, 예방보전이란 기계나 설비가 사용 중에 고장이 일어나는 것을 사전에 방지하기 위해서 사용 부품의 수명 주기를 설정하여 정기적으로 분해, 검사하여 불량인 것은 교체하거나 수정하거나, 설비일상점검표와 같이 매일 설비 상태 점검표를 설비에 부착하여 온도 상태, 압력 상태, 누유 상태, 급유 상태 등을 점검하여 보충 또는 수리하거나, 동작 상태를 감시하는 보전관리시스템을 사용하여 고장을 미연에 방지하는 것을 말한다.

사후보전은 실제로 고장이 발생했을 때 움직이므로 미연에 방지하는 것이 불가능하다. 따라서 예방보전은 정기적으로 보전을 행하고 고장을 억지한다든지 기계의 수명을 연장시킨다든지 하는 다양한 장점이 있다.

셋째, 예지보전은 최근 주목되고 있는 IoT(Internet of Things, 사물인터넷)를 활용한 Smart Factory 시스템이 대표적인 예이다. 기계나 설비에 Smart sensor를 부착하고, 이것을 감시하는 Smart control box를 설치하여, 생산관리, 보전관리, 공구관리 등의 제반 사항을 사전에 인지하여 관리하는 것을 말한다.

이러한 시스템은 Internet으로 구현되기 때문에 사무실이나 공장의 PC 뿐만 아니라 개인의 휴대폰으로도 Line의 상태를 실시간으로 확인 가능하다. 따라서 보다 빠르게 고장을 예측하고 대응을 할 수 있다.

*Smart factory 구성 요소

-사무실, 공장, 휴대폰: 통신 프로토콜을 이용한 공장 네트워크

-Smart control box

-기계나 설비 내 Data 통신 기능 부착(Smart sensor 등)

-보안 기능

-보전관리, 생산관리, 공구관리 화면 구성

3.설비관리대장

설비보전은 오직 보전을 실행한다든지, 고장에 대한 대처만을 하는 것이 아니고, 하나 하나의 기계나 설비가 어디에, 언제부터 가동하고, 어떠한 대응 이력이 있을까 등을 모두 대장에 기록하고 관리할 필요가 있다.

다음은 주된 관리 항목이다.

-기계나 설비의 구입에 관계된 항목

계약일, 도입일, 가동 개시일, 구입 및 보수 금액, 임대 금액 등.

-기계나 설비 자체에 관계된 항목

Maker, 형식, 제품명, 사양서, 설계서, 위치, 가동 Line.

-정비에 관련된 항목

정기 보전 상황, 사내 보전 상황, 점검 년월일, 점검자.

-고장, 수리에 관련된 항목

고장 발생일, 고장 및 수리 내용, 수리일, 사용 부품, 수리 금액.

-보험에 관련된 항목

기계 보험의 유무, 보험 내용 등.

★
4.설비보전의 시스템화가 중요한 이유

설비보전에는 정보 관리 등의 일도 있기 때문에 시스템화가 중요한 분야가 된다. 이러한 이유로는 다음과 같은 것이 있다.

첫째, 보전 Rule이 지켜지지 않는다. 설비보전은 누군가의 한사람이 아니고 복수인으로 업무를 담당하는 것이 대부분이다. 그러면 반드시 보전 Rule을 지키지 않는 작업자가 나오게 되어 있다.

특히 Excel로 작성한 관리대장 근거의 설비보전은 더욱 더 Rule이 준수되지 않게 된다. 그러면 설비보전을 시스템화하여 강제적으로 Rule을 준수하지 않으면 안되는 상황이 된다는 것이다.

둘째, 설비관리대장의 최신판을 알 수 없다. 설비보전을 행할 때 가장 곤란한 것이 복수인으로 관리함으로써 인하여 무엇이 최신판인지 알 수 없다는 것이다. 따라서 설비보전의 시스템화에 의해 이러한 버전 관리 문제를 해결한다.

셋째, 시스템 연계가 어렵다. Excel로 작성한 설비관리대장 등은 시스템과의 연계가 안되기 때문에, 그 효과를 최대한으로 끌어 올리는 것이 어렵다. 단, 시스템이라면 기계나 설비의 세밀한 정보가 기록되고, 이것을 다른 시스템과 연계해서 활용 가능하다.

5.생산기술과 보전

생산기술에서 설비를 제작한다면 보전에서는 그 제작된 설비를 유지 관리하는 업무를 한다. 즉, 연결된 업무의 하나로 어떤 것 하나라도 실수를 하면 생산 Line은 고객이 요구하는 QCD를 만족하기 어렵게 될 것이다. 따라서 어떤 설비이든지 제작 단계부터 생산기

★ Yahoo. Japan.設備保全とは(Bizapp channel)에서 인용함.

술과 보전, 생산, 품질은 함께 협력하여 좋은 설비가 갖추어지도록 해야 한다.

보전의 주요 업무는 기계 분야, 전기 분야, 전자 분야로 나눈다. 생산기술은 일반적으로 기계 분야 전문가가 많이 있기 때문에 기계 분야에 대한 협의는 큰 문제가 없다. 하지만 전기나 전자 부분은 문외한이 대부분이라 보전에 일임할 때가 많은데, 앞에서도 거론했듯이 생산기술 담당자는 전기 분야 공부도 권장한다.

*기계 분야의 주요 업무로는
· 설비 하드웨어 고장 시 조치
· 가동 중 소음이나 진동 발생시 조치
· 정적 및 동적 상태의 Bed , 스핀들, Feed unit, Ball screw 등 점검
· 부대 장치인 Conveyor, Hyd tank, Lub tank 상태 점검
· 기름 누유나 Air 누설 상태 점검
· 설비관리대장 관리
· 설비 가용성 관리
  → 설비 가용성(Availability)은 시스템이 정상적으로 운영된
    시간을 확률로 표기한 것
· Spare parts 관리
· 신규 프로젝트 생산기술 지원 업무

*전기, 전자 분야의 주요 업무로는
· 1차 전원 변전실 관리
· 수배전반 관리
· 설비 전기, 전자 분야 고장 시 조치
· PLC, Relay 회로도 작성 및 수정 작업
· 자동화 장치와 설비와의 Interlock 작업
· 전력비 관리
· Spare parts 관리
· 신규 프로젝트 생산기술 지원 업무

6.설비 가용성

가용성(Availability)란 시스템이 정상적으로 운영된 시간을 확률로 표기한 것이다.

가용성은 99.9%와 같은 퍼센트로 표기하며 아래의 뜻과 같다.
·시스템이 중단되지 않고 운영될 수 있는 능력.
·사용이 필요할 때 시스템이 지정한 기능을 수행할 수 있는 확률.
·총 운영 시간에 대한 시스템 가동 시간의 비율.

설비 가용성은 다음과 같은 식으로 구한다.
가용성(%)=(MTBF/(MTBF + MTTR)) × 100(%)
MTBF(Mean Time Between Failure, 평균 고장 발생 간격)
  = 가동 시간/고장 건수
MTTR(Mean Time Between To Repair, 평균 복구 시간)
  = 고장 시간/고장 건수
*MTBF의 계산식

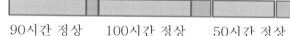

　　　10시간 고장　　　30시간 고장　　20시간 고장

90시간 정상　　100시간 정상　　50시간 정상
MTBF는 정상 시간의 평균이다.
MTBF = (90+ 100+ 50)/3 = 80시간
→MTBF는 길수록 우수한 장비의 척도이다.

*MTTR의 계산식

　　　10시간 고장　　　30시간 고장　　20시간 고장

90시간 정상　　100시간 정상　　50시간 정상
MTTR는 고장 시간의 평균이다.
MTTR = (10+ 30+ 20)/3 = 20시간
→MTTR은 짧을수록 우수한 장비의 척도이다.

★ Daum.café.halmifloweryou 에서 인용함.

*가용성의 계산식

| 10시간 고장 | 30시간 고장 | 20시간 고장 |

90시간 정상   100시간 정상   50시간 정상

1) 가용성을 전체 시간으로 계산하면

정상 가동 총 시간 = 90+ 100+ 50 = 240

정상과 고장의 총 시간 = 90+ 10+ 100+ 30+ 50+ 20 = 300

가용성 = 240/300 ×100 = 80%

2) 가용성을 MTBF와 MTTR이 식으로 계산하면

가용성(%)=(MTBF/(MTBF + MTTR)) × 100(%)

가용성 = 80/(80+ 20) ×100 = 80%

*MTTF(Mean Time Between To Failure, 평균 고장 시간)

수리가 되지 않는 비수리계 시스템이 고장이 날 때까지의 수명 평균이다. 비수리계 시스템이란 고장이 나도 수리가 되지 않는 일회용품이나 재생 불가능 아이템.

구체적인 예로 전구의 수명의 평가에 MTTF가 사용된다.

MTTF(시간/건) = 총가동시간/ 고장 건수

예를 들면 전구가 각각 200시간, 150시간, 250시간에 고장이 났을 때의 MTTF는

MTTF = (200+ 150+ 250)/3 = 200시간/건

→MTTF는 길수록 우수한 제품의 척도이다.

7.노후 설비

노후 설비란 설비의 사용 연수가 오래되어 Slide부나 Spindle부 등의 마모로 인해 유격이 발생하여 동작이 불안정하다든지, 이로 인해서 요구되는 정도를 만족하기 어려운 설비라든지, 제어 장치 등이 구식이라 최근의 장비와 연계가 되지 않는다든지 하는 것을 말한다.

이러한 설비를 그대로 사용하게 되면 생산성 저하 및 불량률 과다 발생으로 기업에 막대한 지장을 주기 때문에 노후 설비를 재생하는 계획을 수립한다. 계획을 수립하기 전에 관련부서인 보전과 생산 등과 협의하여 현재 설비의 상태 점검을 실시한다. 어느 설비는 어디까지 수리하고 교체할 것인지, 교체의 타당성이 없을 때 폐기할 것인지를 먼저 설비별 Check sheet를 만든다.

노후 설비 처리 방안은 개조, 매각, 폐기의 3가지로 구분한다. 개조는 현재 설비를 수리, 개량하여 사용하는 것을 말하고, 매각은 자체에서 개조를 하지 않고 구매자가 주요 부품을 활용할 수 있다고 판단할 때 외부로 설비를 판매하는 것을 말하고, 폐기는 말 그대로 고철로 매각하는 것을 말한다.

노후 설비 보관 방법은 우선 장소를 지정하고, 목록 대장을 만들어, 설비에 목록표와 일치하는 마킹 작업을 하여 보관한다. 간혹 일부 기업에서 노후 설비를 아무렇게나 방치해서 녹 발생으로 사용이 어렵게 되거나, 목록 대장을 만들어 현물에 마킹 작업을 하지 않아 현물이 어디 있는지 알 수 없다든지 하는 경우가 있다.

노후 설비를 재생하는 방법으로는 다음과 같은 방법이 있다.
1)Overhaul(수리): 떨어진 성능을 회복시키는 것으로 해당 부위를 분해해서 수리, 복구하는 것.
2)설비 개조: 기능이나 성능이 부족한 부분이나 작업자의 불편 사항을 보다 좋게 만드는 것.
3)Retrofit(개량)
 -Overhaul 작업 위에 추가하여 전기제어 부분까지 교체하거나 수정하여 새로운 기능을 추가함으로써 고기능을 확보하여, 정도 보증을 용이하게 만드는 것.
 -신규 설비 대비 고기능을 확보하면서 단기간에 최신의 기능을 추가할 수 있으며 설비 투자비가 적게 든다.
 -사내 개조 등을 활용하여 기술 축적을 도모할 수 있다.

[눈으로 보는 관리]

  얼마 전에 태국에 있는 일본 기업의 Line을 견학할 기회가 있었다.
태국은 작업자의 숙련도가 한국 대비 현저히 떨어져 한국에서 4대를
1명이 작업을 하고 있다면, 태국에서는 무조건 1명당 1대만 작업하도록
하고 있었다.
  이러한 사람에 의한 생산성 Loss를 줄이기 위해서 "눈으로 보는 관리"
를 실시하고 있었다. 당시 현장을 보고 현대자동차에서 실시하고 있는
5STAR로 보았을 때 5STAR 수준으로 모든 것이 완벽하게 준비되어 있
었고, 또한 작업자들이 잘 수행하고 있었다.
눈으로 보는 관리에 대해 잠시 소개하고자 한다.
1.공정 상황 표시판(작업자별)
 -화장실/미팅/계획 무/소재지연/금형수리/설비수리/가공 중/교대 중의
  카드 비치
2.해당 Cell 진행 상황 현황판 비치
 -모든 Cell의 진행 현황을 알 수 있도록 제작하고 감독자가 현장에 도착
  하면 현황판만 보면 현재 어떤 일이 진행되고 있는지 알 수 있도록 함
3.Item별 공정 Flow 현황 소개판 제작 비치
4.바닥에 소재부터 가공, 완성품 적재 구간까지 Flow marking 되어 있음
5.각 반별 소모품 통합 보관대 제작
6.설비 청소 상태 관리 기준판 부착(OK, NG 상태의 샘플 사진 부착)
7.복장 및 청결 의식 강화용 대형 거울 비치
 -공장의 여러 벽면에 설치, 복장 상태 설명 사진 부착, 거울이 더러워
  지면 공장도 더러워진다.
8.제품 자투리 보관대 제작(잠금 장치화)
9.기계 위 청소 상태 확인용 거울 제작
10.공장 내 통로 구분화 표시(사람, 대차)
11.제품보관대 식별 표시 명확화
12.예비자재 관리 시스템 구축(잠금 장치 실시)

제9장 신공장 건설

 어떤 제품을 생산하기 위해서는 공장이 필요하게 된다. 이러한 공장을 건설하는 업무 또한 생산기술에서 실시하므로 본서에서 사업 계획 기획 단계에서 공장 사용 승인서 교부까지 의 업무를 개략적으로 설명하고자 한다.
 공장에는 건축 공사, 토목 공사, 구조 공사, 기계 공사(공조기, 냉동기, 보일러, 컴프레서, 집진기, 폐수처리장 등), 전기 공사, 소방 공사 등이 있다.

9-1.신공장 건설

신공장 건설 업무 프로세스 요약은 다음과 같다.

1.사업 계획 기획

2.사업 계획 확정

 1)Project 착수

 2)설계

  -건축

  -토목

  -구조

  -기계(공조기, 냉동기, 보일러, Compressor, 집진기, 폐수처리 등)

  -전기

  -소방

 3)건축 시공 업체 견적

 4)착공 신고

 5)공사 시공

 6)사용 승인 신청

 7)준공 검사

 8)사용승인서 교부

신공장 건설 업무 상세 프로세스는 다음과 같다.

1.사업 계획 기획

　사업 계획을 확정하기 전에 사전에 현장 조사, 규제 사항 검토,
　현장 지질 조사, 건축 도면 작성, 건축 예상 비용 산정 및 타당성
　을 검토하여 본 Project 수행에 문제가 없는지 검토함을 말한다.

1)현장 조사

　(1)전기 수용 능력 및 예상 비용

　　-현 부지에서 인입할 수 있는 전기 수용 능력을 확인한다. 수용
　　능력이 모자라서 별도의 전력을 끌어들이는데 필요한 비용은
　　엄청나게 많이 소요되므로 반드시 확인한다.

　　-이것은 실제로 전기 수용 능력이 모자라 약 6Km 지점에서 끌
　　어오는데 비용이 약 30억원 소요되는 지역도 있었다.

　(2)도시 가스 인입 여부

　(3)시상수도 및 공업용수

　(4)폐수 및 오수 처리 시설

　(5)환경 시설이 주변 지역과의 상관 관계

2)규제 사항 조사

　-현 지역에 어떤 규제가 있는지, 즉 환경 규제는 없는지, 자사의
　규제 사항에 위배되는 사항은 없는지 조사한다.

3)현장 지질 조사

　-공작기계의 중량에 따라 매립 지역일 때는 지반이 약해서 지반
　보강 공사를 하게 됨으로 인하여 추가 비용이 발생하게 된다.
　따라서 반드시 현장 지질 조사를 실시한다.

4)건축 개략 도면 작성

　-건축 예상 비용을 산정하기 위함이다.

5)건축 예상 비용 산정

　-건축 개략 도면으로 개략적인 예산을 산정한다.

6)타당성 검토 및 보고

　-모든 상황을 정리하여 투자타당성 보고를 작성한다.

2.사업 계획 확정

Project 착수부터 건축 시공을 완료하여 사용승인서를 교부 시점까지의 업무를 나열한다.

1)Project 착수

(1)전기 사전 신고: 한국전력

(2)지적도 신청 및 확인: 시청

(3)관리 공단 확인: Project 진행 사항 설명 및 수시 접촉

(4)시청(혹은 구청) 확인: Project 진행 사항 설명 및 수시 접촉

(5)도시가스공사 사용량 사전 신고

(6)LH 공사 확인: 토목 관련 사항 문의

(7)경계 측량 실시: 대한지적공사에 의뢰

(8)Level 측량 실시

 -1차로 설계 업체에서 실시

 -2차로 건축 시공업체에서 실시

(9)건축 Layout 검토

(10)설비 Layout 검토

(11)최적 Block 설정

   -품종별, 설비별, 재질별, 가공 경로별로 구분하여 공장 내부의 Block을 설정한다.

(12)화재 시스템 검토

(13)물류 시스템 검토

(14)공장 인원 관리 방안 검토

(15)공장은 몇 년도 CAPA까지 대응할 것인지 검토

   -증설 시점을 고려하여 추가 부지 여유를 고려한다든지, 다른 곳에 신설한다든지 하는 것을 사전에 검토한다.

(16)Cell별 독립체산제 적용 검토

   -기업마다 차이가 있겠지만 최근 소사장 운영을 많이 하고 있기 때문에 Cell 단위로 묶어서 독립체산제 적용안도 검토한다.

(17)Utility 적용 사양 검토

-전기, 공조기, 냉동기, 보일러, 컴프레서, 집진기 등.
(18)타사 Benchmarking 실시
(19)예상 비용 수립 및 보고
(20)예상 일정 수립
(21)건설안을 작성하여 보고
 -견적 의뢰용으로 활용한다.
(22)설계 견적 사양서 작성
(23)설계 업체 조사 및 Presentation 실시
(24)공개 견적 사양 설명회 실시
(25)견적 접수 및 업체 선정
(26)계약 시 설계비와 감리비를 동시에 계약한다.
 -건축, 전기, 기계, 환경 설비, 소방, 통신 등 전체.

2)설계
(1)건축 설계
 ①기본 설계
  -Layout 검토 및 확정
  -공장 관리는 물(物)과 인(人)을 고려하여 설계한다.
  -향후 증축 용이 고려
  -집진기 등의 설치 위치에 따른 환경 영향도
  -건물 이미지
  -직원 식당 이동 거리
  -반제품과 완제품의 이동 거리
  -물류 창고 방식과 위치
  -건축 비용
  -기본 설계 중간 보고회
 ②기본 설계 확정
  -건축 허가 신청
  -기본 설계 완료 보고회

③상세 설계

  -기본 설계를 바탕으로 상세한 부분까지 설계

  -도면 승인

  -도면 완료 보고회

  -건축 시공 업체 견적용 도면 10부 요청

  -입찰 준비

  -기공식 준비

(2)토목 설계

  -Level 측량 실시

  -성토 및 절토량 검토

  -오폐수

  -상하수도

  -도시가스

  -옹벽

  -담장

  -저류 시설

  -비점오염원

(3)구조 설계

  -지붕 형상

  -Span 최적 길이 산정

  Span이란 공장 내부에 설치되는 기둥 간의 간격을 말한다.

  -공장동과 사무동 및 복지동 등에 따른 철근콘크리트구조와 철골구조 적용 검토한다.

  -각 동의 기초 검토(Pile 기초, 지내력 기초, 내림 기초)

  -철골 사양 선정(H-Beam 방식, Truss 구조 방식, PEB 방식 등)

  -설비 하중에 따른 각 동의 지내력

  설비의 지내력을 설계에 제공하여 어떤 기초 공사를 할 것인지 설계하는 중요한 요소이다.

(4)기계 설계

  ①공조 능력

    -현재 능력 조사

    -신공장 적용 사양 검토(직팽식, 터보냉동식, 층류공조 방식)

    -능력 계산

    -견적 의뢰 및 사양 1차 확정

    -예산 수립

    -사양 확정

  ②냉방 능력

    -기본적인 업무 프로세스는 동일하게 적용한다.

  ③난방(보일러 기준) 능력

    -기본적인 업무 프로세스는 동일하게 적용한다.

    -신공장 적용 사양 검토(관류보일러, 콘덴싱보일러 등)

  ④Compressor 능력

    -기본적인 업무 프로세스는 동일하게 적용한다.

  ⑤집진기 능력

    -기본적인 업무 프로세스는 동일하게 적용한다.

  ⑥폐수처리 능력

    -기본적인 업무 프로세스는 동일하게 적용한다.

(5)전기 설계

    -기본적인 업무 프로세스는 동일하게 적용한다.

    -변압기 용량을 계산한다.

(6)소방 설계

  -현재 화재 발생 현황 조사

  -현재 화재 방지 시스템 검토

  -신규 화재 방지 시스템 검토

  -타사 Benchmarking

  -중앙 집중 방재 시스템 검토

  -사양 확정

3)건축 시공업체 견적
 -건축 도면 업체별 준비
 -건축 시공업체 입찰 방식에 의거 견적 의뢰
 -견적 접수와 동시에 업체별 견적 금액을 양식을 만들어 기록
  하고 사인을 득한다.
 -최저 업체를 공개한다.
 -업체별 견적가 비교(물량, 수량, 단가, 누락 및 차이 내역 분석)
 -하자가 없을 때 최저 업체로 품의를 한다.
 -계약서는 건축표준계약서를 사용한다.
 -지불 기준에 대해서는 업체와 협의를 하되 3~4회 분할하여 지
  급한다(계약 시, 자재 입고 시, 공사 완료 시, 준공 후 2개월 후).

4)착공 신고
 -착공 전 준비
  관계 기술자 협력(건축, 토목, 구조, 기계, 전기, 소방, 환경 등)
 -착공 신고
  계약서 제출(설계, 감리, 건축 공사)
 -현장 기술자 배치
 -회사가 현장에 준비해야 할 것들
  전기, 전화, 통신, 보안, 콘테이너, 복사기, 빔프로젝트,
  사무용품, 비품, 냉난방기, 정수기, 식당 계약 등

5)공사 시공

6)사용 승인 신청

7)준공 검사

8)사용 승인서 교부

참고 문헌

·Mitsubishi Motor Company 荒井 齊勇 자서전
·菅間 正二 [生産技術の実践手法がよ~くわかる 本] [第2版]
·坂倉 貢司 [生産技術の本]
·Internet media

저자 소개

정대식(鄭大植)
·1986년 울산대학교 기계공학 졸업
·현대자동차 엔진생산기술부 입사 후 약 16년간 근무
·중소기업에서 생산기술 본부장 및 공장장 역임 14년간 근무
·YAMAZAKI MAZAK 영업 3년(Turnkey base 견적 대응)
·기술연구소 업무
·보전 업무